D1376968

méga
expériences

Direction de la publication
Bertrand Eveno

Rédaction
François Aulas
Jean-Paul Dupré
Anne-Marie Gibert
Patrick Leban
Joël Lebeaume

Direction de l'ouvrage
Marie-Odile Fordacq

Direction artistique
Bernard Girodroux
Claire Rebillard

Illustrations
Christian Broutin
Patrick Deubelbeïss
Pierre-Emmanuel Dequest
Christophe Drochon
Jean-Jacques Hatton
Olivier Hubert
Sophie Jacopin
Christian Jégou
Camille Ladousse
Yves Larvor
Nathalie Locoste
Catherine Loget
Robert Nageli
Jean-Marc Pau
Jean-Claude Senée
Claude Serine
Amato Soro
Etienne Souppart

Mise en page
Delphine Renon
Olivier Lemoine

méga *expériences*

NATHAN

SOMMAIRE

L'eau dans tous ses états

Chaud et froid

Le monde naturel

Le corps humain

Sons et transmission

Lumière et couleurs

Miroirs et lentilles

Forces et énergies

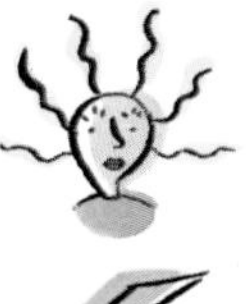

Informations pratiques

Une expérience rapide à réaliser.

Si tu as environ 1/2 heure devant toi...

Cette expérience nécessite beaucoup de temps.

★ Très facile !

★ ★ Simple.

★ ★ ★ Ce montage demande de l'attention.

Avant de commencer tes expériences, lis les conseils page 192.

L'EAU GRIMPEUSE

L'eau s'écoule toujours vers le bas. Pourtant, parfois, elle réussit à s'élever lorsqu'elle circule dans des tubes très fins : c'est la capillarité.

LE BAC À RÉSERVE D'EAU

L'eau grimpe le long du tissu, l'imbibe, va mouiller la terre de la plante ; elle est alors absorbée par les racines et grimpe dans les vaisseaux de la plante.

mèche (bande de tissu)
grille
niveau témoin
réserve d'eau

Un arrosage automatique pour les vacances

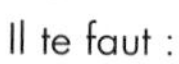

Il te faut :
- du tissu en coton ou du coton hydrophile,
- une bouteille remplie d'eau,
- une plante.

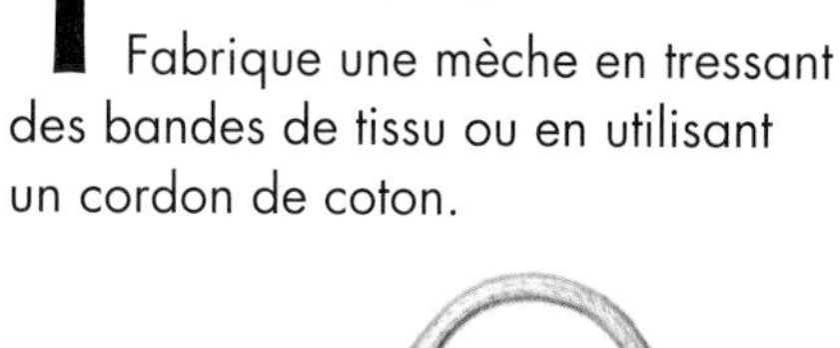

1 Fabrique une mèche en tressant des bandes de tissu ou en utilisant un cordon de coton.

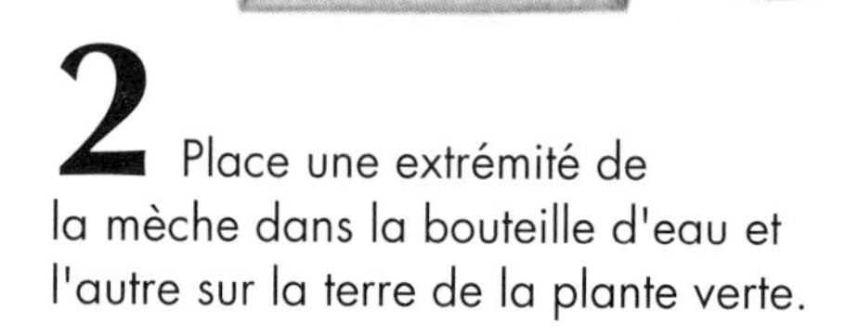

2 Place une extrémité de la mèche dans la bouteille d'eau et l'autre sur la terre de la plante verte.

Pour bien réussir...
Place la bouteille plus haut que la plante. Tu peux améliorer ton installation en enfilant la mèche dans un tuyau en plastique afin d'éviter l'évaporation.

Des plantes multicolores

Il te faut :
- 2 pots de yaourt,
- de l'eau,
- de l'encre ou un colorant alimentaire,
- des fleurs (œillet ou jonquille) ou des plantes (céleri branche, persil).

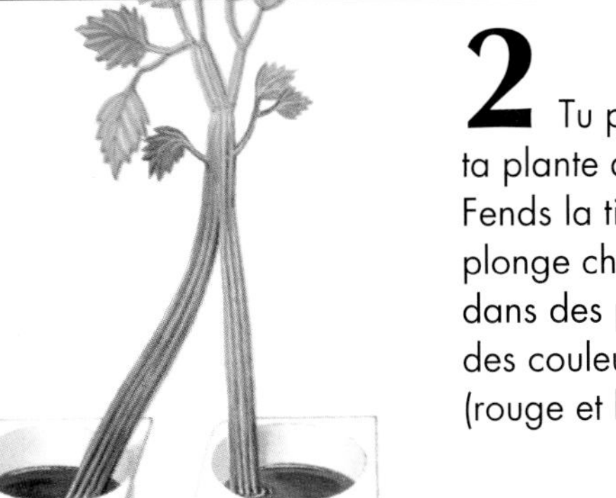

1 Verse l'eau et l'encre dans un pot. Plonge la tige de la plante dans le pot et attends. Après 12 heures, le résultat est spectaculaire.

2 Tu peux aussi colorer ta plante de deux couleurs. Fends la tige en deux et plonge chacune des moitiés dans des pots contenant des couleurs différentes (rouge et bleu, par exemple).

QUE SE PASSE-T-IL ?

L'eau colorée monte dans la tige jusqu'aux feuilles grâce à de fins canaux, les vaisseaux. Chacun d'eux alimente une partie différente de la plante, c'est pourquoi la moitié des feuilles est devenue bleue et l'autre rouge.

Des fleurs en papier s'ouvrent en hiver

Il te faut :
- du papier machine,
- un bol d'eau.

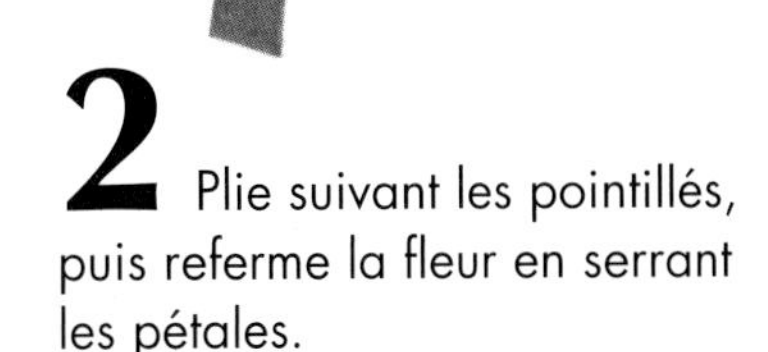

1 Découpe une fleur suivant le modèle, mais tu peux aussi inventer d'autres formes. Colorie l'intérieur à ton idée.

2 Plie suivant les pointillés, puis referme la fleur en serrant les pétales.

COMMENT L'EAU PEUT-ELLE MONTER ?

L'eau grimpe dans les fibres du papier. Celles qui sont situées dans les plis de la feuille vont forcer les pétales à s'ouvrir.

3 Pose la fleur fermée sur l'eau du bol : les pétales s'ouvrent peu à peu.

FAIRE MONTER L'EAU

L'eau coule toujours vers le bas. Mais elle peut parfois monter de curieuse façon. Le siphon en fait la démonstration.

La fontaine de Héron

Il te faut :
- 3 bocaux de verre (dont un muni de son couvercle),
- 2 pailles,
- du chewing-gum mâché,
- de l'eau colorée.

> **Pour bien réussir...**
> La fontaine est encore plus spectaculaire si la paille plongée dans le bocal 3 est prolongée par une seconde paille.

1 Perce deux trous dans le couvercle et installe les pailles. L'une dépasse un peu du couvercle, l'autre beaucoup. Colmate avec du chewing-gum.

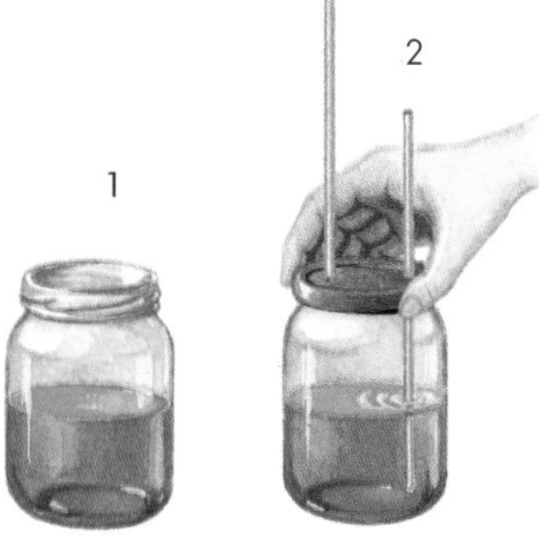

2 Remplis deux bocaux à moitié. Puis ferme le bocal 2 avec le couvercle muni des pailles.

3 Installe le bocal 3 en contrebas, puis retourne le bocal 2 comme sur le dessin. L'eau coule vers le bas : cela crée un vide dans le bocal 2 puis une aspiration de l'eau du bocal 1. Ta fontaine fonctionne !

L'aquarium siphonné

★

Il te faut :
- un tuyau de plastique,
- un aquarium,
- un seau.

1 Place le seau un peu plus bas que l'aquarium.

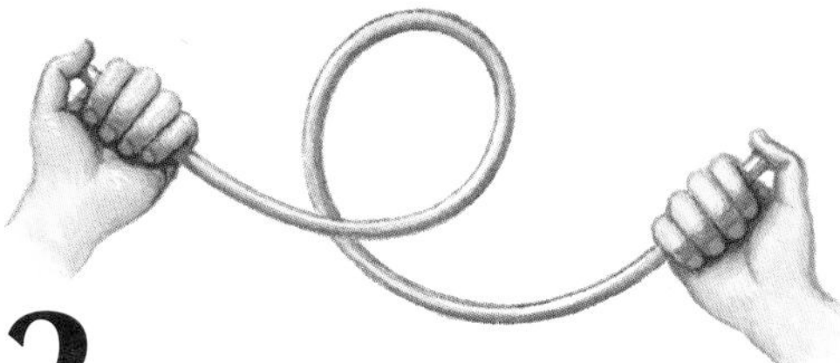

2 Remplis complètement le tuyau avec de l'eau (en aspirant) et bouche bien les extrémités avec tes pouces : le siphon est amorcé.

3 Place une extrémité dans l'aquarium, l'autre dans le seau et enlève tes doigts : l'aquarium se vide...

Souffler pour jouer

Une installation simple pour arroser les plantes (ou ses amis !) : reprends le bocal à paille de la fontaine de Héron, coude les pailles et souffle... La pression de l'air fait jaillir l'eau dans la plus courte.

PRESSER POUR VAPORISER

Le vaporisateur de parfum fonctionne aussi avec le souffle... de la poire. La pression de l'air aspire le liquide du tuyau plongeant, puis le diffuse en un fin brouillard parfumé.

LE MÉCANISME DU SIPHON

Dans les lavabos et les baignoires, l'eau s'évacue par le siphon, un tuyau coudé. Il reste toujours de l'eau au fond pour éviter la remontée des mauvaises odeurs d'égout.

LES POMPES, UN AUTRE MOYEN POUR FAIRE MONTER L'EAU

fonctionnement d'une pompe à piston

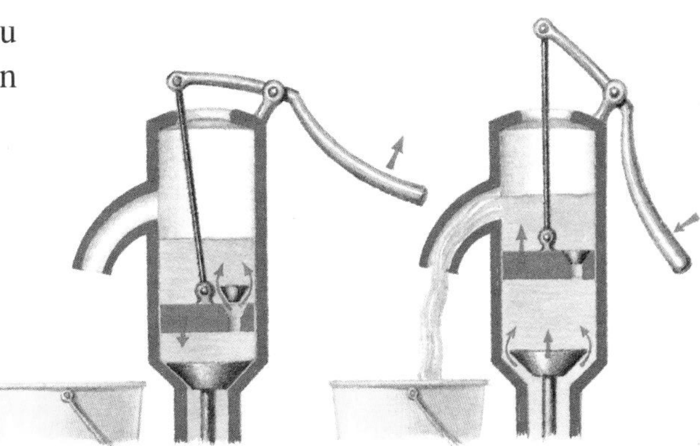

DE L'EAU SALE À L'EAU PROPRE

Comment transformer des eaux boueuses, salées, pas très nettes, en une eau propre et limpide, débarrassée de ses impuretés ?

Il te faut :
- une bassine,
- du film alimentaire transparent,
- de l'eau sale (salée ou boueuse),
- un verre,
- un caillou,
- et du soleil !

1 Place le verre vide au milieu de la bassine remplie à moitié d'eau sale. Recouvre le tout avec le film transparent et place le caillou au centre.

2 Attends que le soleil fasse évaporer l'eau et qu'elle s'égoutte dans le verre.

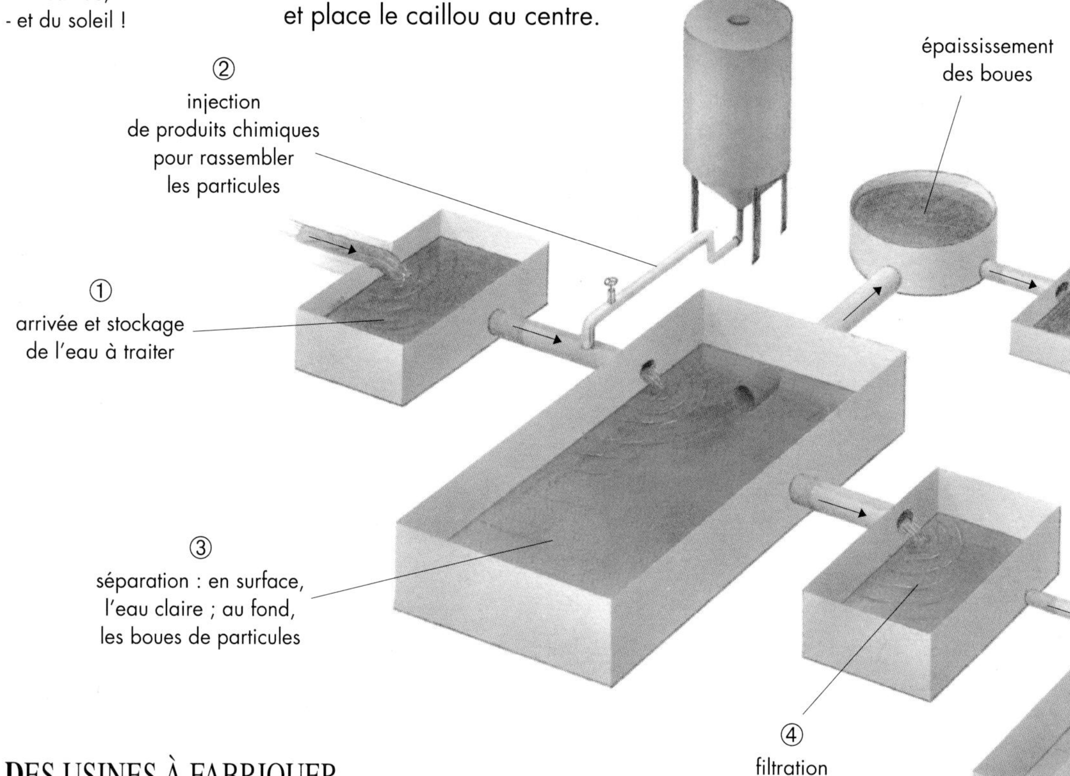

DES USINES À FABRIQUER DE L'EAU POTABLE

L'eau des égouts, la pluie qui ruisselle, les eaux industrielles... : toutes ces eaux usées doivent être traitées avant de retourner dans le milieu naturel, sinon les plantes et les poissons des rivières ont du mal à vivre. Dans les stations d'épuration, en ville ou à la campagne, l'eau est décantée, filtrée, puis stérilisée avant d'être distribuée comme eau potable.

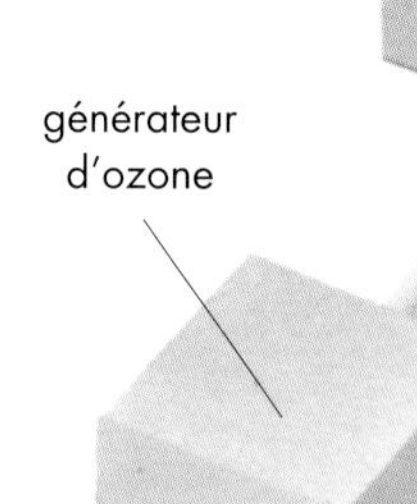

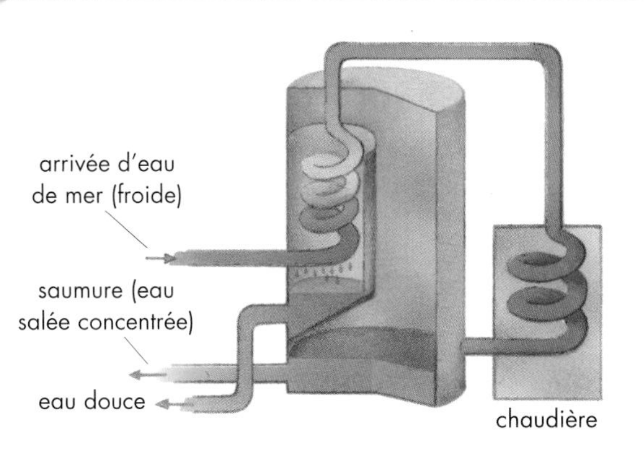

DE L'EAU SALÉE À L'EAU DOUCE

Dans les pays chauds où l'eau est rare, on fabrique de l'eau douce à partir de l'eau de mer. L'eau salée est chauffée, elle s'évapore, puis l'eau douce se condense au contact d'un tube froid.

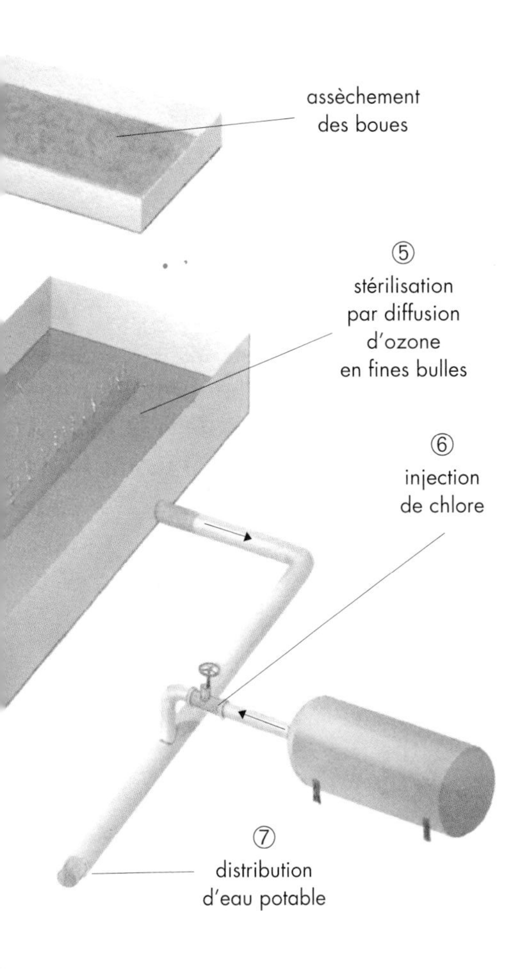

Filtrer l'eau sale

Il te faut :
- une bouteille en plastique de 1,5 litre,
- une paille,
- du papier de filtre à café,
- de la poussière de charbon de bois,
- du sable fin,
- du gravier,
- de gros gravillons,
- du coton,
- un verre,
- de l'eau boueuse.

1 Découpe le fond de la bouteille en plastique, perce le bouchon pour faire passer la paille.

2 Renverse la bouteille fermée et remplis-la en faisant des couches de coton, de gravillons, de gravier, de sable fin, de poussière de charbon de bois, et place enfin le filtre à café. Verse doucement l'eau à filtrer...

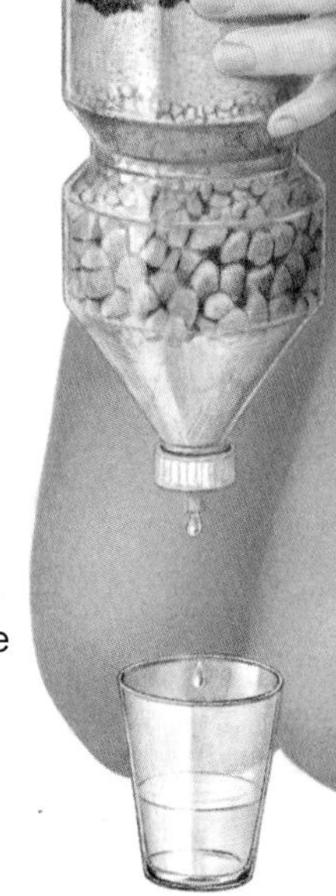

LA PRESSION DANS L'EAU

Au robinet, c'est la quantité d'eau en mouvement qui provoque la puissance ; sous l'eau, la pression augmente avec la profondeur. L'eau sous pression possède une puissance énorme.

Une expérience pour comprendre

Il te faut :
- une grande bouteille en plastique,
- de la pâte à modeler,
- un plat,
- un clou,
- de l'eau,
- des ciseaux.

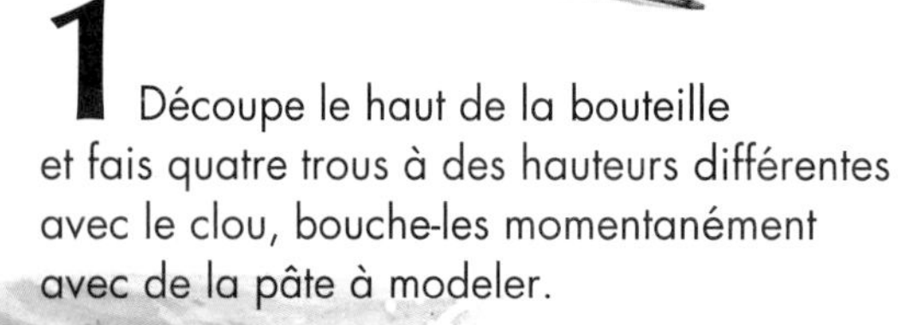

1 Découpe le haut de la bouteille et fais quatre trous à des hauteurs différentes avec le clou, bouche-les momentanément avec de la pâte à modeler.

2 Place la bouteille dans le plat et remplis-la d'eau.

3 Débouche les trous. L'eau gicle fortement par le trou du bas et moins fort par les autres car, dans l'eau, la pression dépend de la hauteur.

PLONGEURS MALINS

Sous la pression de l'eau, le sang des plongeurs sous-marins se charge en gaz. S'ils remontent trop vite, ces gaz se dilatent, puisque la pression diminue ; des bulles peuvent se former dans le sang et provoquer une embolie, souvent mortelle. C'est pour éviter de tels inconvénients que les plongeurs remontent très doucement.

Un sous-marin sous pression

Il te faut :
- un capuchon de stylo à bille,
- une bouteille en plastique transparente remplie d'eau et son bouchon,
- un ou 2 trombones,
- un briquet (ou une bougie).

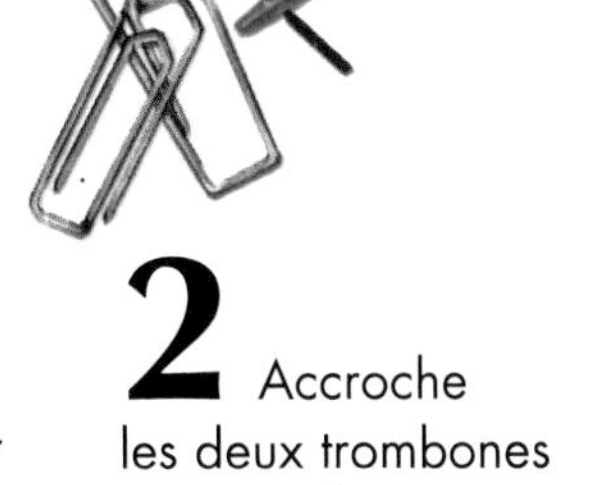

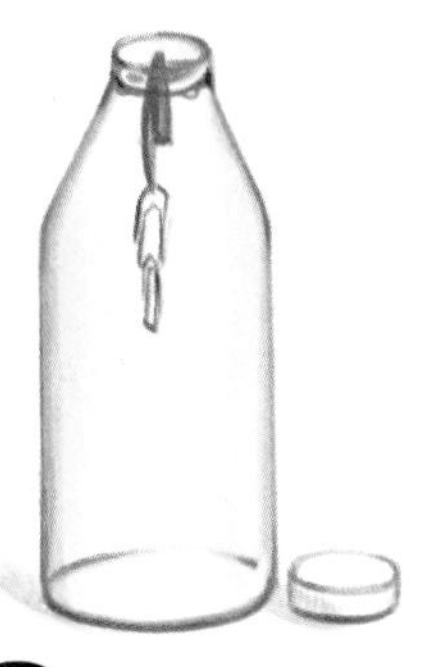

1 Pour percer un trou dans la tige du capuchon, demande à un adulte de chauffer la branche d'un trombone à la flamme.

2 Accroche les deux trombones au capuchon. Ils serviront de lest.

3 Introduis le capuchon dans la bouteille. Vérifie que l'air emprisonné sous le capuchon le fasse flotter à la surface.

4 Visse le bouchon. Presse les parois de la bouteille : le capuchon plonge. Relâche, il remonte. En effet, la pression exercée par l'eau comprime la bulle d'air captive qui diminue sa taille et fait couler l'ensemble.

EXPLORATION EXTRÊME

Sous l'eau, la pression augmente avec la profondeur : 1 kg par cm² tous les 10 mètres. Pour explorer le fond des mers, il faut des sous-marins très résistants. Aujourd'hui, de petits sous-marins d'exploration, comme le *Nautile*, descendent facilement jusqu'à 6 000 mètres de fond.

PRESSION ET PROFONDEUR

À un mètre de profondeur sous l'eau, dans la mer, dans une piscine ou dans une baignoire, la pression est la même. Elle dépend de la hauteur et non du volume d'eau ou de la forme du contenant. Étonnant, non ?

LA PEAU DE L'EAU

La surface qui sépare l'eau de l'air a un curieux comportement : elle forme comme une peau résistante. Si l'on procède avec délicatesse, il est possible de faire des choses étonnantes...

Du métal qui flotte

Il te faut :
- un verre plein d'eau,
- une aiguille,
- un trombone,
- quelques feuilles de papier à cigarette,
- du liquide vaisselle.

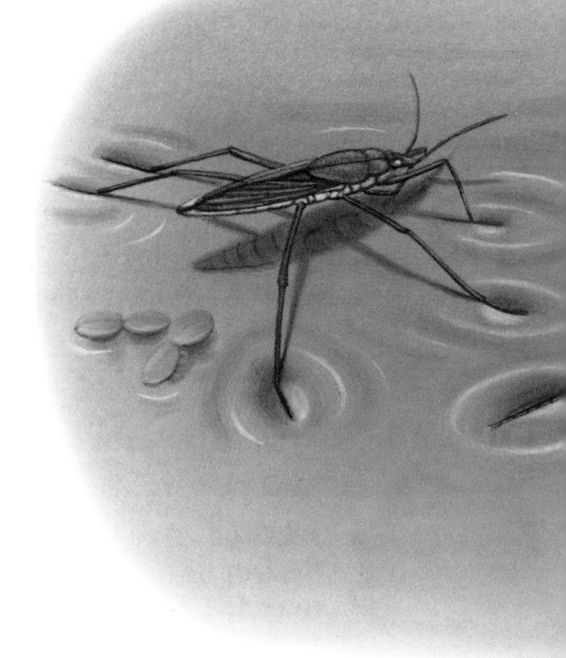

1 Pose délicatement une feuille de papier à cigarette à la surface de l'eau, puis place aussitôt l'aiguille sur la feuille. Tout flotte.

2 Lentement, le papier se gorge d'eau et coule. Mais l'aiguille continue de flotter, car elle n'a pas déchiré « la peau de l'eau » (due à la tension superficielle).

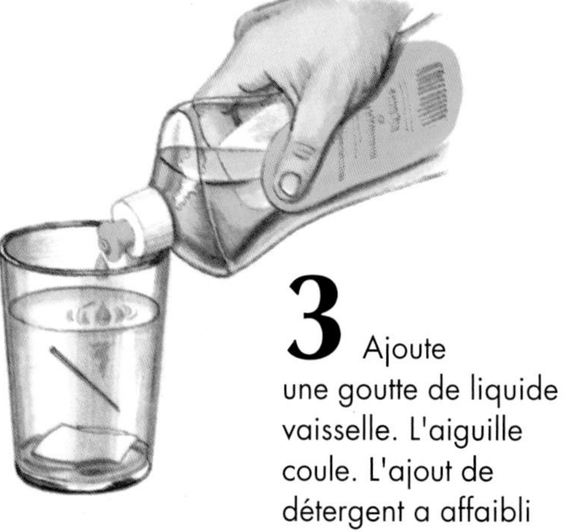

3 Ajoute une goutte de liquide vaisselle. L'aiguille coule. L'ajout de détergent a affaibli la solidité de la surface de l'eau. Tu peux aussi essayer avec un trombone.

PASSOIRE ET PARAPLUIE IMPERMÉABLES

Habituellement, les passoires laissent passer l'eau. Mais certaines sont peu perméables à cause de la tension superficielle. Pour s'en convaincre, il suffit de poser quelques gouttes d'eau sur la toile métallique d'une passoire. L'eau ne passe pas, malgré les trous. C'est notamment ce phénomène qui rend les parapluies imperméables. Pour faire passer l'eau au travers de la passoire ou de la toile du parapluie, il suffit de briser la « peau de l'eau » en amorçant du doigt la chute d'une goutte.
Et ça coule !

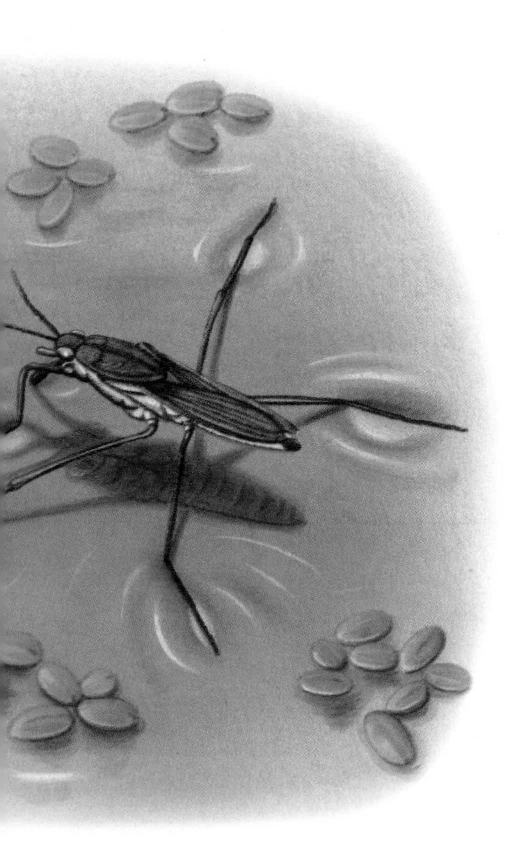

Des pièces de monnaie débordantes

Il te faut :
- un verre,
- des pièces de monnaie (20 centimes).

1 Remplis le verre à ras bord avec de l'eau.

2 Fais glisser doucement les pièces dans le verre. Observe la surface de l'eau se gonfler. Combien faut-il plonger de pièces avant que le verre ne déborde ?

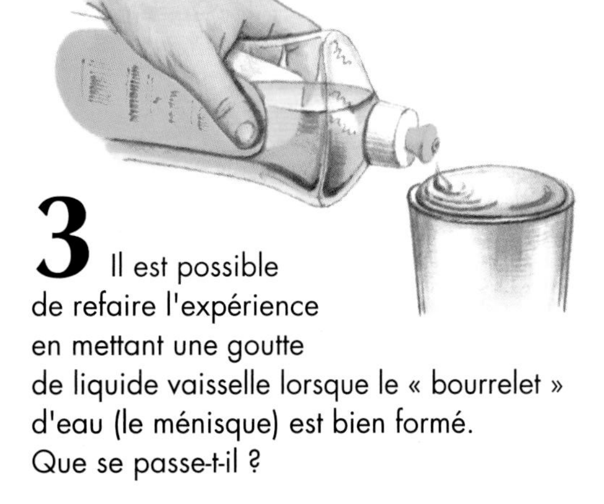

3 Il est possible de refaire l'expérience en mettant une goutte de liquide vaisselle lorsque le « bourrelet » d'eau (le ménisque) est bien formé. Que se passe-t-il ?

MARCHER SUR L'EAU ? FACILE !

Facile ? Seulement pour les araignées d'eau, appelées gerris. À l'extrémité de chacune de leurs pattes, de nombreux poils s'appuient très légèrement à la surface de l'eau, sans la crever.

L'eau qui mouille

Une goutte d'eau se comporte différemment selon la nature du matériau sur laquelle elle se trouve.

Sur du papier, matériau hydrophile (qui aime l'eau), la goutte s'étale et mouille.

Sur une surface hydrophobe (qui n'aime pas l'eau), la goutte ne s'étale pas.

Sur une surface encore plus hydrophobe (semelle de ski), la goutte reste presque sphérique. Elle ne mouille pas la surface.

LES BULLES SAVANTES

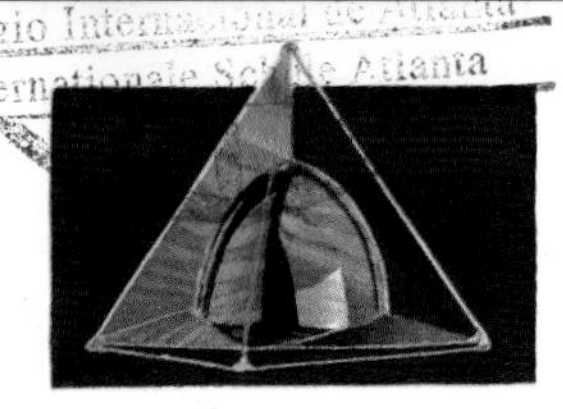

Irisées dans la lumière du soleil, les bulles de savon s'envolent au vent. Toujours rondes quand elles volent, elles peuvent réaliser des prouesses mathématiques !

Fabrique des bulles

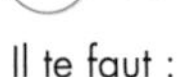

Il te faut :
- un saladier,
- un verre de liquide vaisselle,
- 3 verres d'eau,
- du fil de fer
  et une pince.

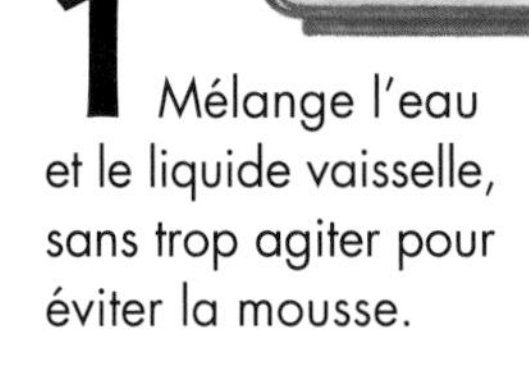

1 Mélange l'eau et le liquide vaisselle, sans trop agiter pour éviter la mousse.

2 Avec la pince, prépare des formes en fil de fer, à boucles fermées.

3 Souffle pour faire des bulles.

UN LIQUIDE ÉLASTIQUE

Le mince film d'eau savonneuse n'existe que grâce à la tension superficielle qui relie les molécules d'eau entre elles. Le mélange devient un peu élastique et la bulle peut se former sans éclater.

Des trucs à bulles

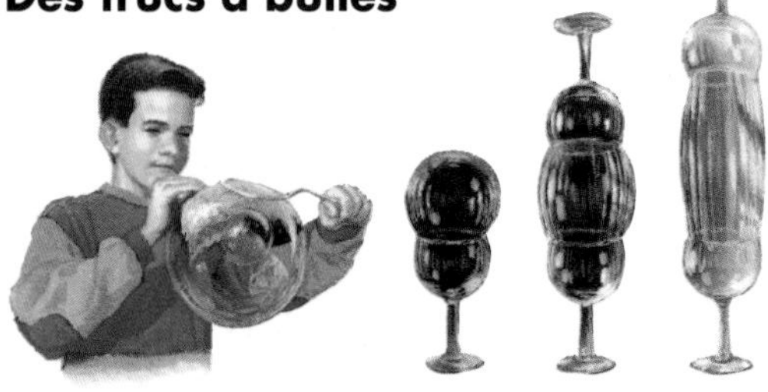

Souffle une bulle à l'intérieur d'une grosse bulle ou construis un tunnel entre deux verres.

POURQUOI LES BULLES DE SAVON SONT-ELLES RONDES ?

Même si tu utilises une forme carrée, les bulles de savon qui s'envolent deviennent rondes. En effet, comme le film de savon est élastique, il prend la forme géométrique qui est naturellement la plus stable, c'est-à-dire celle d'une sphère.

Pour bien réussir...
Mélange trois verres de glycérine (qu'on trouve en pharmacie) au mélange savonneux. Les bulles seront plus solides.

LE SAIS-TU ?

La bulle de savon peut être un outil plus efficace que l'ordinateur ! En effet, il est difficile de déterminer avec un ordinateur la surface intérieure d'une de tes formes en fil de fer, car elle n'est pas plate. Grâce au film de savon qui est élastique, on peut par contre visualiser immédiatement cette « surface minimale ».

Étonnant : le mur de savon

★★

Il te faut :
- de l'eau savonneuse avec de la glycérine (voir p. 16),
- un récipient allongé,
- 5 m de ficelle,
- 2 poids,
- un manche à balai,
- des punaises.

punaise

1 Demande à un adulte de percer les extrémités du manche à balai pour faire coulisser dans chacune un morceau de ficelle de 2 mètres de long. Installe des poignées en ficelle.

2 Accroche les ficelles équipées du manche à balai en haut du cadre d'une porte. Fixe les poids pour tendre les ficelles, pose-les dans le récipient, puis verse le mélange.

3 Plonge le manche à balai dans le récipient. Remonte-le lentement à l'aide des poignées le long des ficelles tendues. Le mur de savon se développe...

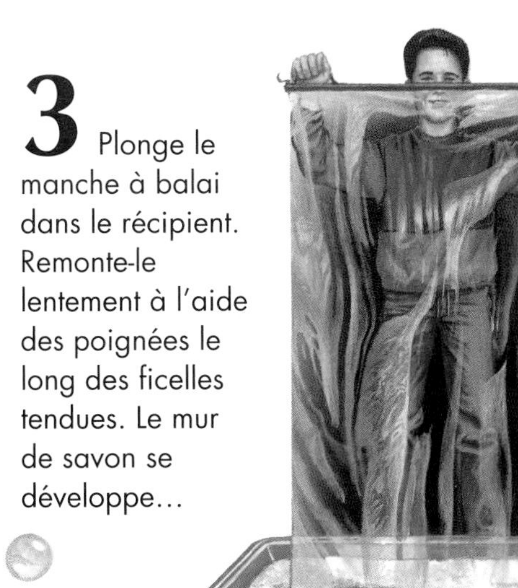

UN ICEBERG DANS TON VERRE

En gelant ou en fondant, l'eau change d'état. Le passage du liquide au solide réserve quelques surprises…

Le volume de la glace

Il te faut :
une boîte de margarine en plastique et son couvercle, de l'eau, un saladier.

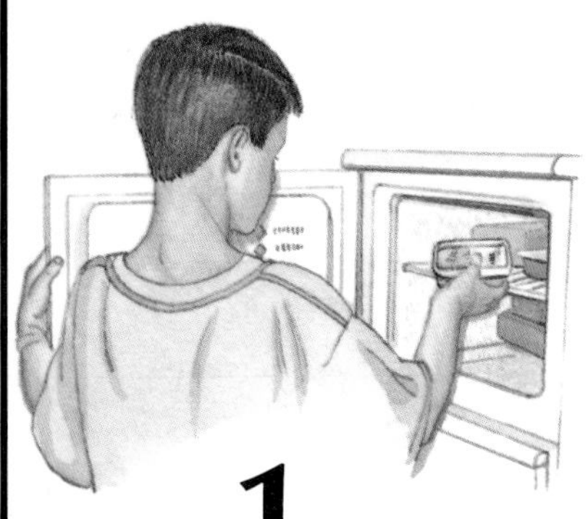

1 Remplis à ras bord la boîte d'eau, ferme-la puis mets-la au congélateur.

2 Le lendemain, la glace a ouvert la boîte. En effet, l'eau occupe un volume plus grand à l'état solide qu'à l'état liquide.

3 Place le glaçon obtenu dans un saladier rempli aux trois quarts d'eau. La glace flotte : elle est plus légère que l'eau. Pourtant, la plus grande partie reste immergée. Tu as réalisé un iceberg !

L'ICEBERG, TERREUR DES MERS

Comme un glaçon dans un verre, l'iceberg flotte dans l'océan. C'est la terreur des marins, car il ne laisse voir qu'un huitième de son volume. Il peut faire couler les bateaux qui le heurtent, comme le fameux *Titanic* en 1912.

4 Que va-t-il se passer quand le glaçon aura fondu ? L'eau va-t-elle déborder ? Non, le niveau reste le même. En effet, le volume occupé par l'eau de fonte est inférieur à celui du glaçon.

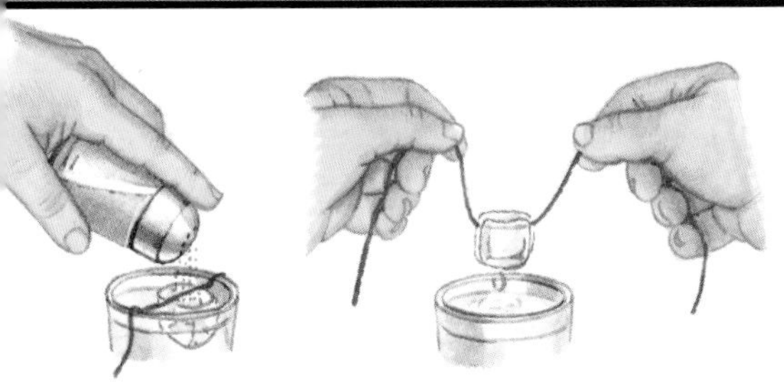

Comment soulever un glaçon placé dans un verre d'eau sans se mouiller les mains ?

Pose un brin de laine sur le glaçon, saupoudre-le de sel et attends 20 secondes. Prends les extrémités du brin de laine : tu peux soulever le glaçon ! Que s'est-il passé ? Le sel a fait fondre la glace et s'est dilué dans l'eau. Celle-ci gèle à nouveau en emprisonnant le brin de laine. Dès que la glace est assez solide, tu peux soulever le cube.

Traverser la glace sans la couper

★★

Il te faut :
- un glaçon,
- du fil de fer,
- une bouteille,
- un bouchon,
- 2 fourchettes.

1 Pose le glaçon en équilibre sur le bouchon d'une bouteille.

2 Attache une fourchette à chaque extrémité du fil de fer, fais-les pendre de chaque côté du glaçon, place le tout au congélateur.

3 Le lendemain, le fil a traversé le glaçon sans le couper ! Comment ? Le poids des fourchettes entraîne le fil de fer vers le bas. La glace fond à son passage, mais se reforme aussitôt après.

LE SAIS-TU ?

À la patinoire, il se passe la même chose que dans cette expérience. Le poids du patineur fait fondre la glace sous la lame ; le filet d'eau qui se forme regèle aussitôt.

Nuage d'orage, nuage de beau temps, nuage qui mouille, nuage qui file, nombreuses sont les formes blanches dans le ciel. D'où viennent-ils ? Comment se forment-ils ?

Lis dans les nuages

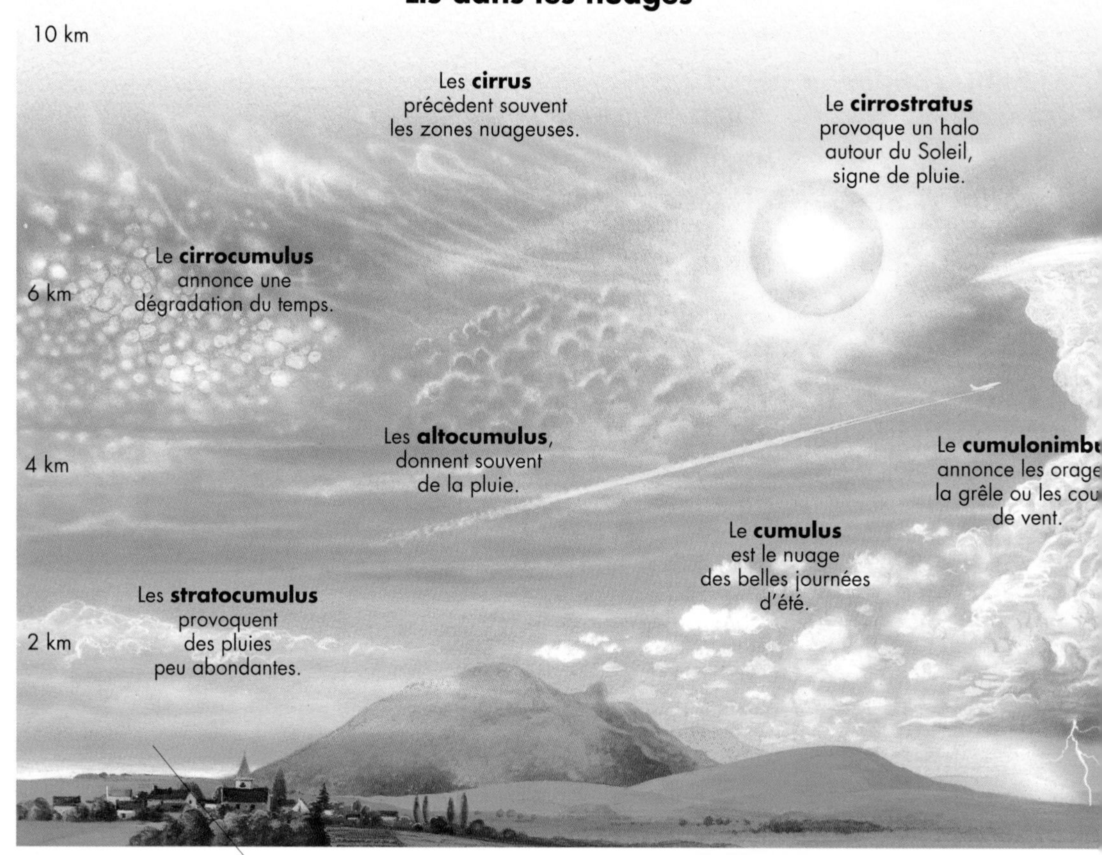

LES NUAGES, LA PLUIE ET LA GRÊLE

Lorsqu'il fait très chaud, l'eau s'évapore et s'élève, sous forme de vapeur légère. En altitude, où l'air est plus froid, les nuages se forment par condensation. Brassées par l'air, les petites gouttes d'eau se rassemblent, forment de grosses gouttes qui tombent : il pleut.

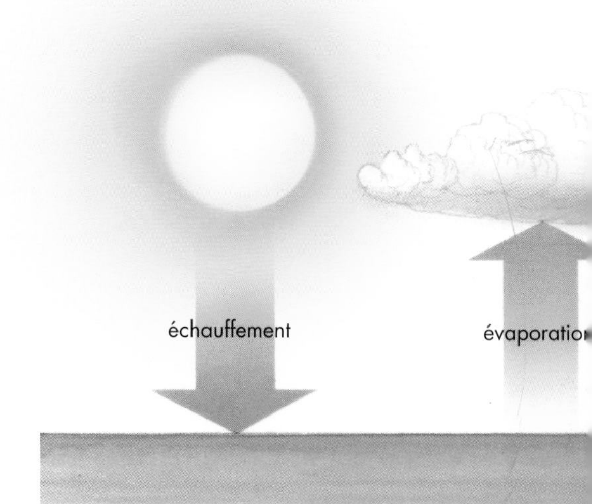

Des nuages en bouteille

Il te faut :
- un grand pot en verre incassable,
- un plateau de glaçons (en métal),
- de l'eau très chaude.

1 Verse de l'eau très chaude dans le pot. De la vapeur s'élève hors du pot.

2 Au-dessus du pot, place le plateau de glaçons. La vapeur d'eau se condense brusquement : elle se transforme en minuscules gouttes d'eau en suspension dans l'air : c'est un nuage !

LA CONDENSATION DE L'EAU

En refroidissant, la vapeur d'eau se transforme en gouttes d'eau : on dit qu'elle se condense.

Avec une bouilloire et une louche sortant du réfrigérateur, c'est la condensation assurée !

Quand tu souffles sur un miroir, la vapeur d'eau contenue dans tes poumons se condense sous forme de buée.

Les avions à réaction laissent des traînées blanches dans le ciel. C'est la vapeur d'eau contenue dans les gaz d'échappement qui se condense en gouttelettes d'eau ou en cristaux de glace.

La vapeur d'eau se condense au contact d'un objet très froid.

ASTRONOMIQUE !

La quantité d'eau contenue dans tous les nuages de la Terre est constante. Elle représente environ 500 000 km³, c'est-à-dire l'équivalent d'un cube plein d'eau de 80 kilomètres de côté.

condensation

neige

pluie

refroidissement

ruissellement

L'OXYGÈNE ATTAQUE

L'oxygène est un gaz vital. Nous le respirons en permanence. Il semble inoffensif, pourtant, quelle agressivité et quelle réactivité chimique !

L'oxygène existe, je l'ai rencontré

Il te faut :
- 2 pièces de monnaie,
- une soucoupe pleine d'eau,
- une bougie,
- un grand verre,
- des allumettes.

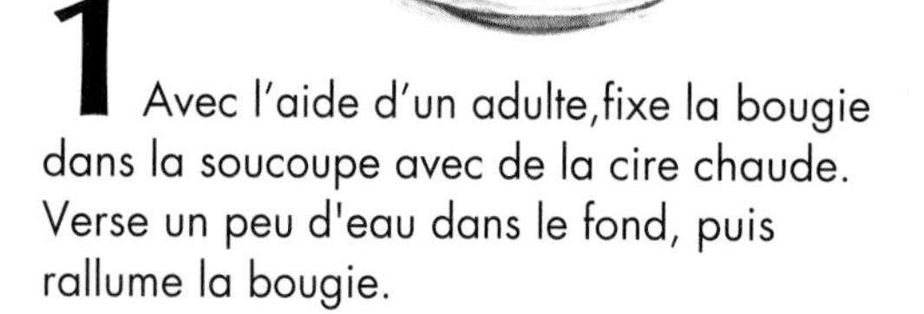

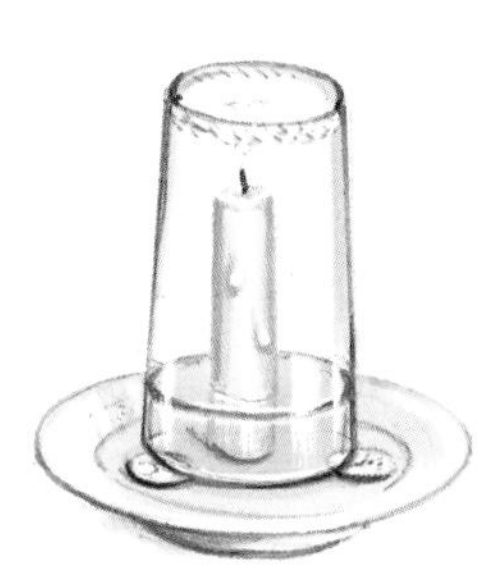

1 Avec l'aide d'un adulte,fixe la bougie dans la soucoupe avec de la cire chaude. Verse un peu d'eau dans le fond, puis rallume la bougie.

2 Coiffe-la avec le verre, puis attends qu'elle s'éteigne. Le niveau de l'eau monte légèrement dans le verre, car la flamme a brûlé tout l'oxygène et l'eau a pris la place du gaz consommé.

ÉTEINDRE UN FEU

Le meilleur moyen d'éteindre un feu n'est pas de l'arroser, mais de le priver d'oxygène en l'étouffant sous une couverture ou sous du sable.

SE PROTÉGER DE LA ROUILLE

La meilleure protection est d'empêcher l'attaque ! Il suffit de peindre ou de recouvrir le fer d'un placage d'étain, de zinc, d'argent ou de cuivre pour éviter la rouille. C'est ce qu'on appelle la « galvanoplastie ».

LA MER AUSSI EST AGRESSIVE

Pour que le fer rouille, il faut d'abord de l'oxygène et de l'eau. Avec un peu de sel dissous dans l'eau, la corrosion est encore plus rapide. C'est pourquoi, avec l'air marin, voitures ou bateaux sont rongés par la rouille : ils s'oxydent.

INVERSER LA ROUILLE

avant après

Le fer combiné à de l'oxygène produit de la rouille. Il est possible, par un traitement électrique spécial, de restaurer du métal rouillé et de le retrouver comme neuf. C'est ce qui a été fait avec des objets remontés du *Titanic*, après 80 ans passés sous l'eau !

La rouille attaque !

Il te faut :
- 3 verres plein d'eau,
- une casserole,
- 3 clous,
- un peu d'huile.

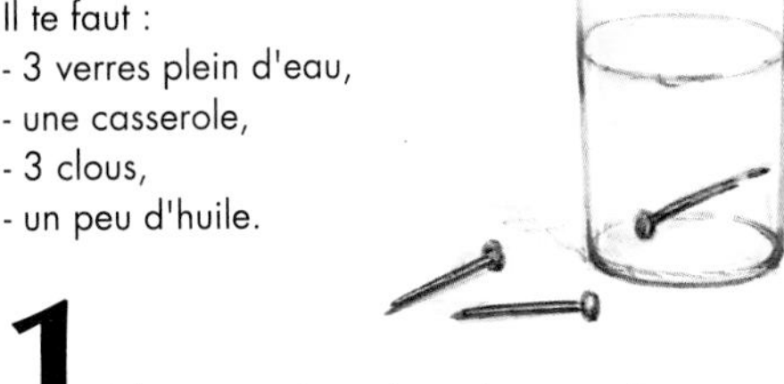

1 Mets un clou dans le premier verre rempli d'eau. Après une journée, il commence à rouiller. L'oxygène contenu dans l'eau est très agressif.

2 Demande à un adulte de faire bouillir de l'eau pendant 5 minutes. Verse l'eau bouillie dans le deuxième verre, contenant un nouveau clou, puis ajoute quelques gouttes d'huile qui vont s'étaler sur l'eau.

3 Le clou ne rouille pas. En effet, lors de l'ébullition, l'eau a perdu son oxygène. La fine couche d'huile a ensuite empêché l'oxygène de l'air de se dissoudre de nouveau dans l'eau et d'attaquer le clou.

4 Enduis le troisième clou avec un peu d'huile et place-le dans le troisième verre. La couche grasse protège directement le fer de l'attaque de l'oxygène : il reste intact.

Le sucre disparaît dans la tasse, mais le beurre ne se dissout pas dans la soupe. Ce sont les mystères de la solubilité.

Le petit chimiste

Il te faut :
- 3 petits pots (et leur couvercle),
- de l'huile, de l'eau,
- de la teinture d'iode,
- de l'alcool à 90°.

1 Dans un pot, verse de l'eau puis quelques gouttes de teinture d'iode. La solution devient brune.

2 Ajoute un peu d'huile, puis secoue. Laisse reposer. L'huile devient violette : la teinture d'iode est plus soluble dans l'huile que dans l'eau.

3 Recommence en versant de la teinture d'iode dans de l'huile, puis verse un peu d'alcool sur le tout. Cette fois-ci, c'est l'alcool qui se colore : la teinture d'iode est plus soluble dans l'alcool que dans l'huile.

SAVON LAVEUR

Le savon a la propriété de séparer puis d'entourer les particules graisseuses. Ainsi, la crasse reste en suspension dans l'eau et le linge ou les mains lavés redeviennent propres.

Un mélange savonneux

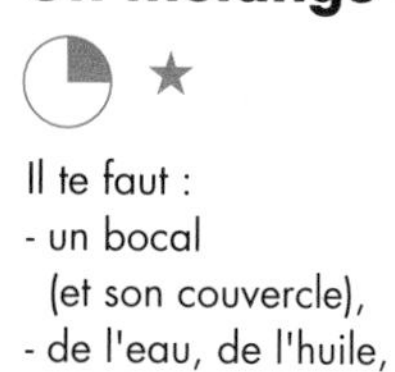

Il te faut :
- un bocal (et son couvercle),
- de l'eau, de l'huile,
- du liquide vaisselle.

1 Verse un peu d'huile dans le bocal rempli d'eau. Remue. L'huile flotte.

2 Ajoute du liquide vaisselle et remue. L'huile s'est dissoute dans l'eau : le savon casse les petites gouttes d'huile et le mélange est laiteux.

Dissoudre... et transférer

Il te faut :
- de l'essence de térébenthine,
- du liquide vaisselle,
- des photos imprimées,
- un chiffon propre,
- des feuilles de papier.

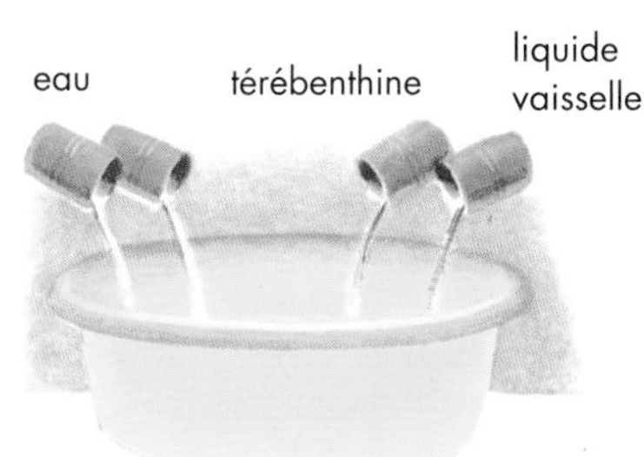

1 Pour fabriquer la solution dissolvante, mélange deux volumes d'eau, un volume d'essence de térébenthine et un volume de liquide vaisselle.

2 Imbibe le chiffon avec cette solution, puis mouille la photo qui t'intéresse.

Pour bien réussir...
Pour avoir de belles images, il ne faut pas trop mouiller la photo et bien appuyer sur toute la surface avec le dos d'une cuillère lors du transfert.

3 Pose une feuille blanche dessus et presse-la. L'image se transfère sur le papier blanc, car la solution a dissous l'encre. Le papier peut s'en imbiber. Original, pour personnaliser tes cartons d'invitation !

Dans les marais salants, on extrait le sel après évaporation de l'eau de mer.

Où est le point de saturation ?

En remuant, verse dans un verre d'eau autant de sucre qu'il s'en dissout. Après plusieurs cuillerées, la solution est saturée, il n'y a plus assez d'eau pour continuer à faire disparaître les cristaux de sucre. Avec du sel, atteins-tu le point de saturation pour la même quantité ?

LE CHAUD CONTRE LE FROID

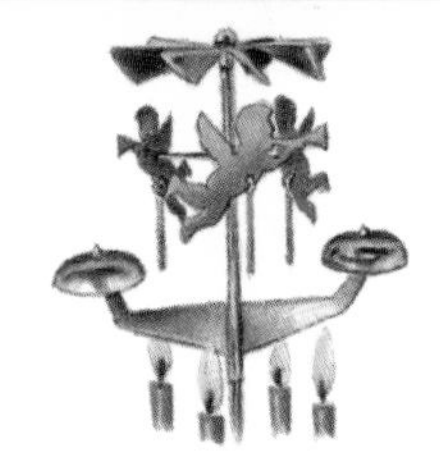

L'air chaud, plus léger que l'air froid, fait monter les montgolfières, tintinnabuler les carillons des anges... La rencontre du chaud et du froid est à l'origine des vents et des courants marins.

Une spirale mobile

Il te faut :
- une feuille de papier,
- du fil et une aiguille,
- un compas,
- une punaise.

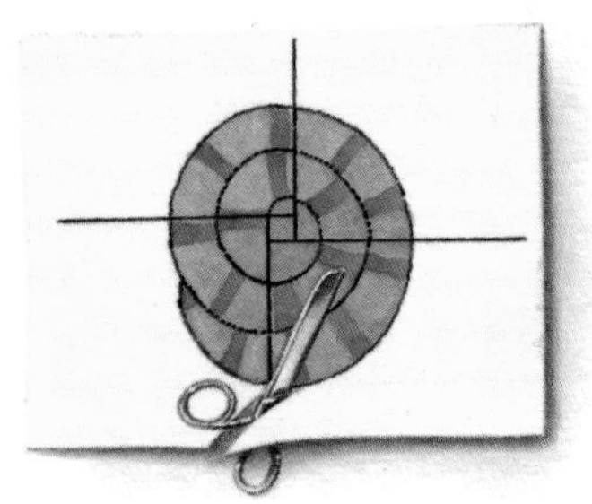

1 Trace, puis découpe une spirale dans le papier. Décore-la.

2 Avec une aiguille, passe un fil au centre de ta spirale, puis suspends-la au-dessus d'un radiateur. L'air chaud s'engouffre dedans et ta spirale s'anime !

QU'EST-CE QUE LE VENT ?

La Terre, en tournant, provoque la rencontre de masses d'air froid et de masses d'air chaud. Comme l'air chaud a tendance à monter et l'air froid à rester en bas, lorsque deux masses d'air de températures différentes se croisent, il se produit un mouvement d'air. C'est lui qui génère le vent.

LES BALLONS À AIR CHAUD

En 1783, les frères Montgolfier, fabricants de papier à Annonay, firent voler une « montgolfière » de 11 mètres de diamètre, en toile doublée de papier. L'air du ballon était chauffé par un tas de paille brûlant sur un gril placé au centre de la nacelle. Elle réussit à s'élever à plus de 1 800 mètres d'altitude.

Un courant chaud

Il te faut :
- 2 verres,
- une cartouche d'encre,
- du chewing-gum,
- un glaçon.

1 Dans un verre, mets de l'eau froide et un glaçon.

2 Remplis l'autre verre d'eau très chaude. Plonge la cartouche d'encre lestée par un morceau de chewing-gum.

3 Cinq minutes plus tard, sors la cartouche du verre d'eau chaude. Perce-la avec une pointe de ciseaux. Plonge-la dans le verre d'eau froide.

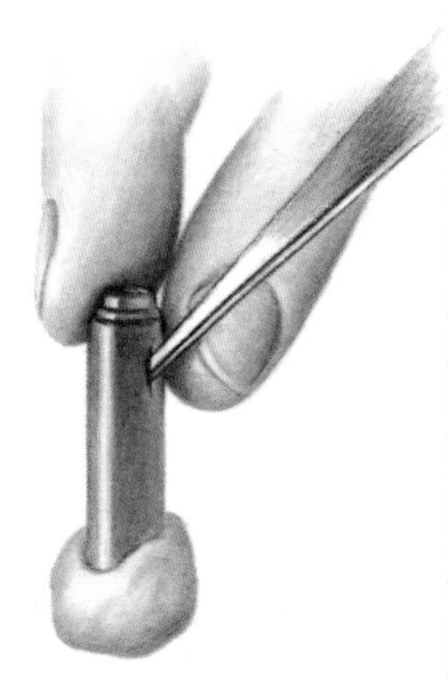

4 L'encre chaude s'échappe et monte à la surface de l'eau froide. C'est un courant chaud.

DES COURANTS... DANS L'ATMOSPHÈRE ET LES OCÉANS

Dans les océans, il existe des masses d'eau de températures différentes. Cette variation provoque des courants. La dérive Nord-Atlantique est un courant chaud qui vient réchauffer les côtes de la Norvège, notamment.

CONDUIRE OU CONSERVER LA CHALEUR

L'été, l'eau reste fraîche dans la gourde isotherme. L'hiver, c'est le chocolat qui ne refroidit pas. Pourquoi les matériaux conservent-ils ou conduisent-ils la chaleur ?

La conduction

Il te faut :
- 3 cuillères (en bois, en plastique, en métal),
- du beurre froid,
- un verre d'eau chaude.

1 Colle une punaise avec un peu de beurre sur le dos de chacune des trois cuillères.

2 Place les trois cuillères dans un verre d'eau chaude. Les punaises tombent : le matériau des cuillères s'échauffe et transmet la chaleur. Quel est le matériau le plus conducteur ?

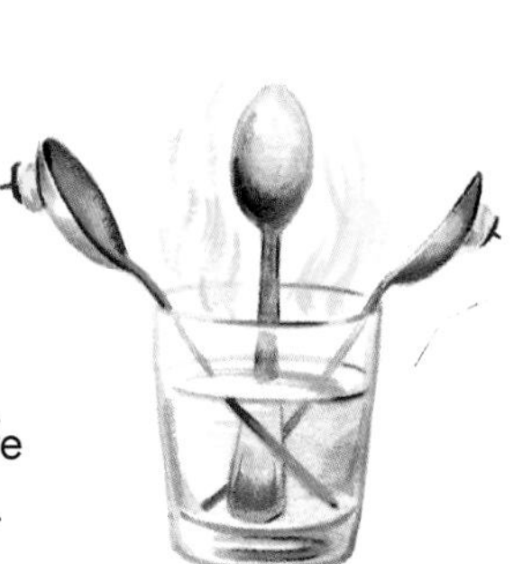

Marcher sur le carrelage ou sur des charbons ardents ?

Le carrelage semble froid sous les pieds nus, alors qu'il est à la température ambiante : la pierre, qui est conductrice, évacue la chaleur du pied.

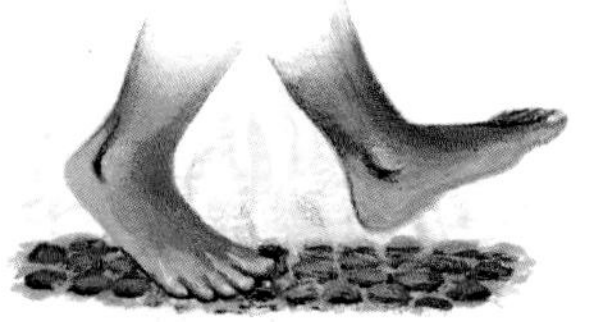

En marchant vite sur des braises, le fakir ne se brûle pas les pieds. Par contact, le charbon conduit mal la chaleur.

CHAUD DEVANT...

Les vulcanologues peuvent approcher les lacs de lave grâce à des vêtements réalisés en amiante recouvert d'aluminium poli réfléchissant le rayonnement infrarouge.

LA CONVECTION

Un jour de grande chaleur, observe les mouvements de l'air au-dessus d'une surface chaude (du goudron au soleil par exemple). L'air se déplace et entraîne la chaleur vers le haut.

Le rayonnement

★

Il te faut :
- un fer à repasser,
- du carton,
- un livre,
- une feuille d'aluminium.

1 Recouvre et colle l'aluminium sur le carton, face brillante visible. Façonne cette surface réfléchissante en arc de cercle.

2 Pose le fer à repasser devant ce miroir et sens la chaleur derrière le livre. La chaleur du fer se transmet à ta main sans contact.

La boîte isolante

★

Il te faut :
- une petite boîte en carton,
- du papier journal,
- 2 petits pots,
- de l'eau chaude,
- un thermomètre.

1 Place l'un des petits pots dans la boîte et entoure-le de papier journal froissé. Le second pot reste à l'air libre.

2 Verse l'eau chaude dans les deux récipients et relève leurs températures.

3 Relève à nouveau les températures 10 minutes plus tard : le pot isolé par le journal a gardé sa chaleur, l'autre a refroidi.

L'air est un isolant

L'air immobile est un excellent isolant thermique, peu coûteux.

Pour nous garder au chaud, nos vêtements emprisonnent de l'air (duvet, laine)...

... ou l'empêchent de passer (coupe-vent).

La laine de verre emprisonne l'air entre ses milliers de fibres.

Le double vitrage retient une lame d'air entre deux vitres.

DES FOURS SOLAIRES

Le soleil inonde généreusement la surface de la Terre. Comment récupérer et concentrer cette énergie gratuite qui tombe du ciel ?

Le four à reflets

Il te faut :
- du papier d'aluminium,
- 20 carrés de carton fort de 10 cm de côté,
- un petit récipient métallique plein d'eau,
- un œuf.

1 Colle le papier d'aluminium (côté brillant à l'extérieur) sur tous les morceaux de carton pour en faire des miroirs. Fais disparaître tous les plis.

2 Pose le récipient plein d'eau au soleil.

Pour bien réussir... La vitesse de cuisson de l'œuf dépend du nombre de miroirs installés. Place les miroirs les plus éloignés sur un monticule de terre.

3 Place les miroirs de façon à ce que chacun d'eux renvoie le reflet du soleil sur le récipient. Les rayons concentrés vont bientôt faire chauffer l'eau. Plonge l'œuf dans l'eau bouillante. Au bout de 4 minutes, il sera cuit !

Un piège à soleil

Il te faut :
- une vitre d'environ 20 cm de côté,
- une plaque de métal de 20 cm de côté,
- 4 morceaux de polystyrène,
- de la peinture noire,
- une petite boîte de conserve vide.

1 Peins en noir l'extérieur de la boîte ainsi que les morceaux de polystyrène.

2 Place la plaque métallique au soleil et le polystyrène noir tout autour.

3 Ferme la boîte en posant la vitre sur le dessus. La lumière, en traversant la vitre, chauffe l'intérieur du four. La chaleur est alors piégée, car elle ne retraverse pas la vitre : c'est l' « effet de serre ».

UN FOUR POUR LA RECHERCHE

Le four solaire d'Odeillo (dans les Pyrénées) échauffe instantanément les matériaux disposés au point de convergence des rayons du soleil. Il permet d'étudier le comportement des matériaux à la chaleur.

LA PLANÈTE TERRE, UN GIGANTESQUE FOUR SOLAIRE ?

Le Soleil réchauffe la Terre. Quand le ciel est clair, la Terre renvoie une partie de sa chaleur dans l'atmosphère. Mais, par temps couvert, les nuages empêchent cette perte d'énergie. Depuis plus d'un siècle, l'atmosphère s'enrichit en gaz « à effet de serre ». Ces gaz d'origine industrielle piègent aussi la chaleur. La Terre se réchauffe-t-elle ? On le pense, sans pouvoir le démontrer pour l'instant.

MATIÈRE + LUMIÈRE = CHALEUR

La lumière solaire transporte une énergie qui n'est décelable que lorsqu'elle rencontre de la matière. Ainsi, le soleil ne chauffe pas le vide interplanétaire. Par contre, si un matériau (air, eau, corps humain, rocher...) est placé au soleil, il s'échauffe.

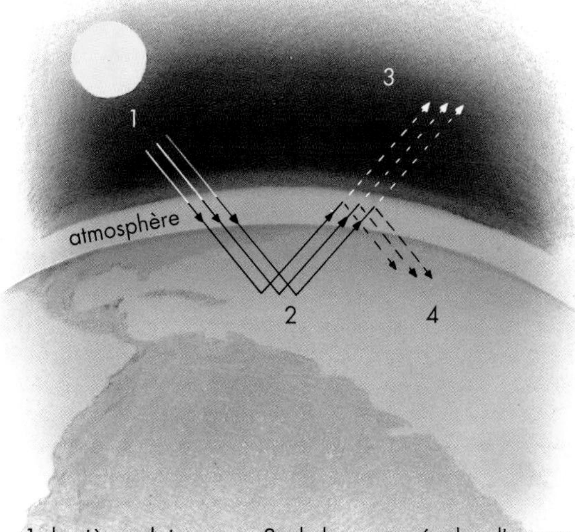

1. lumière solaire
2. la Terre s'échauffe
3. chaleur renvoyée dans l'espace
4. chaleur piégée par « effet de serre »

QUESTIONS DE TEMPÉRATURE

Suivant les variations de la température ambiante, certaines matières, comme les métaux ou les gaz, modifient un peu leur volume : dilatation à la chaleur, contraction au froid.

Dilater un trombone

Il te faut :
- un trombone,
- une pince,
- une paille,
- un morceau de carton (15 x 15 cm),
- une épingle,
- un briquet.

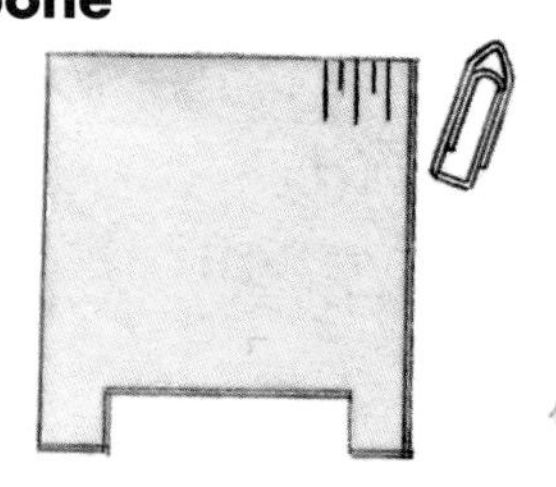

1 Découpe le carton comme sur le dessin ; trace les graduations.

2 Déplie le trombone en tordant son extrémité à angle droit avec une pince et fixe-le à gauche de l'échancrure.

3 Avec l'épingle, fixe la paille sur le carton. Elle doit toucher l'extrémité libre du trombone.

4 Pose l'ensemble sur un lavabo, puis demande à un adulte de chauffer le trombone : il se dilate et pousse la paille.

LES OCÉANS SE DILATENT

Quand le climat se réchauffe un peu (voir « l'effet de serre », p. 31), l'eau des océans se dilate. En augmentant leur volume, les océans submergent de nombreuses côtes peu élevées.

DILATER POUR MESURER

L'alcool et le mercure sont sensibles aux changements de température. Grâce à leur dilatation, on fabrique des thermomètres très précis. Les variations de volume indiquent la température.

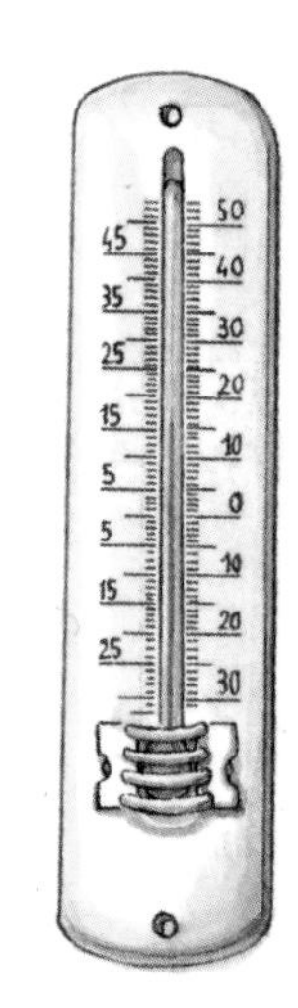

Question

Le savant suédois Celsius a défini 100 degrés entre la température de la glace fondue (0 °C) et l'ébullition de l'eau (100 °C).
Avec quel type de thermomètre (à mercure ou à alcool) peut-on mesurer :
1 - l'ébullition de l'eau ?
2 - la température la plus basse sur Terre ?
Aide-toi des indications de température données en page 33.
Réponse p. 186.

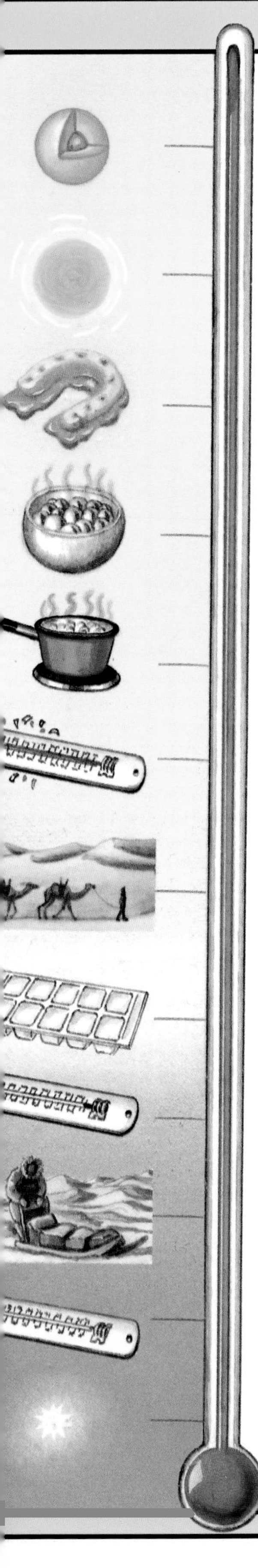

Le thermomètre à alcool

★

Il te faut :
- un flacon et son bouchon,
- une paille, de la colle,
- de l'alcool à 70° ou 90°,
- une tasse d'eau chaude.

1 Perce le bouchon et colle la paille. Remplis le flacon à ras bord avec l'alcool. Ferme bien le bouchon : tu as fabriqué un thermomètre à alcool.

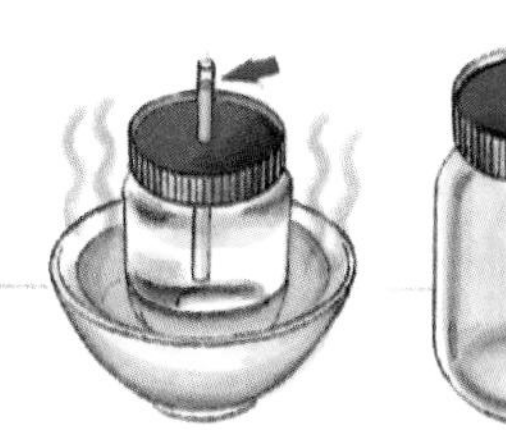

2 Place le thermomètre dans une tasse d'eau chaude et observe la montée de l'alcool dans la paille : les liquides se dilatent aussi sous l'action de la chaleur.

DILATER SANS CASSER

Une construction métallique doit pouvoir passer de la chaleur de l'été au froid de l'hiver sans dommage.

Un espace permet que les rails se dilatent.

Le pont roule quand il s'allonge ou quand il rétrécit.

LES PLANTES ET LA LUMIÈRE

La lumière est indispensable à la vie des plantes qui cherchent, en poussant, l'éclairage maximum.

Labyrinthe pour pomme de terre

Il te faut :
- une boîte à chaussures,
- du carton,
- une boîte en plastique,
- de la terre,
- 2 pommes de terre germées,
- du ruban adhésif.

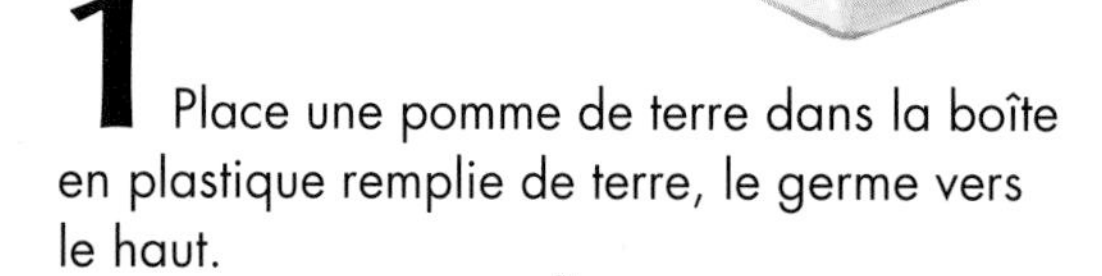

1 Place une pomme de terre dans la boîte en plastique remplie de terre, le germe vers le haut.

2 Fixe, à l'intérieur de la boîte à chaussures, trois morceaux de carton. Perce un trou de 3 cm de diamètre à une extrémité. Place la pomme de terre à l'autre extrémité et ferme le couvercle.

3 Installe ta boîte dans un endroit ensoleillé. Laisse la seconde pomme de terre à côté, elle te sert de témoin.

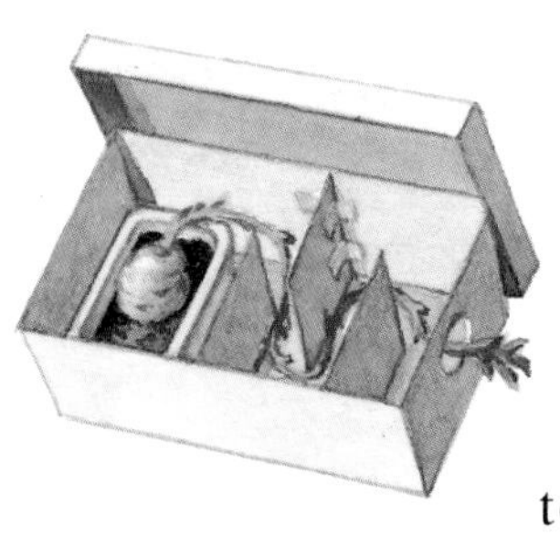

QUELQUES JOURS APRÈS...

... les pousses blanchâtres se faufilent entre les murs de carton et sortent par le trou. En revanche, les germes de la seconde pomme de terre, eux, sont courts, trapus et colorés. En poussant, la plante se dirige vers la moindre source de lumière.

POURQUOI LES FEUILLES SONT-ELLES VERTES ?

C'est la lumière qui permet aux plantes de devenir vertes. La lumière est la source d'énergie qu'elles utilisent pour produire de la chlorophylle.

Herbe décolorée

Pose un carton pendant plusieurs jours sur une pelouse...

... puis soulève-le : l'herbe a perdu sa couleur verte, elle est devenue blanche.

Plante à rayures

Fixe des bandes de carton sur la feuille d'une plante verte avec un trombone. Attends quelques jours. Que se passe-t-il ?

Carotte grimpante

Il te faut :
- une carotte
  avec ses feuilles,
- un couteau,
- de la ficelle,
- une brochette en bois.

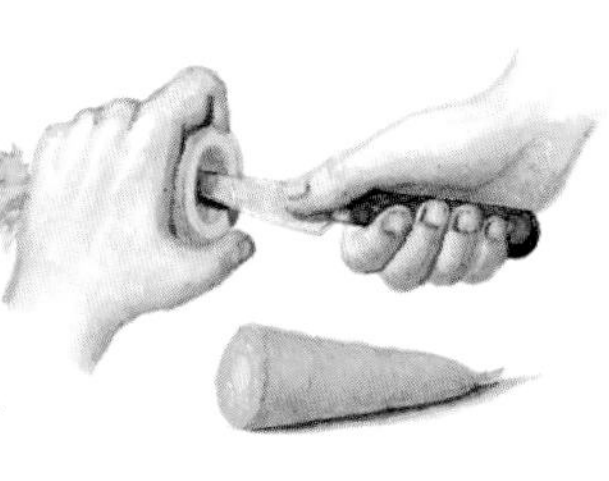

1 Coupe la carotte à 5 cm de l'extrémité la plus charnue, et creuse délicatement le cœur pour faire un récipient.

2 Traverse la carotte avec la brochette et attache la ficelle à chaque extrémité.

3 Suspends ton montage dans une pièce bien éclairée et remplis-le d'eau. Veille à ce qu'il reste plein pendant plusieurs jours. La carotte est suspendue la tête en bas, mais les feuilles vont remonter : elles recherchent la lumière.

IMPOSSIBLE DE POUSSER À L'OMBRE !

Dans les forêts tropicales, seul le sommet des arbres reçoit de la lumière. Dans les sous-bois, à l'ombre, aucune plante ne peut se développer. Il faut attendre qu'un grand arbre meure pour avoir une place au soleil.

LES PLANTES, L'EAU ET LA CHALEUR

De l'eau et de la chaleur, c'est tout ce dont les plantes ont besoin pour pousser vertes et drues.

Le jardin en bouteille

 ★★

Il te faut :
- un grand bocal avec un couvercle,
- une baguette,
- du terreau,
- du gravier,
- des petites plantes.

1 Au fond du bocal, installe une couche de gravier puis le terreau.

2 Avec la baguette, creuse des petits trous et place les plantes. Arrose, puis laisse ouvert pendant deux jours.

3 Tu peux ensuite fermer le bocal : les plantes poussent alors sans arrosage. Une heure par semaine, ouvre pour aérer.

Idéal

Les plantes transpirent, l'eau s'évapore. Elle se dépose sur les parois puis glisse et s'infiltre dans la terre.

DES LÉGUMES EN HIVER

Grâce à la température qui règne dans une serre, le maraîcher peut cultiver, en toute saison, des fruits et des légumes qui ne pousseraient qu'en été.

Une mini-serre

L'herbe située sous la bouteille transparente a poussé plus vite que celle restée à l'air libre.

LES PLANTES ET LE CLIMAT

Les forêts participent au grand cycle de l'eau. Un seul tilleul transpire 200 litres d'eau par jour, un saule, 75 litres. Dans les climats chauds et secs, les plantes sont adaptées à la sécheresse : les épines remplacent les feuilles et limitent la transpiration, les tiges ou les feuilles créent des réserves d'eau. Le temps de croissance est très court : une seule pluie peut faire fleurir le désert.

Transpirer sans effort

Quelques jours après avoir enfermé une feuille dans un sac plastique, des gouttes d'eau apparaissent à l'intérieur du sac : la plante transpire.

L'évapotranspiration forcée

Dans le bocal clos, l'humidité est recyclée et la chaleur piégée. C'est un climat idéal pour les plantes.

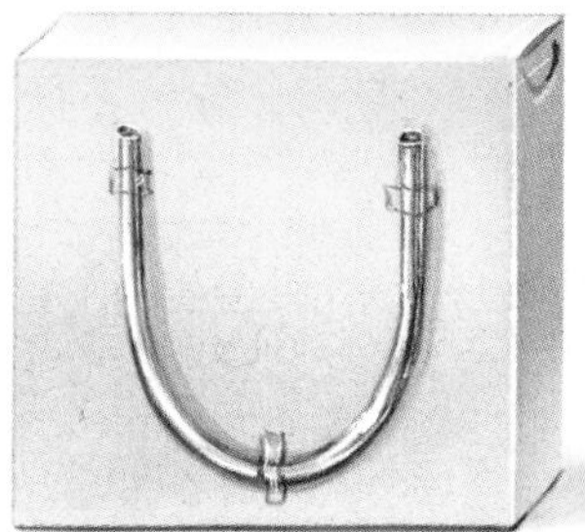

★ ★

Il te faut :
- une boîte de céréales vide,
- 50 cm de tuyau en plastique transparent (1 cm de diamètre),
- du ruban adhésif,
- un entonnoir,
- une branche de géranium,
- un sèche-cheveux.

1 Sur la boîte, fixe le tuyau en forme de U avec le ruban adhésif.

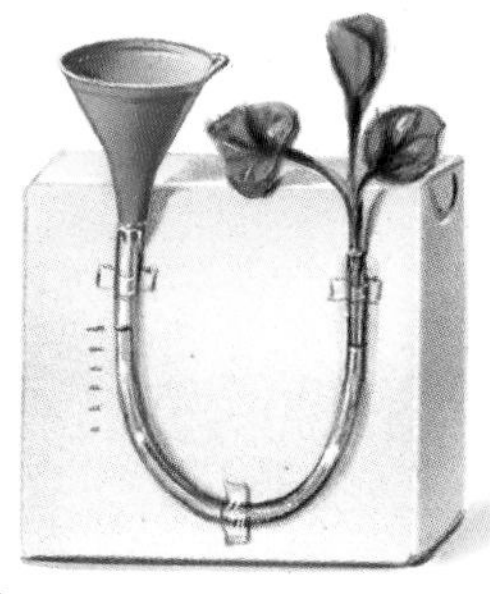

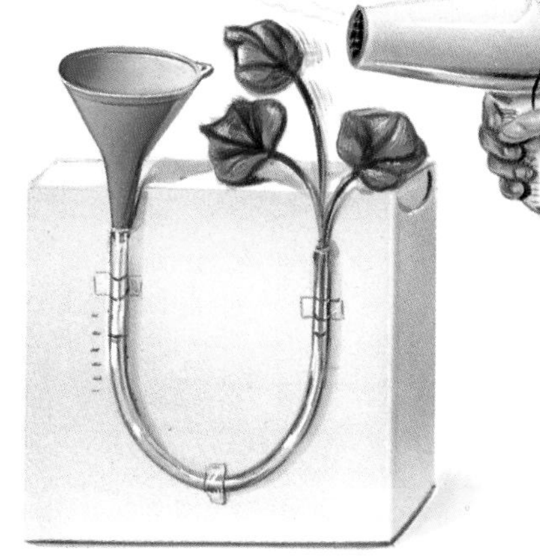

2 Place l'entonnoir et remplis le tuyau d'eau. À l'autre extrémité, enfonce la tige de géranium.

3 Branche le sèche-cheveux : il simule un vent chaud et sec. Le géranium transpire et le niveau d'eau diminue dans le tuyau. L'eau s'évapore par de minuscules orifices situés sous les feuilles.

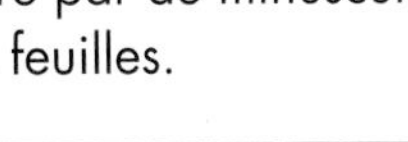

BOUTURE ET MARCOTTE

Les fleurs et les graines ne sont pas indispensables à la multiplication de certaines plantes. Le bouturage et le marcottage produisent des plantes rigoureusement identiques entre elles.

Le marcottage

★★

Il te faut :
- un petit coin de terre,
- un sécateur ou des ciseaux,
- une agrafe en **∩**,
- une plante.

1 Taille les branches basses de la plante.

2 Supprime les feuilles à la base d'une des tiges de la plante.

3 Courbe la tige pour la fixer au sol avec l'agrafe et recouvre-la de terre.

4 Arrose bien.

MARCOTTER

Le marcottage consiste à séparer une tige de la plante, à la mettre en terre pour qu'elle produise des racines, puis à couper le morceau qui la relie à la plante mère. Cela fonctionne bien avec le yucca, la ronce, la bruyère, le fraisier.

MULTIPLIER LES PLANTES À L'INFINI

Depuis quelques années, on a appris à multiplier presque toutes les plantes. Les biologistes font pousser quelques fragments de tige dans des tubes à essai, sur un milieu de culture comprenant de la nourriture, des antibiotiques et des hormones de croissance. Ainsi, un seul plant de rosier peut donner plusieurs millions de plantes rigoureusement identiques.

Le bouturage

Il te faut :
- un sécateur ou des ciseaux,
- un morceau de charbon de bois,
- une plante facile à bouturer : patience, impatiente, géranium, papyrus, misère…,
- un verre d'eau,
- un pot et du terreau.

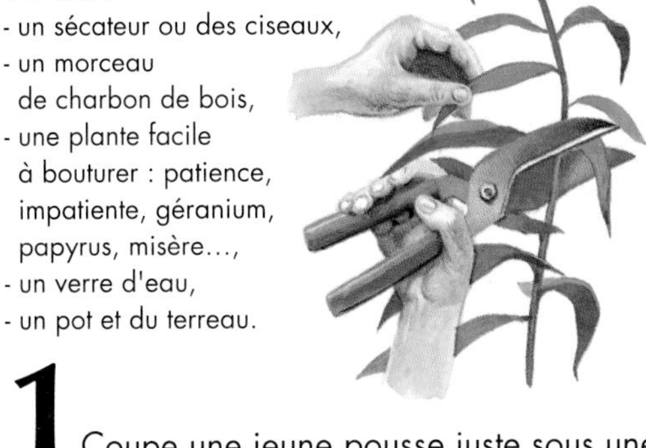

1 Coupe une jeune pousse juste sous une feuille, sans écraser la tige : c'est la bouture.

2 Coupe les feuilles du pied de la bouture, puis mets-la dans le verre d'eau avec le morceau de charbon de bois. Ne la laisse pas au soleil !

3 Attends quelques jours que la tige fasse de nouvelles racines d'environ 5 mm de long, puis place la nouvelle plante dans un pot avec du terreau bien humide. Attention, les nouvelles racines sont très fragiles !

DU BOUTURAGE AU CLONAGE

Multiplier les plantes à l'identique est assez facile. Pour les animaux, le clonage est difficile, car la plupart des cellules composant l'individu sont trop spécialisées. La rencontre de cellules sexuelles de deux individus différents est nécessaire pour en créer un troisième. La biologie moderne réussit à forcer cette multiplication sans passer par les cellules sexuelles et produit des clones.

BOUTURER

Bouturer, c'est couper une jeune tige encore capable de produire des racines et la forcer à donner une nouvelle plante, en la mettant dans l'eau.

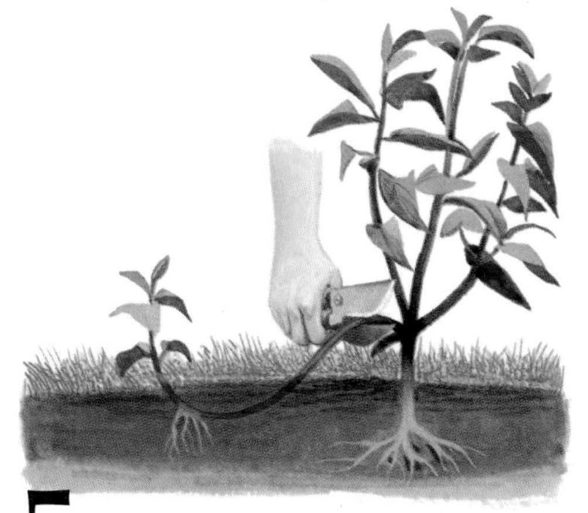

5 Quand la nouvelle plante se redresse, il faut la séparer de la plante mère.

6 2 à 3 semaines plus tard, coupe la tête de la plante et transplante-la ailleurs.

LA CHASSE AUX MICROBES

Ils sont partout et nous ne les voyons pas. Ils sont bénéfiques ou maléfiques, en tout cas microscopiques. Ce sont les microbes.

Récolte et élève des microbes

Il te faut :
- 1/2 litre d'eau de cuisson de riz, une feuille de gélatine, une pincée de sel, une petite cuillerée de bouillon de bœuf,
- du film transparent (pour protéger les aliments),
- 4 assiettes en aluminium.

1 Pour faire le milieu de culture des microbes, dissous la gélatine dans l'eau de cuisson du riz encore tiède. Ajoute le sel, le bouillon de bœuf. Mélange le tout.

LA DÉCOUVERTE DE PASTEUR

En 1859, Pasteur découvre l'existence des microbes et, du même coup, invente la biologie moderne. Il explique enfin les principales maladies infectieuses et permet de commencer à les soigner efficacement.

2 Verse 0,5 cm de ce milieu de culture dans chacune des assiettes. Recouvre-les d'un film transparent et laisse refroidir.

3 Pose une assiette dans ta chambre, une autre dehors à l'ombre, la troisième au soleil. Enlève le film et laisse les microbes se déposer pendant 15 minutes. Garde la dernière assiette couverte, comme témoin.

4 Recouvre à nouveau les trois assiettes avec le film protecteur. Puis rassemble les quatre assiettes dans un endroit chaud afin que les microbes se développent et se multiplient.

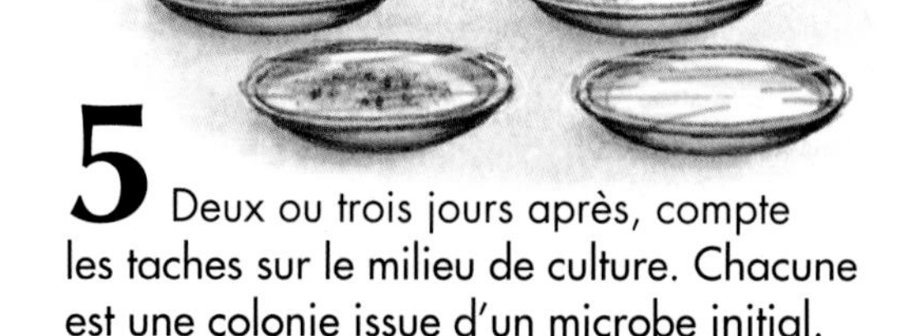

5 Deux ou trois jours après, compte les taches sur le milieu de culture. Chacune est une colonie issue d'un microbe initial. Seule l'assiette témoin a dû rester vierge.

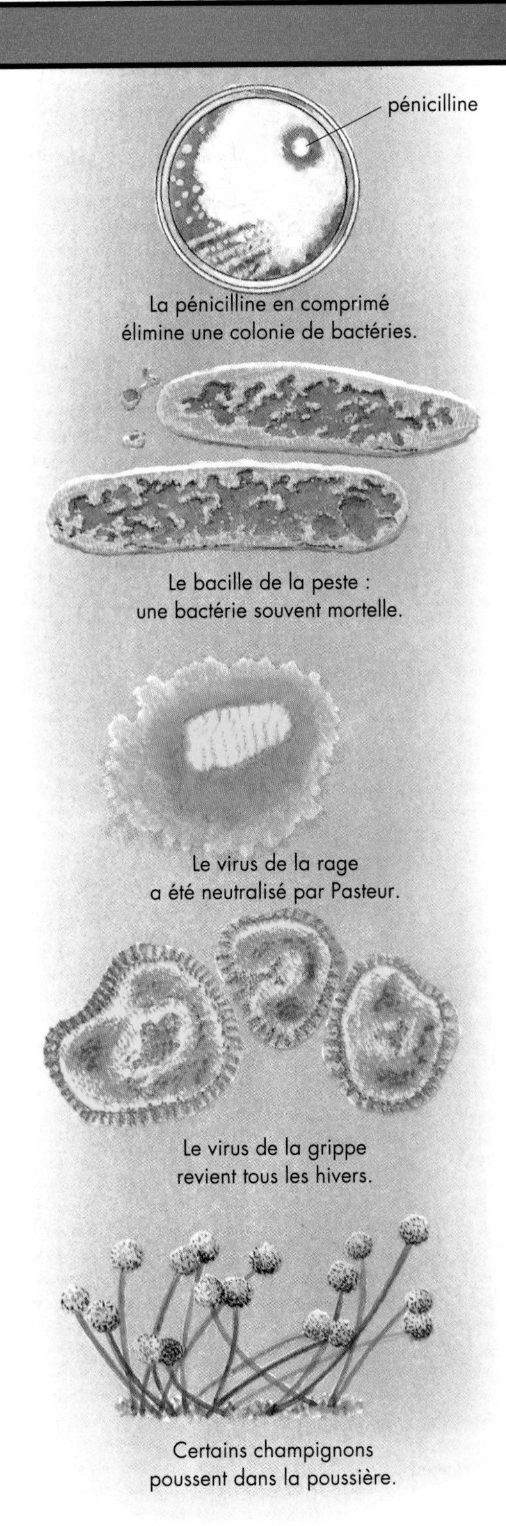

La pénicilline en comprimé élimine une colonie de bactéries.

Le bacille de la peste : une bactérie souvent mortelle.

Le virus de la rage a été neutralisé par Pasteur.

Le virus de la grippe revient tous les hivers.

Certains champignons poussent dans la poussière.

ILS SONT PARTOUT !

Les microbes, petits et légers, sont partout : dans l'air, sur la peau, dans la bouche, dans les intestins ; ils vont et viennent d'un individu à l'autre.

LE COUP DE CHANCE DE FLEMING

Heureusement, Fleming était observateur ! En regardant attentivement une culture de bactéries, en 1928, il constate que certaines moisissures sécrètent une substance qui empêche les microbes de se développer : il vient de découvrir la pénicilline.

Cultive des moisissures

Il te faut :
- un morceau de pain rassis,
- de l'eau.

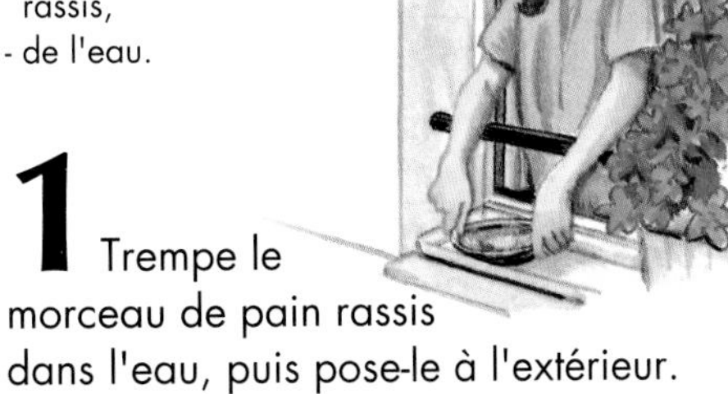

1 Trempe le morceau de pain rassis dans l'eau, puis pose-le à l'extérieur.

2 Attends un ou deux jours. Observe les amas mousseux bleus ou blancs : ce sont des moisissures.

Les moisissures, c'est bon... ou c'est mauvais

On en trouve dans et sur certains fromages.

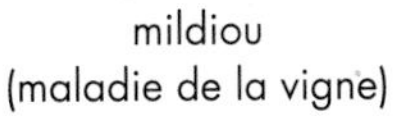

mildiou (maladie de la vigne)

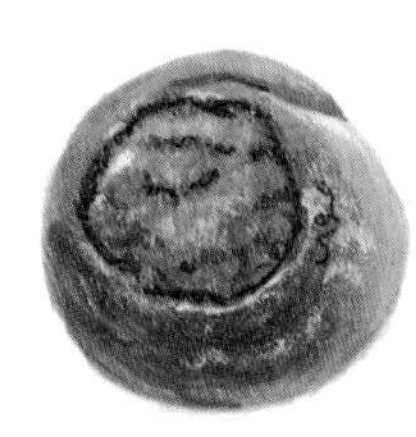

pêche moisie

DES MICROBES À CROQUER

Les microbes sont bons à manger dans les yaourts. Ils sont même indispensables à leur préparation comme dans celle du pain. Il suffit de les mettre au travail...

Les bactéries et le yaourt

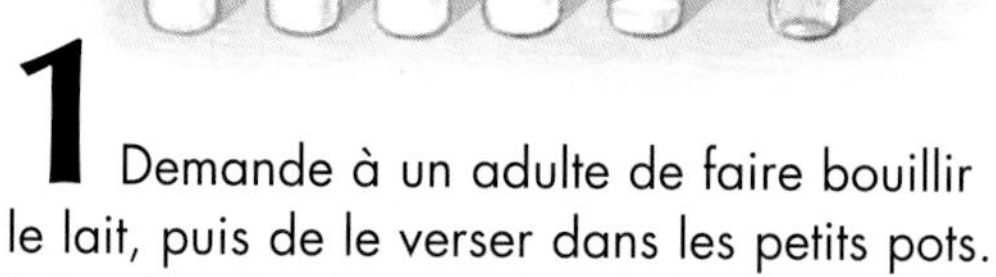

Il te faut :
- 1 litre de lait,
- 6 à 8 pots en verre,
- une casserole,
- un thermomètre,
- un autocuiseur,
- un yaourt,
- une petite cuillère,
- une tasse.

1 Demande à un adulte de faire bouillir le lait, puis de le verser dans les petits pots. Laisse-le refroidir jusqu'à 50 °C : c'est la température idéale pour les bactéries.

2 Prélève une cuillère de lait dans chaque pot et ajoute une cuillère à café de yaourt dans la tasse. Mélange bien. Le yaourt constitue une source de bactéries.

3 Ajoute une cuillère de ce mélange dans chaque pot. Remue bien. C'est l'ensemencement.

4 Place les pots dans l'autocuiseur fermé, pendant 5 heures, pour qu'ils refroidissent. Le lait a caillé, les yaourts sont prêts. Les bactéries ont transformé une partie des sucres du lait en acide.

UNE GRANDE FAMILLE UTILE

La plupart des yaourts sont ensemencés par des bactéries appelées *Lactobacillus bulgaricus* (pour l'acidité) et *Streptococus thermophilus* (pour le goût).

Le yaourt liquide, lui, est brassé après la coagulation pour devenir onctueux.

LES FERMENTATIONS

De nombreuses substances sucrées fermentent avant de se transformer en aliments comestibles.

Les levures et le pain

★★

Il te faut :
- 2 cuillères à café de levure sèche,
- 1 c. à café de sucre,
- 3 tasses de farine,
- 1 c. à café de sel,
- 1 c. à café de beurre,
- un saladier,
- une tasse, un bol.

1 Dans un bol, mélange la levure sèche et le sucre avec deux cuillerées d'eau tiède. Laisse reposer 15 minutes. Le mélange bouillonne car les levures, nourries par le sucre et l'eau, respirent et dégagent du gaz carbonique.

2 Mélange la farine, le sel et le beurre. Fais un puits et verse la préparation à base de levures. Forme une boule.

3 Sur une planche farinée, étire, plie, travaille la pâte pendant 10 minutes : elle doit devenir lisse et souple.

4 Laisse la pâte dans le saladier, recouverte d'un torchon. Elle doit reposer dans un endroit chaud pendant 90 minutes.

5 Les levures se nourrissent de la farine et dégagent des bulles de gaz carbonique. La pâte gonfle. Pétris-la à nouveau pendant 5 minutes, puis réalise dix petits pains que tu poses sur la plaque beurrée du four.

6 Préchauffe le four (thermostat 7) pendant 10 minutes, puis enfourne et laisse cuire 20 minutes. La chaleur tue les levures et raffermit la pâte. Les trous de la mie de pain sont la trace des bulles de gaz dégagées par les levures.

Les produits utilisés tous les jours ont des propriétés chimiques cachées. Ils peuvent être acides, basiques ou neutres. Des solutions qui changent de couleur permettent de les détecter.

Un indicateur coloré

◐ ★

Il te faut :
- un demi-chou rouge,
- une casserole,
- un couvercle,
- un filtre à café,
- un couteau,
- un bocal.

1 Coupe le chou en fines lamelles.

2 Fais bouillir un litre d'eau, puis verse le chou rouge et arrête la cuisson. Couvre et laisse infuser une demi-heure.

3 Filtre la préparation et conserve-la dans le bocal : c'est un indicateur coloré. Il change de couleur suivant l'acidité de la solution.

LES ACIDES ET LES BASES

Certains liquides sont « acides », ils piquent la langue. C'est aussi une propriété chimique importante. Les acides attaquent les métaux, brûlent les tissus ou la peau. Les bases font de bons nettoyants (soude caustique, ammoniaque), car elles dissolvent la saleté et certains déchets organiques (cheveux, lainage…).

> ⚠ **Attention !**
> Les acides et les bases sont souvent dangereux. Ne goûte jamais un produit chimique pur !

Acide ou base ? Le test

Il te faut :
- 3 verres,
- de l'indicateur coloré,
- du jus de citron,
- du bicarbonate de soude (que l'on trouve en pharmacie),
- du jus d'orange, du dentifrice, du yaourt, de la limonade, de la lessive...

1 Remplis à moitié chaque verre avec l'indicateur coloré fabriqué selon la préparation de la page 44.

2 Verse quelques gouttes de jus de citron dans le premier : la solution devient rose. Verse une cuillerée de bicarbonate de soude dans le deuxième : elle devient verte. Laisse le troisième intact, comme témoin, il permet de différencier l'acide (rose) de la base (vert).

3 Tu peux encore essayer différents produits. Classe-les en trois colonnes : neutre (violet), acide (rose) et base (vert).

NEUTRALISER LES ACIDES OU LES BASES

Faire disparaître un acide en ajoutant une base, c'est le neutraliser. L'inverse est aussi possible.

Faire disparaître un acide

Il te faut :
- un verre,
- de l'indicateur coloré,
- du jus de citron,
- du bicarbonate de soude.

1 Remplis le verre à moitié avec l'indicateur coloré, puis fais tomber quelques gouttes de jus de citron pour faire virer la couleur au rose.

2 Saupoudre cette solution d'un peu de bicarbonate de soude et remue doucement. Des bulles se forment, puis la couleur change : le mélange redevient violet. Si tu mets beaucoup de bicarbonate, il devient vert : l'acide a disparu, la base l'a remplacé.

ASPIRER, REFOULER : CŒUR ET POUMON

Le corps humain fonctionne un peu comme une machine automatique : la nourriture est l'énergie, les muscles sont le moteur. Le cœur et les poumons, par exemple, fonctionnent comme des pompes aspirantes et refoulantes.

Construis un poumon

Il te faut :
- une bouteille,
- un tube de stylo bille,
- de la ficelle,
- 2 élastiques,
- 2 ballons de baudruche (un petit et un grand),
- de la pâte à modeler.

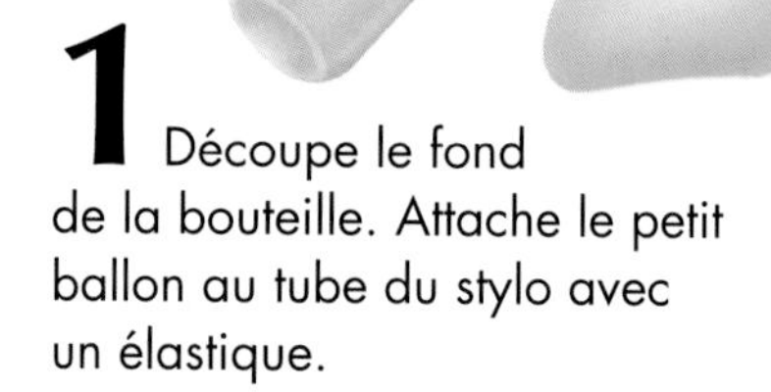

1 Découpe le fond de la bouteille. Attache le petit ballon au tube du stylo avec un élastique.

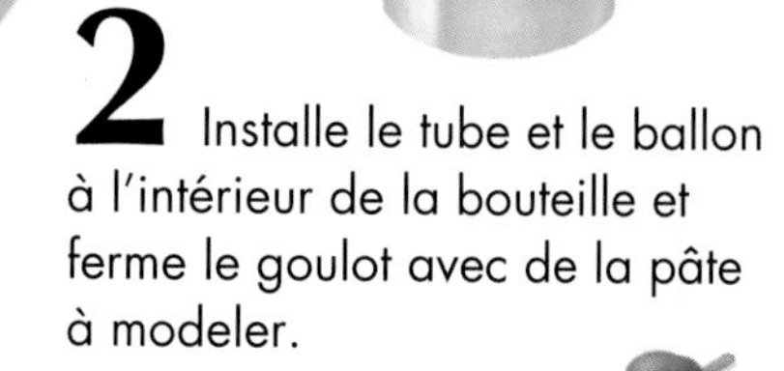

2 Installe le tube et le ballon à l'intérieur de la bouteille et ferme le goulot avec de la pâte à modeler.

3 Après avoir attaché la ficelle au grand ballon, coupe celui-ci en deux et ferme le fond de la bouteille avec. Tends bien cette membrane. Tire la ficelle pour actionner le « poumon ».

COMMENT ÇA MARCHE ?

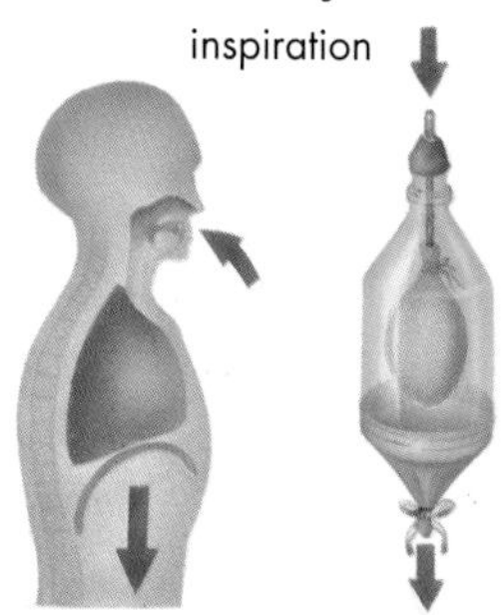

Tu viens de réaliser un poumon artificiel. Les tiens fonctionnent sur le même principe. La bouteille figure la cage thoracique rigide : la membrane, c'est le diaphragme, et le petit ballon attaché à l'intérieur représente les poumons. En tirant sur la membrane, la pression diminue dans la bouteille et le petit ballon se gonfle : c'est l'inspiration. À l'inverse, en relâchant la membrane, la pression de l'air force le ballon à se vider : c'est l'expiration.

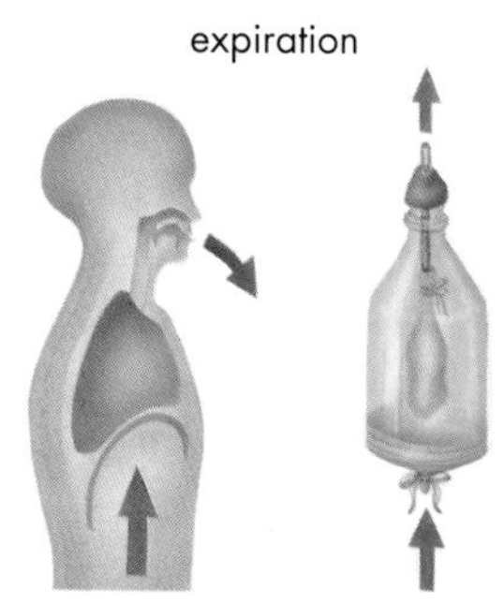

DES POMPES EFFICACES

Le cœur est une pompe très efficace capable d'envoyer le sang jusqu'à l'extrémité des orteils. Le cœur d'un enfant pompe environ cinq litres de sang par minute. Quant aux poumons, ils aspirent et refoulent environ 10 litres d'air par minute.

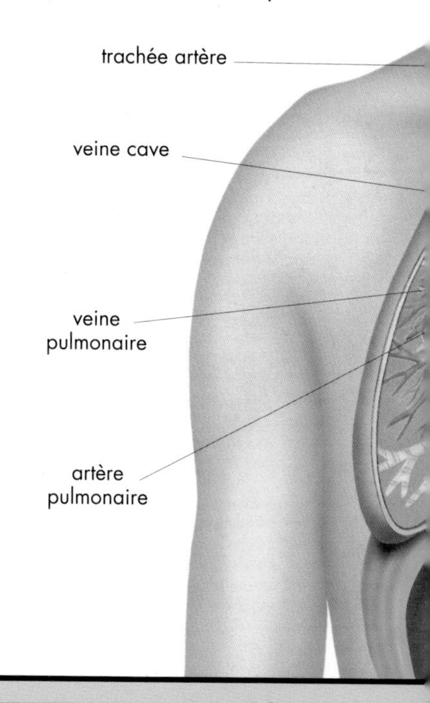

Construis un cœur

Il te faut :
- un morceau de paille,
- un ballon de baudruche,
- un entonnoir en plastique,
- une bille,
- un pot en plastique (avec son couvercle),
- de la colle,
- de la ficelle.

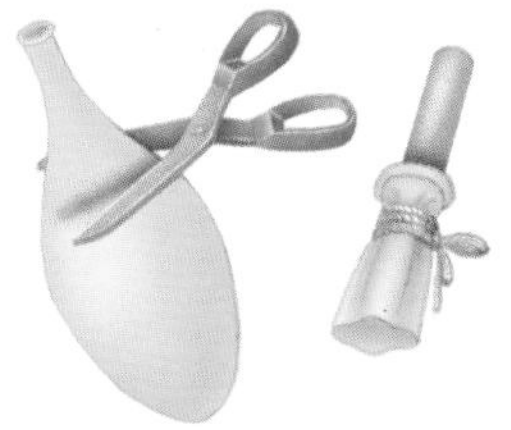

1 Coupe l'embouchure du ballon et fixe-la sur un morceau de paille.

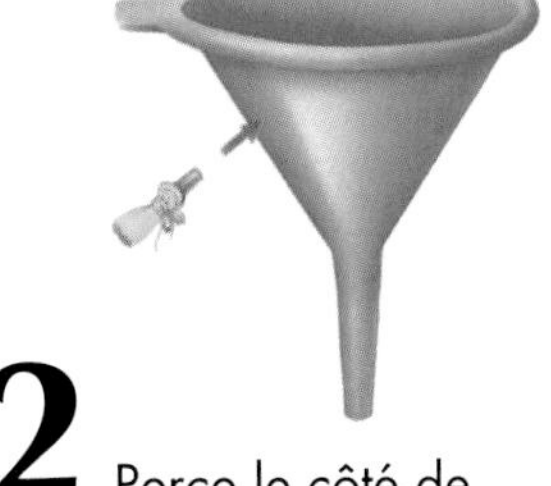

2 Perce le côté de l'entonnoir pour y introduire la paille. Colle-la.

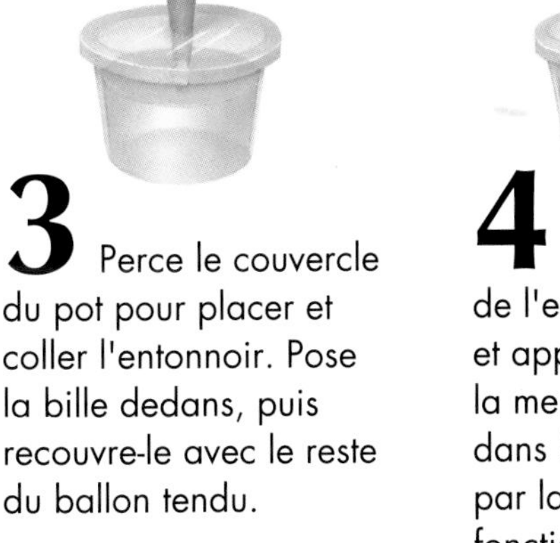

3 Perce le couvercle du pot pour placer et coller l'entonnoir. Pose la bille dedans, puis recouvre-le avec le reste du ballon tendu.

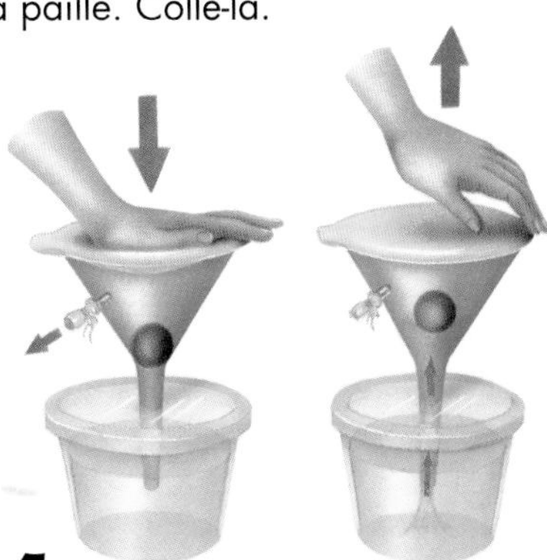

4 Remplis le pot avec de l'eau. Ferme le couvercle et appuie plusieurs fois sur la membrane : l'eau va monter dans l'entonnoir et s'écouler par la paille. Le cœur artificiel fonctionne.

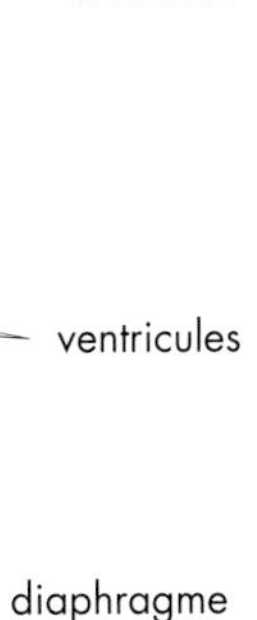

PRESSION, VALVES ET CLAPETS

L'entonnoir joue le rôle du cœur. La bille et l'embouchure du ballon servent de soupape qui laisse passer le liquide dans un seul sens, comme les valves du cœur. Le ballon tendu sur lequel on appuie, c'est le muscle cardiaque qui fournit le mouvement de contraction pour aspirer, puis refouler le sang.

SENTIR ET GOÛTER

Acide, amer, sucré et salé sont les quatre saveurs que la langue détecte. Le nez, lui, différencie des centaines d'odeurs. Ce sont les organes du goût.

La carte de la langue

Il te faut :
- 4 petits verres,
- du sucre, du sel, du café, du vinaigre,
- 2 pailles,
- de la mie de pain.

1 Remplis les quatre verres d'eau sucrée, d'eau salée, de café et de vinaigre.

DES PAPILLES SPÉCIALISÉES

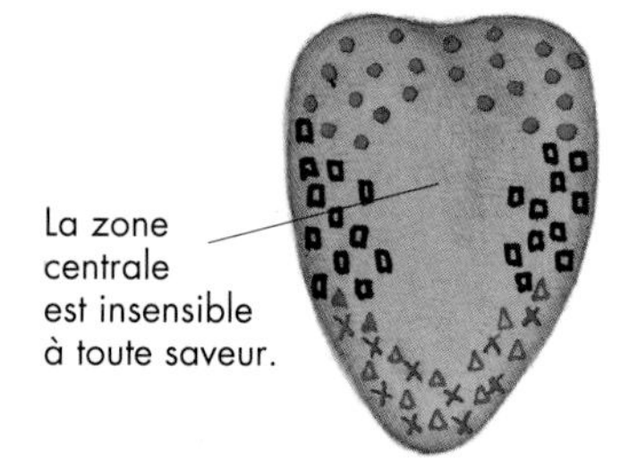

△ salé
● amer
▢ acide
× sucré

Les papilles, petits organes du goût, sont regroupées sur le bord de la langue. On en compte environ 3 000. Chaque partie de la langue est spécialisée dans la détection d'une saveur. Mais la langue sert aussi à estimer la texture, la chaleur, la résistance, le fondant des aliments.

L'ODORAT AU TRAVAIL

L'odorat humain n'est pas très développé, contrairement à celui de certains animaux. Pour sentir juste, les œnologues qui testent les vins et « les nez » qui fabriquent les parfums éduquent leur capacité à sentir un grand nombre d'odeurs.

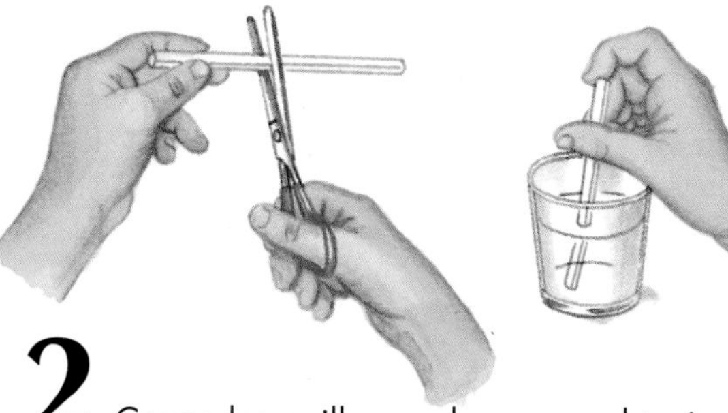

2 Coupe les pailles en deux pour obtenir quatre compte-gouttes. Plonge une paille dans l'un des verres, puis bouche-la avec ton index.

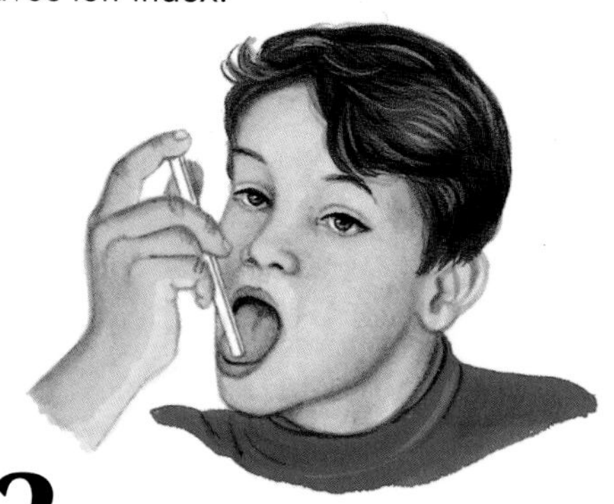

3 Libère doucement une goutte pour tester chaque zone de ta langue. Entre chaque essai, mâche un peu de mie de pain pour supprimer le goût précédent.

4 Reproduis la « carte » de ta langue et indique à quel endroit tu as ressenti le plus fortement le goût de la substance. Recommence avec chaque saveur.

LE NEZ, ORGANE DU GOÛT ?

L'association des performances du nez et de la langue permet d'apprécier la saveur de ce que l'on mange. Les molécules odorantes des aliments passent facilement de la bouche au nez. Les récepteurs situés dans la muqueuse nasale sont très sensibles à des milliers d'odeurs différentes. Ce sont elles qui renseignent le cerveau et lui transmettent l'information.

fibres nerveuses olfactives

cavité nasale

langue

nerf sensoriel qui renseigne le cerveau

Langue traîtresse

Il te faut :
- un couteau,
- un bandeau,
- un partenaire
- une carotte, une pomme, du gruyère, une pomme de terre.

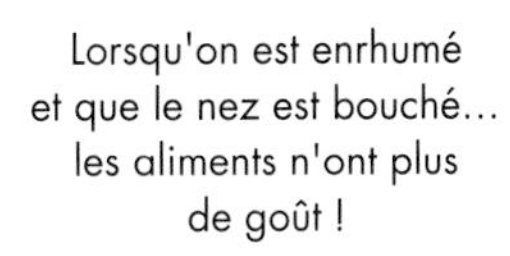

Lorsqu'on est enrhumé et que le nez est bouché... les aliments n'ont plus de goût !

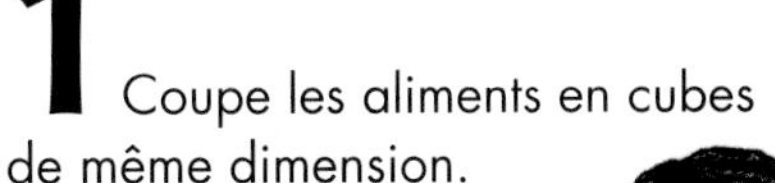

1 Coupe les aliments en cubes de même dimension.

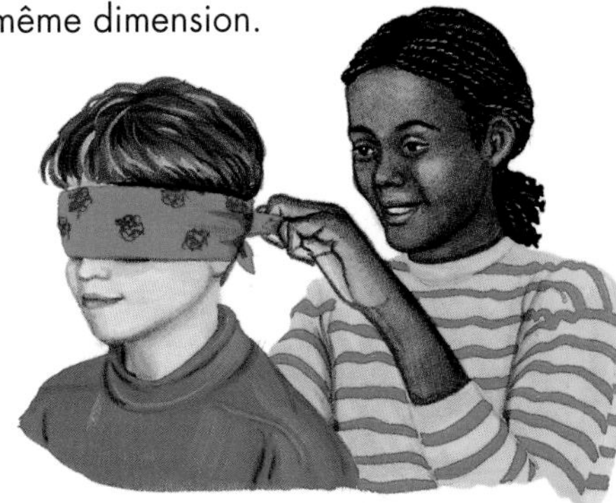

2 Tenue de goûteur : les yeux bandés et le nez bouché !

3 Demande à quelqu'un de te faire goûter un cube de chaque aliment. Peux-tu reconnaître de quoi il s'agit ?

À FLEUR DE PEAU

C'est chaud, c'est froid, ça pique, ça brûle, c'est doux, c'est rêche : des millions de petits récepteurs cachés dans notre peau informent notre cerveau. C'est ainsi que nous percevons mieux le monde.

Tester la sensibilité de la peau

Il te faut :
- 8 planchettes de balsa (de polystyrène ou du carton fort) de 10 x 4 cm,
- une vingtaine d'épingles,
- un double décimètre,
- du papier,
- un crayon,
- un foulard.

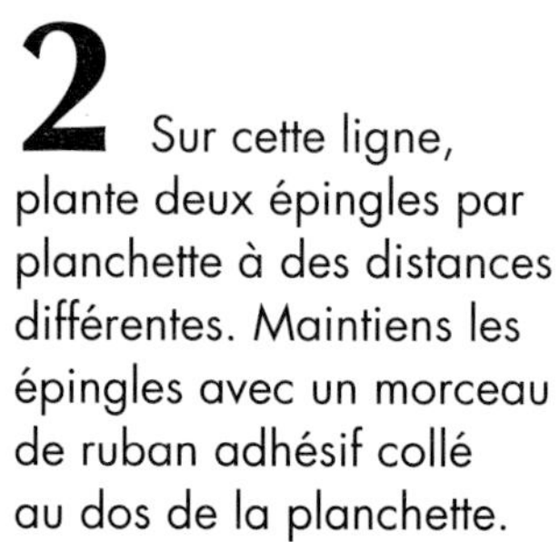

1 Avec le double décimètre, trace la ligne qui sépare en deux, dans le sens de la longueur, chacune de tes planchettes.

2 Sur cette ligne, plante deux épingles par planchette à des distances différentes. Maintiens les épingles avec un morceau de ruban adhésif collé au dos de la planchette.

3 Bande les yeux de ton camarade. Touche, sans appuyer, son avant-bras avec la planchette portant les épingles les plus écartées. Les deux pointes doivent le toucher au même instant.

4 Recommence avec les autres planchettes. Dès qu'il te dira qu'il ne sent qu'une piqûre, note l'écartement des épingles. Cet écartement représente la distance qui sépare deux récepteurs tactiles.

5 Refais cette expérience sur d'autres parties du corps (par exemple : le dessus de la main, la paume, le poignet, le doigt, la jambe). Repère les zones les plus sensibles, c'est-à-dire celles où les récepteurs sont les plus rapprochés.

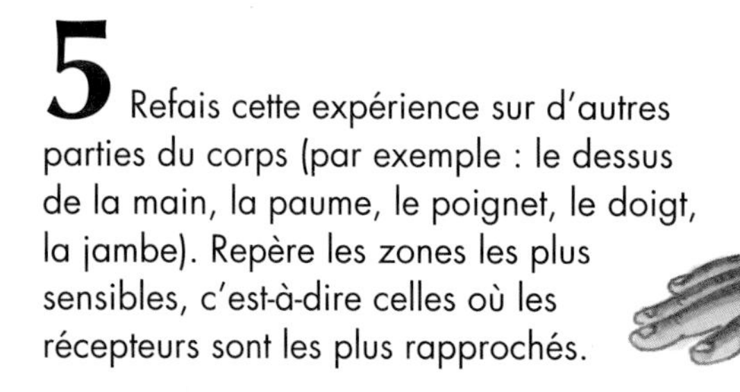

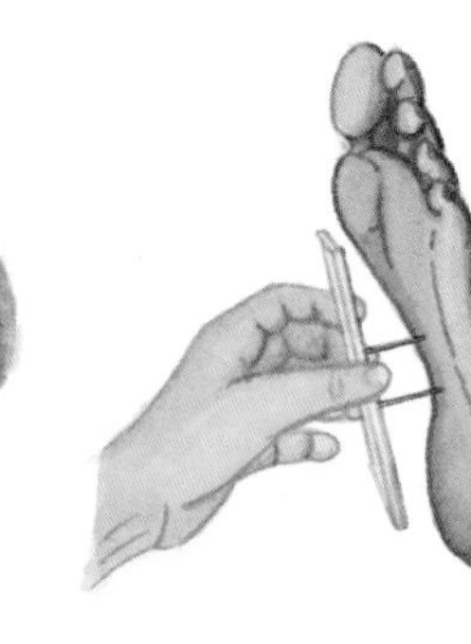

Froid ou chaud ?

 ★

Il te faut :
- 3 verres d'eau : le premier à 40 °C, le deuxième à 25 °C et le troisième à la température du robinet d'eau froide.

1 Remplis les trois verres d'eau chaude, d'eau tiède et d'eau froide.

2 Mets un index dans l'eau chaude et l'autre dans l'eau froide pendant 2 minutes.

3 Plonge-les ensuite tous les deux dans l'eau tiède. Tes doigts sont en contact avec la même température : cependant, que sens-tu ?

Lire avec les doigts

Il te faut :
- des carrés de carton fin de 6 x 6 cm,
- un crayon à la mine bien pointue ou un petit clou.

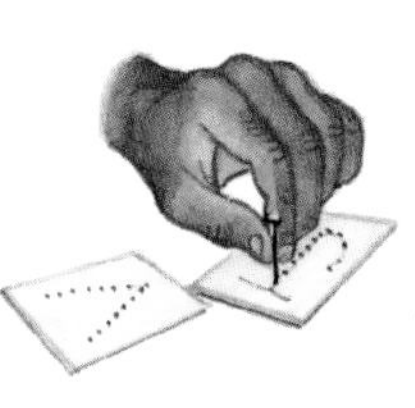

1 Sur les cartons, trace des lettres et des chiffres à l'envers. À l'aide du crayon ou du clou, perce tes cartons de petits trous en suivant les lignes des dessins.

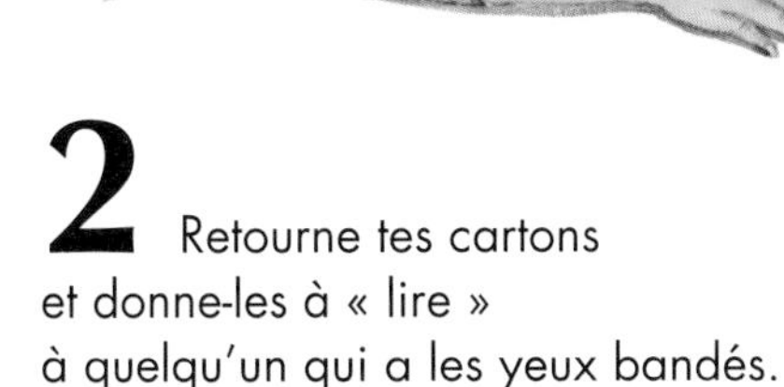

2 Retourne tes cartons et donne-les à « lire » à quelqu'un qui a les yeux bandés.

LE BRAILLE

C'est un système d'écriture fait de petits points en relief qui permet aux aveugles de lire avec leurs doigts. Louis Braille (1809-1852), qui inventa cet alphabet, était aveugle depuis l'âge de trois ans.

Quelques signes :

A B C

La forme des objets

Rassemble des objets de forme et de matière différentes. Les yeux bandés, demande à quelqu'un de reconnaître les objets en les touchant.

DES MOUVEMENTS COORDONNÉS

Se verser à boire, couper du pain, lacer ses chaussures, enfiler sa veste, sont des gestes courants qui nécessitent le contrôle et la coordination de nos mouvements. Le cerveau, en donnant des ordres à nos muscles et à nos sens, assure cette activité.

Garder son équilibre

★

Il te faut :
- un coussin,
- un bandeau,
- un lieu bien dégagé.

1 Monte pieds nus sur le coussin.

2 Mets-toi en équilibre sur un pied. (Première difficulté : tu ne reçois plus que la moitié des informations captées par le récepteur de tes pieds.)

3 Mets le bandeau et mets-toi sur un pied. (Nouvelle difficulté, car tu n'as plus de récepteurs visuels.)

4 Mets tes bras le long du corps et essaie de te tenir bien droit. Difficile ! tes bras ne te permettent plus de rétablir l'équilibre.

Coordonner ses gestes

Touche successivement le bord de la table avec le pouce, l'index et le majeur, puis l'index et l'auriculaire et enfin le poing. Enchaîne les mouvements le plus rapidement possible.

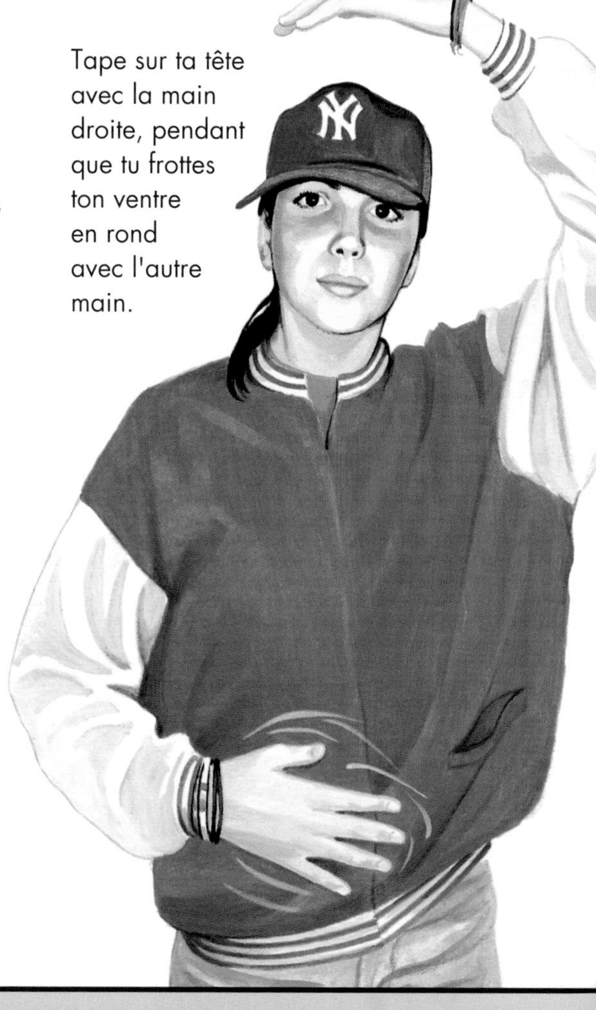

Tape sur ta tête avec la main droite, pendant que tu frottes ton ventre en rond avec l'autre main.

Droite ou gauche ?

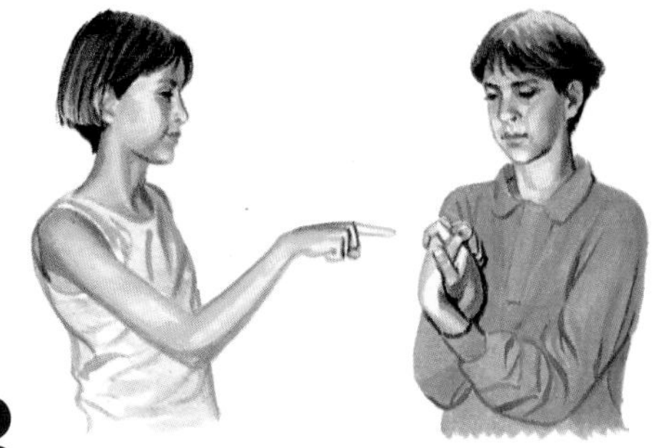

1 Tends les bras et croise-les. Place tes mains paume contre paume et croise les doigts.

2 Plie les coudes et ramène tes mains devant toi en les faisant tourner devant ta poitrine.

3 Demande à quelqu'un de te montrer le doigt que tu dois lever. Difficile ! ton cerveau ne reçoit pas d'informations fiables de tes yeux qui ne distinguent plus précisément la main droite de la main gauche.

Le muscle trompé

Place-toi debout, les bras le long du corps.

Essaie de soulever un bras pendant qu'un camarade t'en empêche. Lutte contre cette résistance pendant 20 secondes puis relâche tes muscles. Ils produisent toujours le même effort et ton bras se lève seul !

Possible ou impossible ?

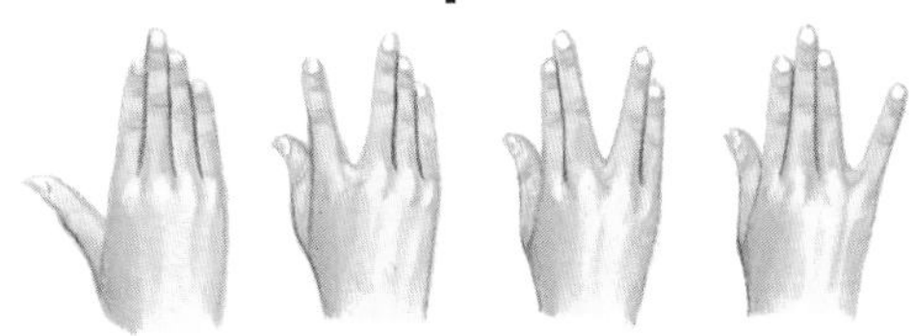

Arrives-tu à écarter tes doigts ainsi ?

Le doigt collé

Pose ta main comme sur le dessin. Essaie de soulever tes doigts l'un après l'autre : l'annulaire et le majeur étant reliés par le même tendon, tu ne peux pas soulever l'annulaire.

Un réactomètre pour tester tes réflexes

Il te faut :
- une bande de carton rigide de 30 x 4 cm,
- 7 feutres de couleurs différentes,
- une règle graduée,
- un crayon.

1 Partage la bande en sept parties égales de 5 cm chacune. Colorie chacune de ces parties d'une couleur différente.

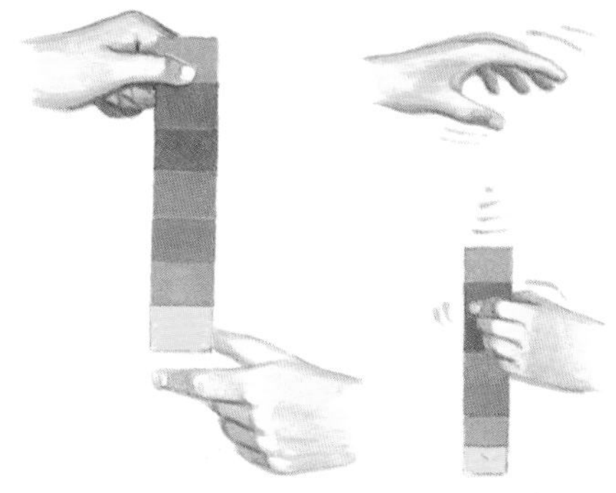

2 Un ami tient le réactomètre par le haut. Place ton pouce et ton index en dessous et essaie de le saisir le plus rapidement possible dès qu'il le lâchera. Plus tu l'arrêteras près du bas, meilleure sera ta réaction.

DES ILLUSIONS PLEIN LES YEUX

Les yeux perçoivent les rayons lumineux et transmettent l'information reçue au cerveau. Celui-ci traite les images et leur donne un sens. Mais parfois, il se trompe et nous trompe !

Des lignes troublantes

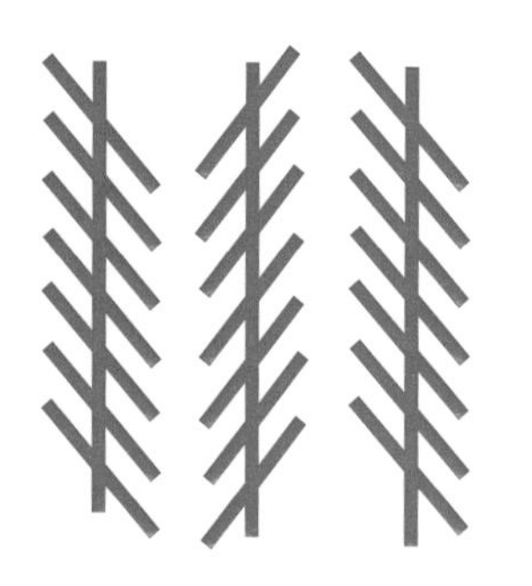

Les lignes verticales sont-elles parallèles ?

... et les lignes obliques ?

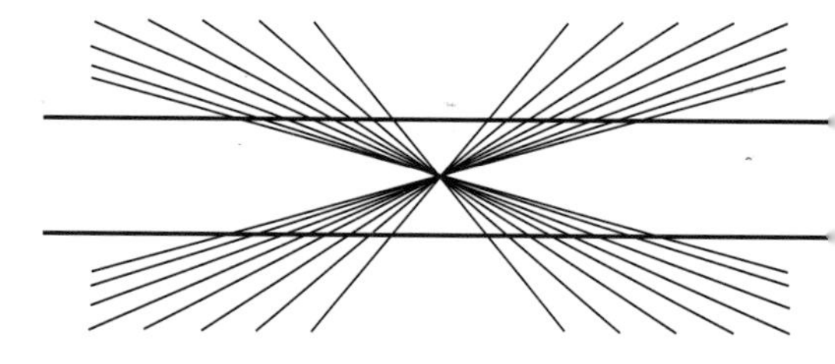

Les lignes horizontales sont-elles droites ? Tes yeux suivent les traits qui partent du point central et tu as l'impression que les droites sont incurvées.

Des rapports de surface

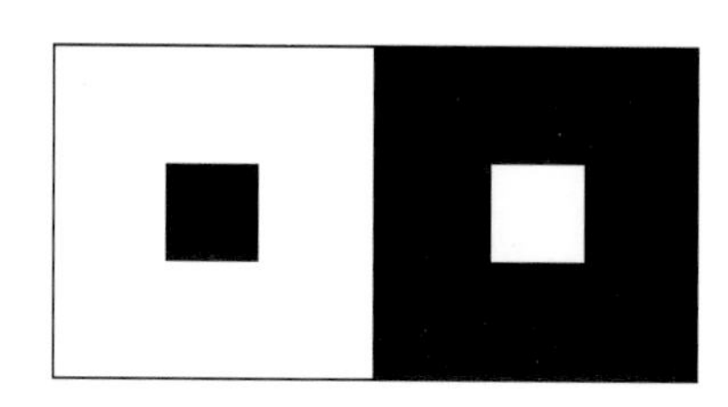

Les surfaces des deux carrés centraux sont-elles identiques ?

Vois-tu les taches grises au croisement des lignes blanches ?

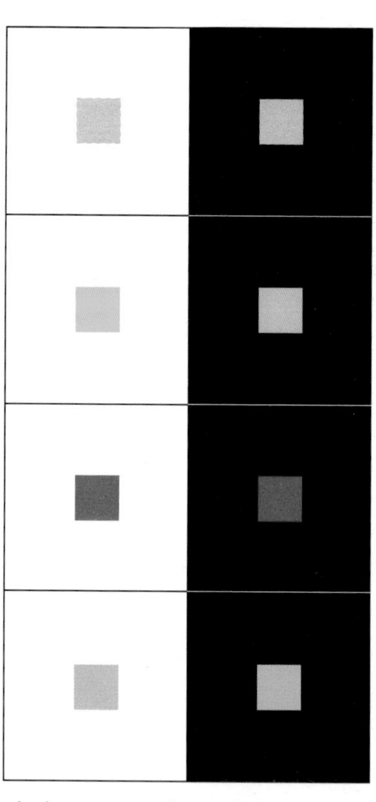

Regarde les carrés de couleur au centre des carrés blancs et des carrés noirs. Sur un fond clair, les couleurs paraissent plus foncées, moins lumineuses que sur un fond noir.

Des tailles trompeuses

Le corps de cet animal étrange est-il plus court que son cou ?

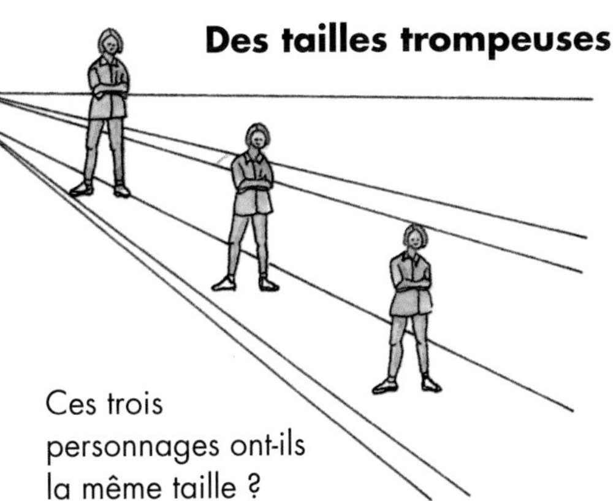

Ces trois personnages ont-ils la même taille ?

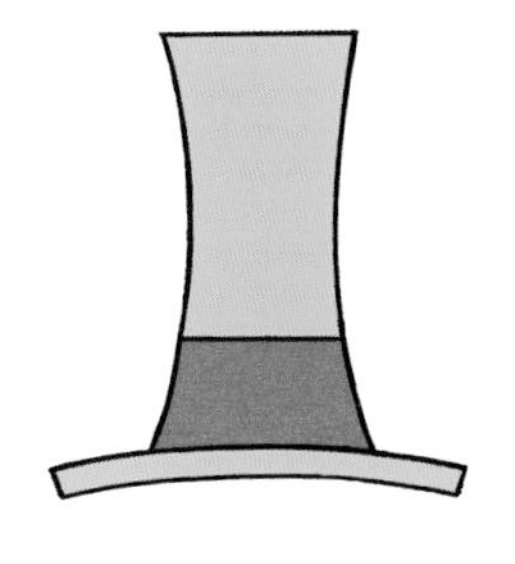

Ce chapeau est-il plus haut que large ?

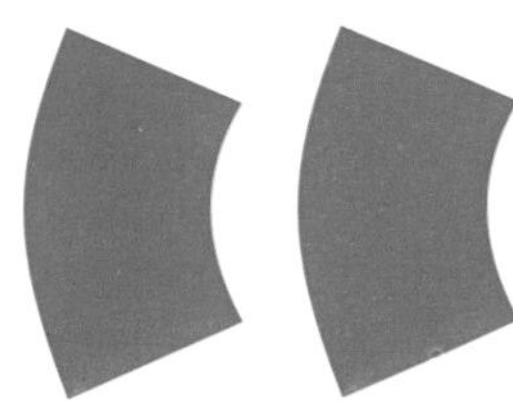

Y a-t-il un segment plus long que l'autre ?

Ces bandes sont-elles de même longueur ?

Dans ses œuvres, l'artiste hollandais Maurits C. Escher (1898-1971) utilise les illusions d'optique pour créer des paysages impossibles.

Des constructions impossibles

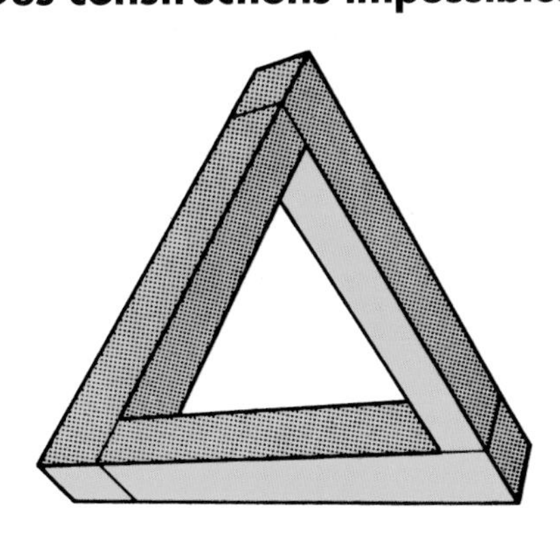

Peux-tu construire cet objet ?

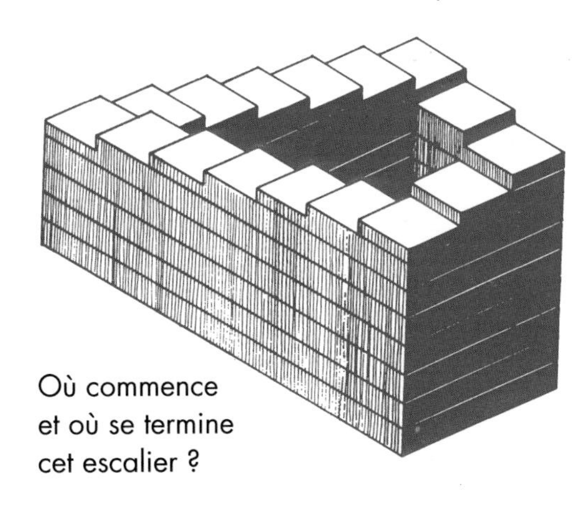

Où commence et où se termine cet escalier ?

DE CURIEUSES VISIONS

Comment verrions-nous le monde si nous n'avions qu'un œil ? La vision binoculaire nous permet d'estimer les distances et donne du relief à ce que nous voyons.

Cerveau dérangé et main percée

Mets un œil devant un tube en carton et place ton autre main, paume vers toi, le long du tube. Ouvre les deux yeux : ta main semble percée d'un trou ! Chaque œil transmet au cerveau une image différente. Il les mélange et propose une drôle de vision.

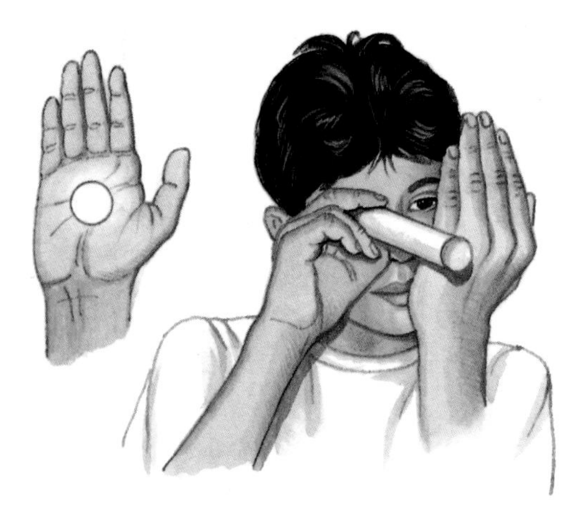

Deux en un

Découpe un morceau de bristol de 4 cm de large sur 6 cm de long. Place-le à la perpendiculaire de la ligne pointillée. Approche ton visage : un seul dessin apparaît. Chacun de tes yeux envoie une image au cerveau, et c'est lui qui les associe.

Difficile de bien viser

Prends une boîte. Place-toi à 70 cm de celle-ci. Ferme un œil et donne des indications à ton ami afin qu'il laisse tomber un bouton dans la boîte. Difficile ! Avec les deux yeux ouverts, c'est vraiment plus simple.

Les doigts multipliés

Place tes deux index horizontalement à 1 cm l'un de l'autre et à environ 30 cm de tes yeux. Fixe un objet lointain. Il te semble voir flotter un drôle de doigt.

Quel est ton œil dominant ?

Le cerveau traite les images qu'il reçoit des yeux, l'une après l'autre. Tu peux connaître celle qui est traitée en premier. Découpe un disque de 3 cm de diamètre dans un rectangle de papier. À bout de bras, fixe un objet à travers le trou. Sans le quitter des yeux, rapproche lentement la feuille de ton visage. Elle se place naturellement devant ton œil dominant.

Voir en relief

Il te faut :
- du carton (13 x 5 cm),
- des ciseaux,
- de la colle,
- du papier de bonbon transparent (vert et rouge).

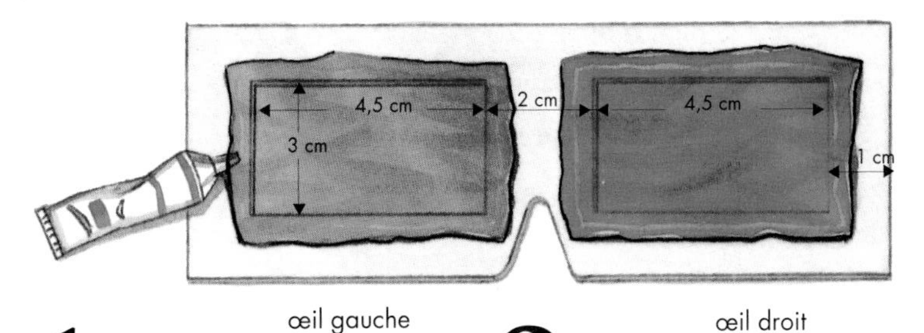

1 Découpe le contour de la monture des lunettes.

2 Colle le papier coloré vert à droite, rouge à gauche.

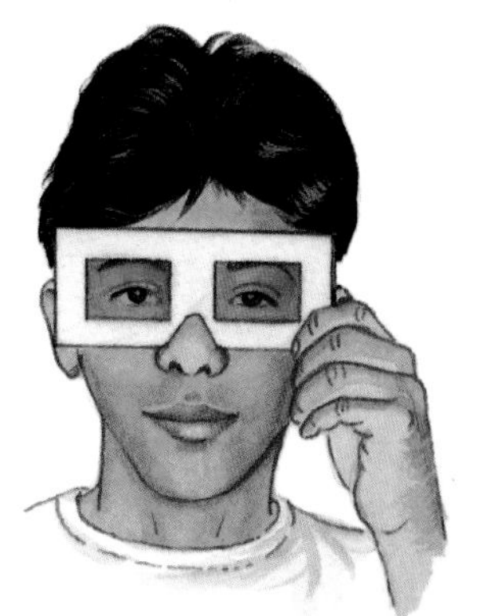

3 Regarde cette photo avec tes lunettes. Chaque œil perçoit une image un peu décalée, tandis que le cerveau les associe en une représentation en relief.

LA VISION BINOCULAIRE

D'un seul œil, il n'est pas possible d'évaluer à quelle distance se trouve un objet : c'est la vision binoculaire qui donne l'impression de relief.

LE SON EST UNE VIBRATION

Dans l'espace, il n'y a pas de bruit, parce qu'il n'y a pas d'air. Sur la Terre, par contre, le moindre son fait vibrer l'air jusqu'à nos oreilles.

La feuille qui vibre à la voix

Il te faut :
de l'aluminium ménager.

1 Place la feuille d'aluminium sur ta main.

2 Mets ta bouche au-dessus et émets un son constant « hoooo ». La feuille se met à vibrer légèrement et chatouille ta main, car l'air lui transmet la vibration de tes cordes vocales.

3 Il est aussi possible de mettre la même feuille juste devant un haut-parleur. Plus le son est grave, plus l'aluminium vibre : c'est ainsi que vibre le tympan de l'oreille.

STÉTHOSCOPE DE LAENNEC

On raconte que le médecin Laennec (1781-1826) a découvert le stéthoscope en regardant des enfants s'amuser à écouter de faibles sons à travers une poutre en bois. De la même façon, écoute le tic-tac d'une montre en posant un morceau de bois d'un mètre environ sur la montre et en portant l'autre extrémité à ton oreille.

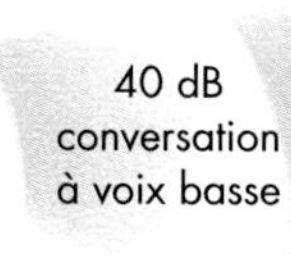

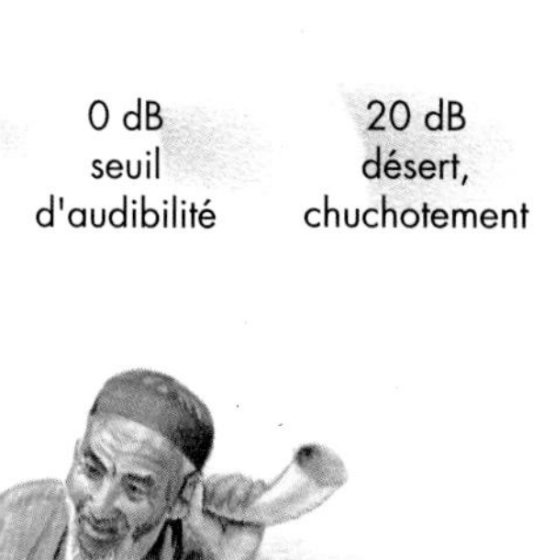

DÉCIBELS

L'unité de mesure du bruit est le décibel (dB). Il correspond à la sensation perçue par l'oreille. Au-delà de 70 décibels, il y a danger.

Les verres vibreurs

★

Il te faut :
- un verre à pied en cristal,
- un peu d'eau,
- des mains propres !

1 Mouille un peu ton index, puis fais-le glisser sur le bord du verre, en appuyant légèrement. Le verre vibre et chante.

2 Remplis le verre avec un peu d'eau et recommence à le faire vibrer : le son est différent. Avec plusieurs verres, tu peux ainsi faire une gamme et jouer de la musique.

3 La vibration du verre peut aussi se transmettre à un second verre, placé tout contre.

Des verres vibreurs au violon, il n'y a qu'un geste. L'archet, à la place du doigt, accroche puis libère alternativement la corde qui se met à vibrer et émet une onde sonore qui se propage dans l'air, jusqu'à l'oreille.

COMME TU AS DE GRANDES OREILLES... !

Pour mieux capter les vibrations sonores, de grandes surfaces de collectage sont nécessaires. C'est le rôle du pavillon de l'oreille. C'est pourquoi les animaux à l'ouïe fine ont de grandes oreilles orientables.

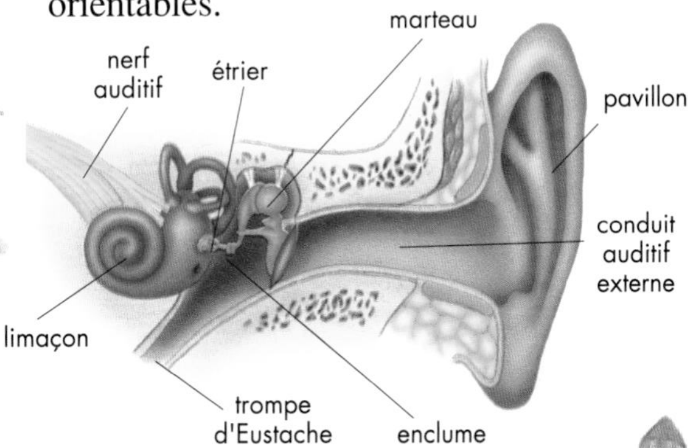

Calcul orageux

On sait que le son du tonnerre voyage à environ 330 mètres par seconde et que la propagation de l'éclair est instantanée. À quelle distance se trouve l'orage si tu entends le bruit du tonnerre 15 secondes après avoir vu l'éclair ? (Le temps écoulé est celui que met le bruit du tonnerre pour arriver jusqu'à toi.)

Réponse p.186.

105 dB
walkman à puissance maximale

100 à 110 dB
concert rock, train passant dans une gare

120 dB
tonnerre

180 dB
fusée au décollage

CITHARE ET MONOCORDE

Une corde qui vibre émet un son qui peut être amplifié par une caisse de résonance. Tous les instruments à cordes utilisent ce principe.

La cithare

Il te faut :
- une petite boîte en carton,
- une fiche bristol,
- quelques élastiques (tous de la même taille de préférence),
- de la colle,
- une pièce de 1 franc,
- une épingle.

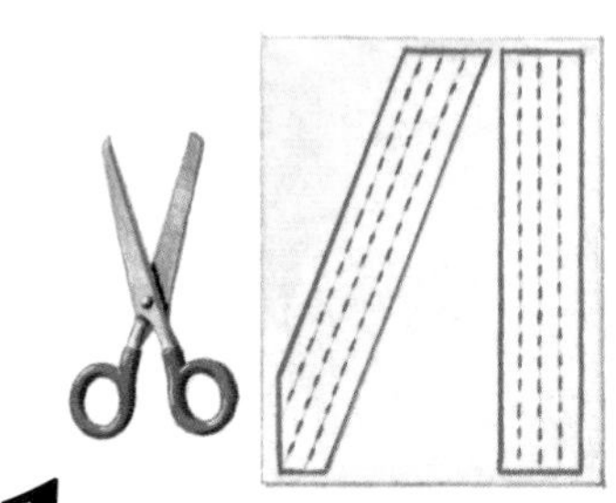

1 Découpe deux bandes dans la fiche bristol et plie-les en forme de W.

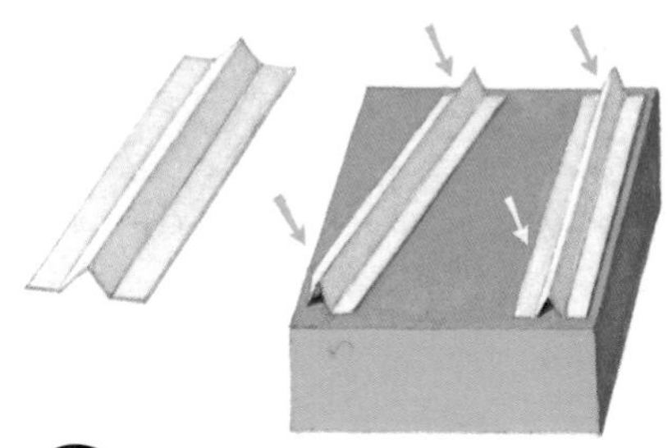

2 Colle-les sur la boîte, l'une le long d'un bord, l'autre en biais.

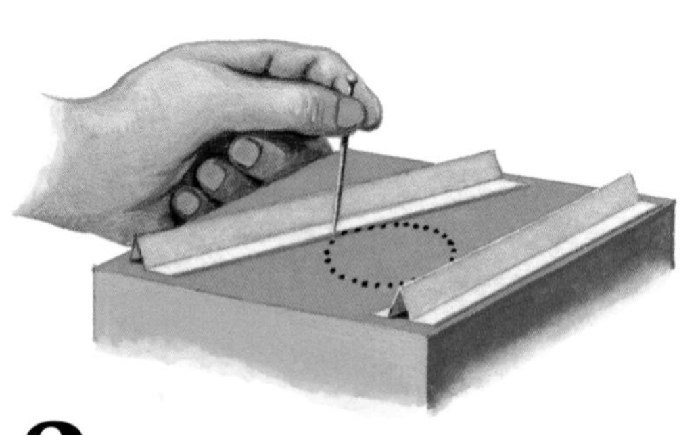

3 En suivant le bord de la pièce de monnaie, trace un cercle au centre. Découpe par déchiquetage à l'aide d'une épingle.

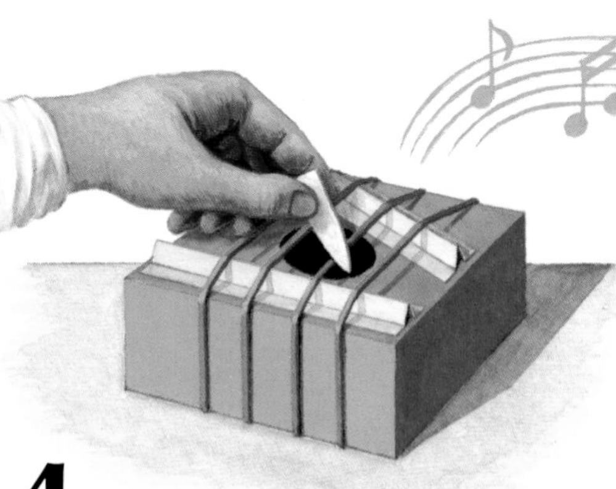

4 Passe les élastiques autour de la boîte. Fais-les vibrer à l'aide d'un petit morceau de bristol. Tu peux les placer de manière à obtenir les quatre notes nécessaires pour jouer *À la claire fontaine*.

La cithare
Il existe de nombreuses cithares. Celle-ci date probablement du XVIIIe siècle. Trois cordes sont tendues au-dessus d'une touche munie de sillets, comme celles d'une guitare, et servent à jouer la mélodie. Les autres cordes permettent de jouer des notes graves d'accompagnement.

Le monocorde

★★

1 Plante un petit clou à chaque extrémité de la planchette. Puis plante le grand clou à environ 15 cm d'une des extrémités.

Il te faut :
- une planchette de bois (50 cm x 4 cm),
- 2 morceaux de baguette demi-ronde (8 cm et 3 cm),
- un morceau de tasseau (2 cm de large et 8 cm de long),
- un bâton d'esquimau,
- un clou de 4 cm de long environ,
- 2 clous de 1,5 cm de long,
- un couvercle de bocal en métal,
- environ 80 cm de fil de pêche (ou de ficelle de cuisine).

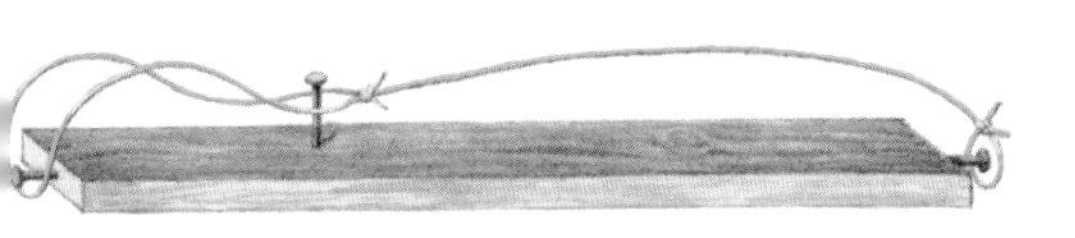

2 À une extrémité du fil, fais une boucle assez grande pour pouvoir à la fois l'accrocher au petit clou et y passer le grand. Tends le fil, puis accroche-le au second petit clou. La « corde » est en place.

3 Colle le grand morceau de baguette demi-ronde sur le tasseau. Place ce sillet mobile sous la corde près du gros clou.

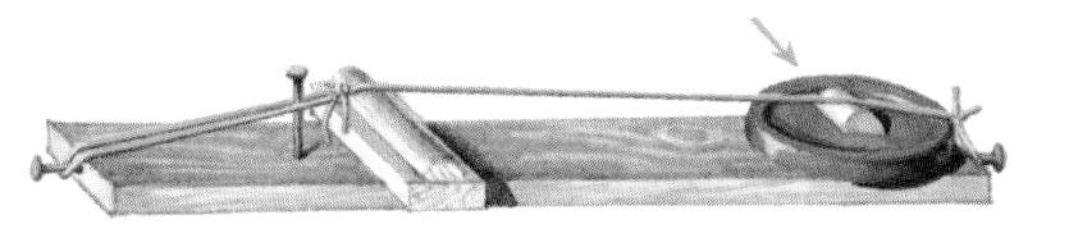

4 Colle le petit morceau de baguette demi-ronde sur le couvercle en métal, puis glisse l'ensemble sous la corde.

5 Pour tendre la corde, il suffit de passer un morceau de bâton d'esquimau au milieu de la boucle et de lui faire faire plusieurs tours.

POUR JOUER UN AIR...

Pince la corde d'une main et, de l'autre, déplace le sillet mobile. Tu peux tracer des repères sur la planchette pour jouer les bonnes notes. Si tu disposes d'une planche assez large, tu peux aussi fixer plusieurs cordes et fabriquer ainsi une sorte de cithare.

LE RÔLE DU COUVERCLE

Enlève le couvercle en métal : le son change-t-il ? Et si tu appuies le monocorde contre un meuble ?... Le couvercle, comme le meuble, forme une caisse de résonance qui amplifie le son.

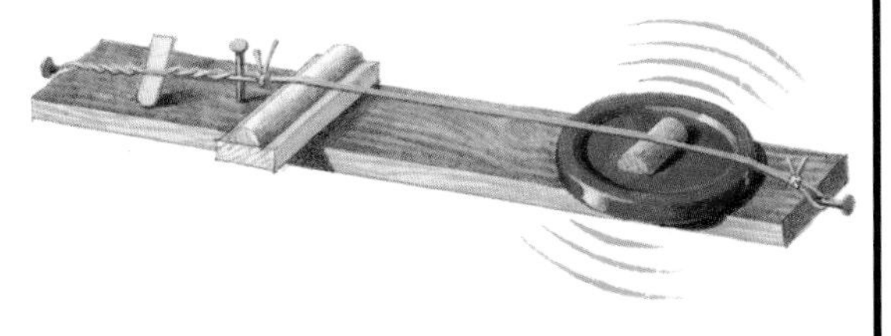

LE SOUFFLE DEVIENT MUSIQUE

flûte traversière

Un tube, un bouchon, quelques trous à percer, voilà un instrument à vent très ancien et facile à fabriquer : la flûte traversière.

La flûte traversière

Il te faut :
- 33 cm de tube d'électricité en plastique lisse de 16 mm de diamètre intérieur,
- un bouchon en liège,
- du papier de verre,
- une vrille,
- une lime ronde (ou une perceuse et des forets).

1 Frotte le bouchon sur le papier de verre pour l'ajuster au diamètre intérieur du tube.

2 Perce un trou à l'embouchure du tube et lime-le. Pousse le bouchon dans le tube jusqu'au bord du trou.

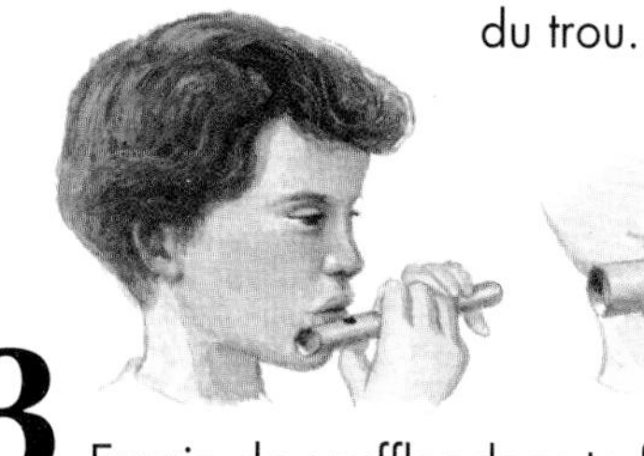

3 Essaie de souffler dans ta flûte. Tu dois pouvoir produire une note grave qui est la fondamentale de l'instrument et, en soufflant plus fort, la même note à l'octave supérieure.

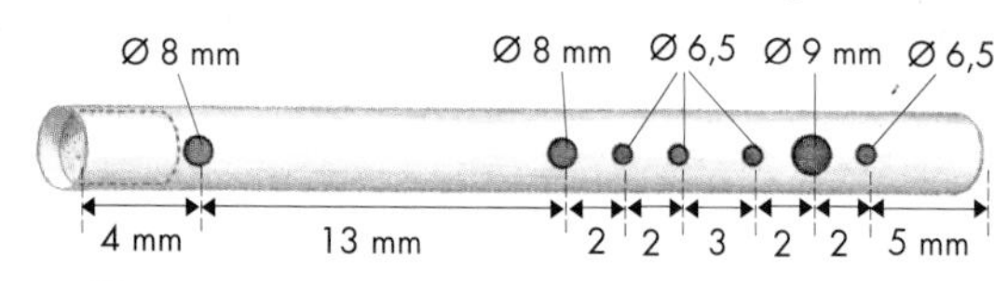

4 Termine ta flûte en perçant les autres trous. La justesse de ton instrument dépend de leur diamètre. Si tu as l'oreille musicale, tu peux les ajuster à l'aide d'une petite lime.

clarinette

hautbois

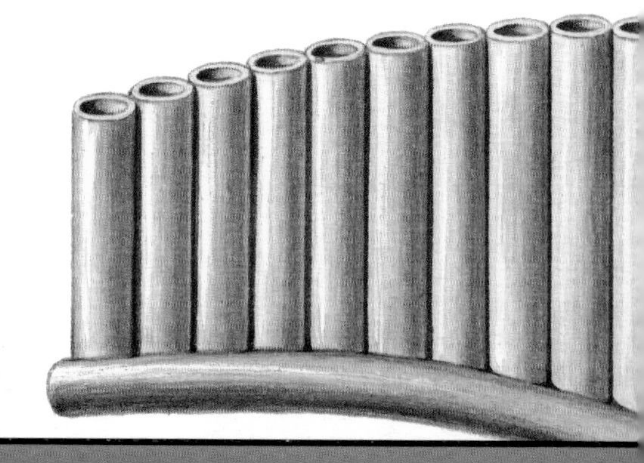

Comment jouer ?

Bouche les trous avec l'index, le majeur et l'annulaire de chaque main. Les notes de la gamme s'obtiennent en débouchant les trous un à un ; on passe à l'octave aiguë en rebouchant tous les trous sauf celui du haut et en soufflant plus fort. Si tu sais déjà jouer de la flûte à bec, place le petit doigt de la main droite sur le premier trou et les autres doigts à la suite, tu retrouveras alors à peu près les mêmes doigtés qu'à la flûte à bec.

Un peu d'histoire
Chez les anciens Grecs, chacun des neuf arts principaux était placé sous l'inspiration d'une muse, personnage mythologique. Euterpe qui préside à la musique est souvent représentée jouant de la flûte, car cet instrument était très répandu dans l'Antiquité du fait de sa facilité de fabrication.

flûte à bec

UNE VARIANTE : LA FLÛTE DES ANDES

Si tu fabriques une autre flûte en supprimant la partie obturée par le bouchon, c'est l'extrémité du tube qui servira d'embouchure et tu souffleras comme dans une flûte de Pan. Mais, grâce aux trous, un seul tuyau suffit pour faire plusieurs notes.

flûte de Pan

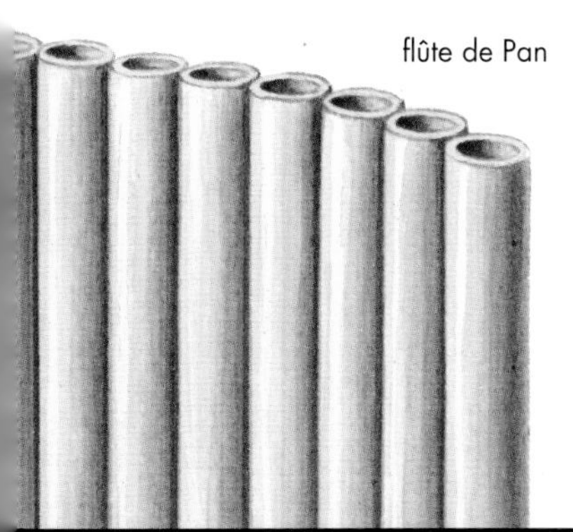

Un bruiteur en papier

★

Il te faut :
- du ruban adhésif,
- un crayon,
- une feuille de papier.

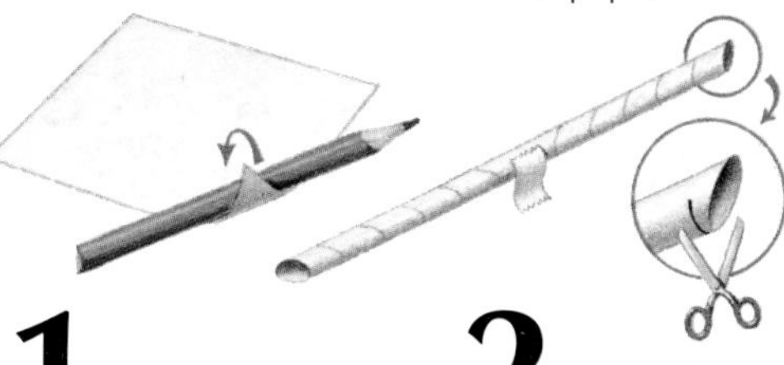

1 Enroule une feuille de papier autour d'un crayon en commençant par un coin et fixe-la avec un morceau de ruban adhésif.

2 Retire le crayon et incise aux trois quarts ce tube de papier à une des extrémités. Rabats le petit triangle ainsi formé.

3 Aspire par l'autre extrémité. Le petit triangle de papier se met à vibrer et produit un son grave.

MÉLODIES ET SONS EN MÉMOIRE

Grâce à de toutes petites puces, les poupées rient, pleurent ou chantent, les voitures miniatures pétaradent ou klaxonnent, les cartes et les bougies jouent « *Happy birthday to you* », les pompes à essence disent ce qu'il faut faire…

LES POUPÉES PARLENT…

À la fin du siècle dernier, les poupées poussent leur premier cri grâce à des mécanismes à soufflet. Mais les sons ressemblent difficilement à « papa, maman ». L'invention du phonographe les rendent plus bavardes. L'Américain Thomas Alva Edison crée alors une poupée qui récite des prières et une autre qui ne dit que des réprimandes ! Aujourd'hui, des mémoires électroniques remplacent les microsillons qui succédèrent aux cylindres de cire.

DES BOÎTES À MUSIQUE

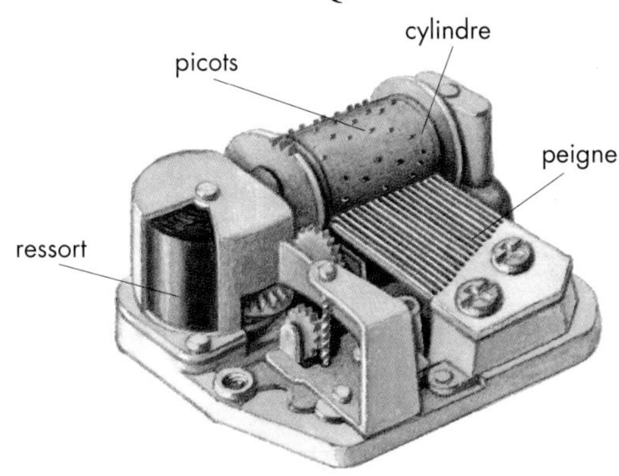

La mélodie des boîtes à musique d'autrefois est enregistrée sur un cylindre muni de picots. En tournant, ceux-ci font vibrer les lames d'un peigne. Les lames courtes donnent les notes aiguës et les lames longues, les notes graves. Mais ce procédé ne permet pas de reproduire la parole.

Intérieur de la poupée Jumeau

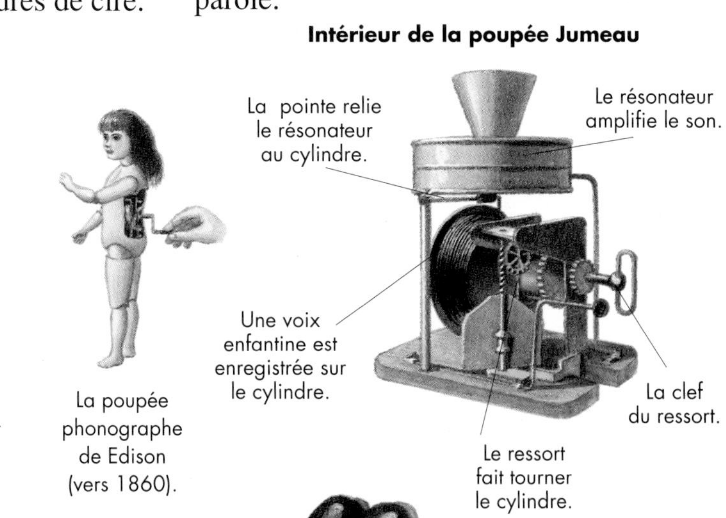

L'air expulsé du soufflet fait vibrer une membrane métallique.

La poupée phonographe de Edison (vers 1860).

La poupée Jumeau (vers 1895).

Un chef d'orchestre sans musicien

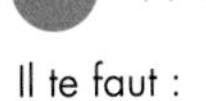

★★

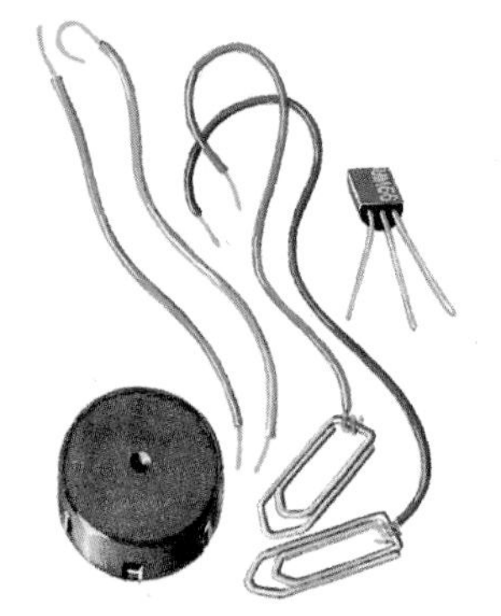

Il te faut :
- une pile de 4,5 V,
- un haut-parleur piezzo,
- un circuit UM 66,
- du fil électrique,
- 2 trombones,
- une barrette de dominos,
- une règle métallique,
- une boîte de conserve,
- du ruban adhésif.

1 Plie légèrement les pattes de l'UM 66. Dénude les extrémités des quatre fils et fixe deux trombones.

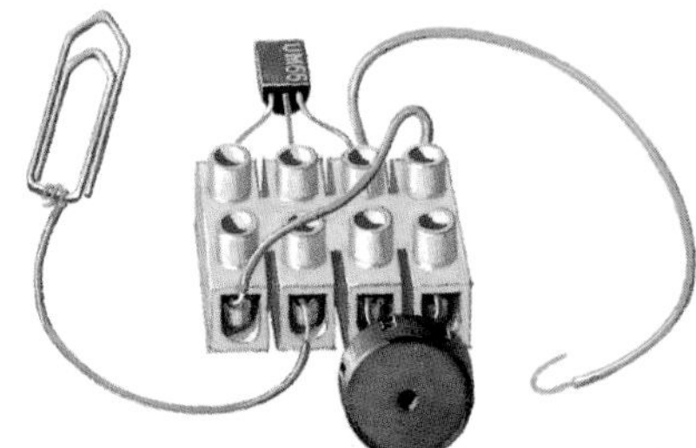

2 Réalise le montage sur la barrette de dominos. Branche trois fils sur le montage.

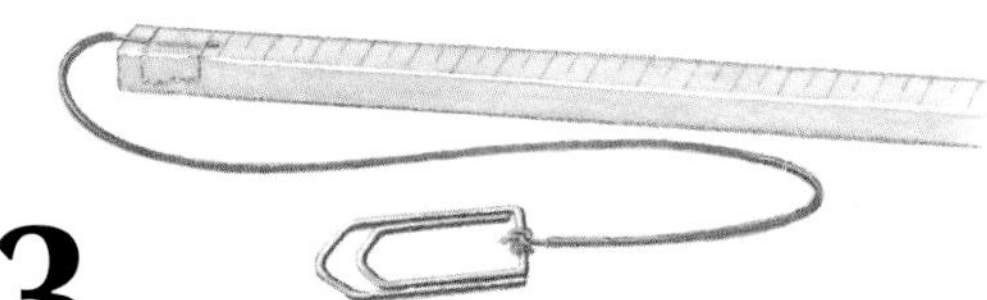

3 Serre les vis des dominos. Fixe le dernier fil sur la règle avec du ruban adhésif. Relie les trombones aux bornes de la pile.

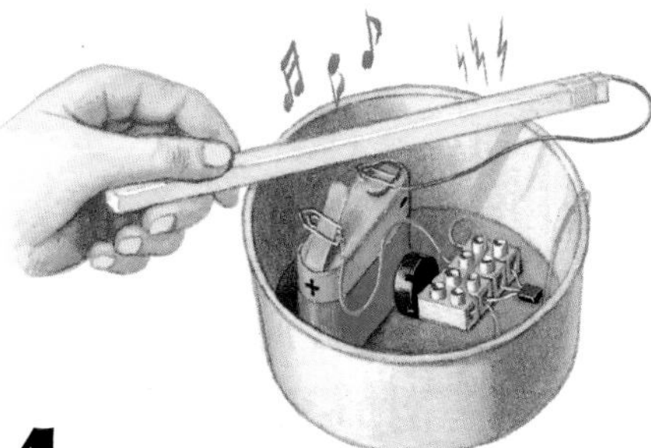

4 Place le montage dans la boîte en fixant le fil sur le côté. Pose ta baguette... l'orchestre entame une symphonie !

UNE PUCE, UNE PILE, UN INTERRUPTEUR ET UN HAUT-PARLEUR

La mélodie, le bruit ou les paroles sont en mémoire dans une puce électronique : le circuit intégré. La pile fournit l'énergie. L'interrupteur commande le fonctionnement. Le haut-parleur transmet les sons ou les mots.

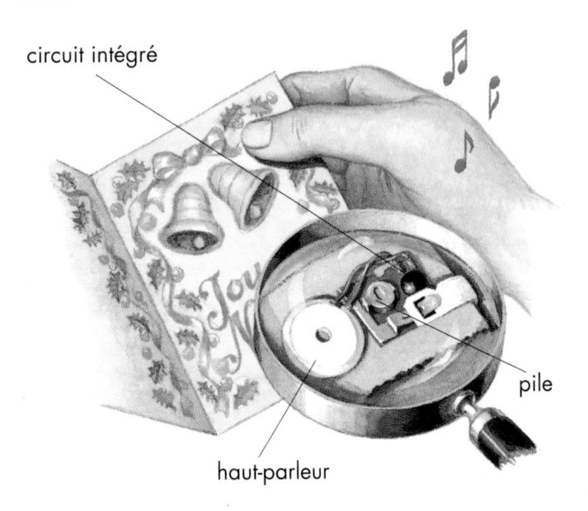

L'ouverture de la carte déclenche la mélodie.

Un contact sur son cœur et la poupée confie son prénom, invite à jouer et raconte beaucoup d'autres choses.

Une simple pression sur cette petite voiture déclenche le vrombissement du moteur.

COMMUNIQUER À DISTANCE

Être ici et ailleurs en même temps est désormais possible grâce aux techniques de communication à distance qui font voyager des sons ou des images : à vos postes !

Un téléphone à ficelle

Il te faut :
- 2 boîtes de conserve vides,
- un marteau,
- un petit clou,
- une longue ficelle,
- des élastiques.

1 Fais un petit trou (avec le clou et le marteau) dans le fond des boîtes de conserve.

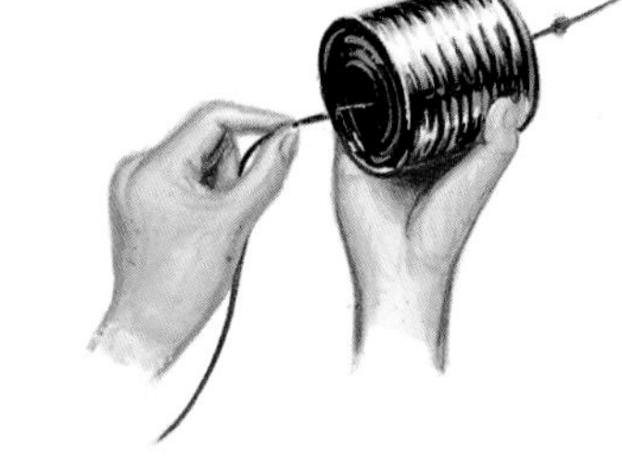

2 Passe la ficelle et fais plusieurs nœuds dans la boîte.

3 Tends la ficelle entre deux pièces de la maison en l'accrochant éventuellement avec des élastiques aux angles des murs ou aux poignées de porte : il ne faut pas que la ficelle touche les murs.

4 Parle distinctement dans ta boîte : ton correspondant t'entendra à l'autre bout de la ficelle dans sa boîte.

AVEC, PUIS SANS FIL !

En 1832, Samuel Morse invente le télégraphe électrique. 39 ans plus tard, Bell invente le téléphone. En 1895, Marconi met au point le premier télégraphe sans fil (TSF). Depuis, émetteurs, câbles et satellites permettent à la population de la Terre entière de recevoir coups de téléphone, télécopies et émissions de radio ou de télévision.

Le code de S. Morse

A	•-	N	-•
B	-•••	O	---
C	-•-•	P	•--•
D	-••	Q	--•-
E	•	R	•-•
F	••-•	S	•••
G	--•	T	-
H	••••	U	••-
I	••	V	•••-
J	•---	W	•--
K	-•-	X	-••-
L	•-••	Y	-•--
M	--	Z	--••

Le télégraphe Morse

Il te faut :
- du fil électrique,
- une ampoule de 4,5 V,
- 2 piles de 4,5 V,
- 2 planchettes de bois,
- un tasseau,
- une bande de carton rigide,
- 4 trombones,
- 2 clous,
- 3 punaises,
- du ruban adhésif.

1 Fabrique un interrupteur en tordant un trombone. Fixe-le sur une planchette de bois au-dessus d'une punaise. Branche les trois fils comme sur le dessin : c'est le poste émetteur.

2 Enroule 50 tours de fil électrique autour du clou pour faire un électroaimant.

3 Fixe le tasseau sur la seconde planchette. Punaise la bande de carton et place les deux trombones T1 et T2 au-dessus des clous C1 et C2.

4 Fixe les extrémités du fil de l'électroaimant (C2) au poste émetteur. Avec du fil électrique, relie le trombone T1 à la seconde pile et le clou C1 à l'ampoule puis à la pile : c'est le poste récepteur.

5 En utilisant le code Morse, transmets des messages. Appuie sur le trombone. C2 attire T2 : le courant passe et allume l'ampoule (signal lumineux long : – ; bref •).

DÉCOMPOSER LA LUMIÈRE

Quelle est la couleur de l'herbe ou d'une orange ? Cela semble évident et pourtant, il suffit de changer d'éclairage et tout est différent.

La lumière solaire décomposée

Il te faut :
- un petit miroir,
- une assiette creuse,
- une feuille blanche.

1 Fixe la feuille blanche sur le mur à côté d'une fenêtre ensoleillée. Place l'assiette remplie d'eau au soleil, le miroir incliné à moitié dans l'eau.

2 Oriente le miroir pour que les couleurs de l'arc-en-ciel apparaissent sur la feuille de papier. C'est le spectre de la lumière blanche.

COURBER LA LUMIÈRE

Les rayons du soleil traversent l'eau avant de se réfléchir sur le miroir. Lors de ce passage, ils sont légèrement déviés. Isaac Newton a découvert, à l'aide d'un prisme, que la lumière solaire est un mélange de couleurs qui ne se comportent pas toutes de la même manière. Certaines sont plus déviées que d'autres.

ARC-EN-CIEL

L'arc-en-ciel apparaît les jours de pluie, dès que le soleil brille. Les rayons du soleil traversent les gouttelettes d'eau et sont déviés ; en sortant de la goutte, chaque couleur va dans une direction un peu différente, ce qui donne des bandes de couleur : rouge, orange, jaune, vert, bleu, indigo, violet.

La couleur des objets

Il te faut :
- une lampe de poche,
- du papier transparent (rouge et vert),
- une plante verte,
- une orange.

À réaliser dans une pièce plongée dans l'obscurité.

1 Place le papier rouge devant la lampe et éclaire une plante verte. La plante n'est plus verte, elle est noire.

2 Place maintenant le papier vert devant la lampe et éclaire une orange. Elle est aussi noire. En revanche, avec ce papier vert, la plante garde sa couleur naturelle.

DE TOUTES LES COULEURS

La couleur des choses est due à la lumière qu'elles renvoient. Une plante est verte parce qu'elle absorbe toutes les couleurs de la lumière du soleil, sauf le vert. Le charbon absorbe toutes les couleurs : il est noir ; en revanche, la neige n'absorbe rien et renvoie tout : elle est blanche.

DE TOUTES LES COULEURS

En croisant les lumières de l'arc-en-ciel, on obtient une lumière blanche. Mais avec les couleurs de l'arc-en-ciel, on obtient toutes les couleurs du monde : il suffit de les mélanger sur sa palette !

Du blanc de toutes les couleurs

★★

Il te faut :
- du carton (20 x 20 cm),
- du papier de toutes les couleurs,
- des ciseaux,
- un compas,
- de la colle,
- un crayon.

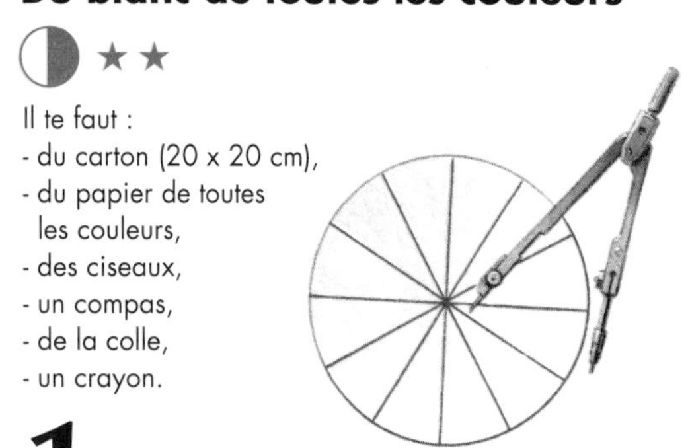

1 Trace et découpe un disque de 20 cm de diamètre dans le carton, puis, avec le compas, trace douze sections égales.

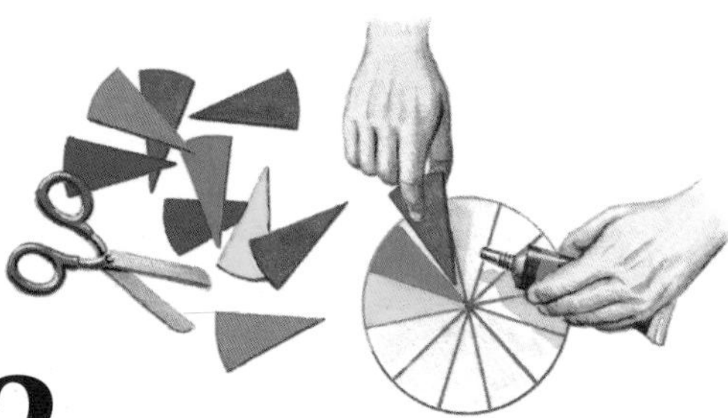

2 Découpe douze sections identiques dans du papier coloré en mélangeant les six couleurs principales de l'arc-en-ciel (violet, bleu, vert, orangé, jaune, rouge).

3 Perce ce cercle en son milieu puis fais-le tourner le plus rapidement possible. Un blanc laiteux apparaît : la lumière blanche est un mélange de lumières colorées. Cette expérience a été inventée par Newton (1642-1727).

QUADRICHROMIE

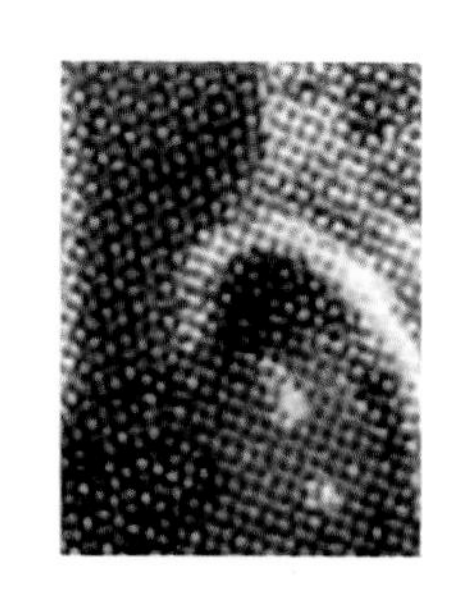

Les imprimeurs doivent réaliser toutes les teintes possibles avec un minimum de couleurs de base. Ils prennent du « cyan » (bleu clair), du « magenta » (rouge rosé), du jaune franc et du noir. La juxtaposition de milliers de points bleus, rouges, jaunes et noirs donne finalement la nuance recherchée. C'est l'œil qui fait la synthèse de toutes ces petites taches teintées.

Mélanges de peintures

Si tu mélanges des peintures de toutes les couleurs, tu obtiens une couleur presque noire.

Séparer les couleurs

Il te faut :
- des feutres,
- un verre,
- de l'eau vinaigrée,
- un filtre à café,
- un crayon,
- du ruban adhésif.

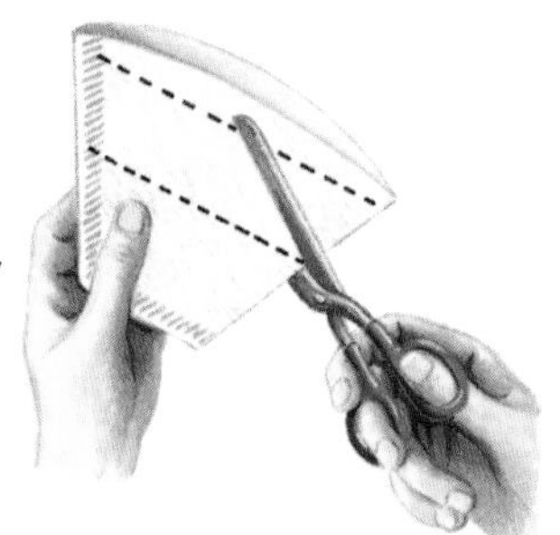

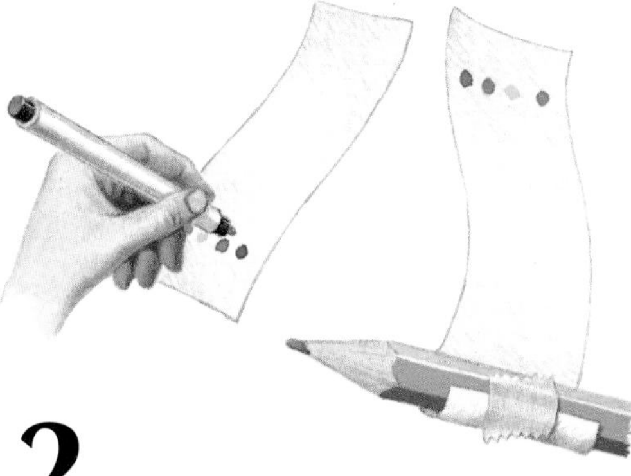

1 Découpe une bande de 10 cm sur 2 cm dans le filtre à café.

2 Fais de gros points colorés avec des feutres, à 2 cm d'un des bords de la bande de papier. Fixe l'autre extrémité du papier sur le crayon.

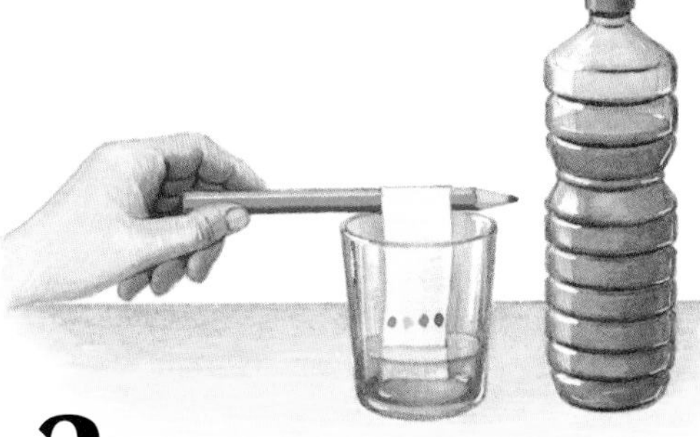

3 Pour connaître les couleurs de base qui ont servi à fabriquer l'encre de tes feutres, place la bande dans le verre rempli de 1 cm d'eau vinaigrée de façon à ce que les points ne trempent pas dans l'eau.

4 Par capillarité, l'eau vinaigrée monte sur le papier en entraînant plus ou moins les colorants qui se séparent. C'est la chromatographie, une technique très employée dans les laboratoires.

Mélanges de lumières

Si tu mélanges des lumières colorées, c'est la couleur blanche qui apparaît.

DES TECHNIQUES SECRÈTES

Pour mener une enquête digne d'un agent secret, astuces et discrétion sont nécessaires. Voici quelques trucs pour ruser avec la lumière !

Message discret

Il te faut :
- 2 feuilles de papier,
- un peu d'eau,
- un stylo à bille.

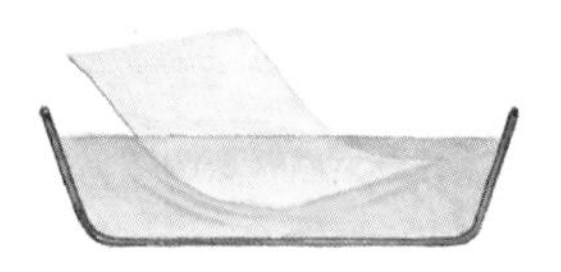

1 Trempe une des feuilles dans l'eau.

2 Pose la feuille sèche sur la feuille mouillée et écris ton message. Il s'inscrit sur la feuille mouillée du dessous. Laisse sécher la feuille mouillée : le message disparaît.

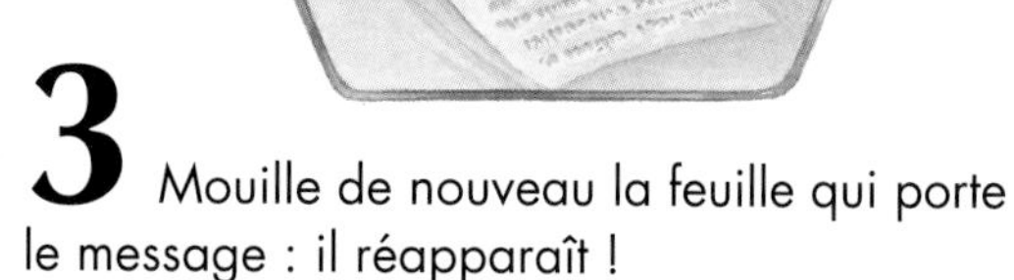

3 Mouille de nouveau la feuille qui porte le message : il réapparaît !

ÉCRASÉES PAR UN STYLO

À cause de la pression de la pointe du stylo, les fibres du papier ont été écrasées. Une fois mouillées, ces fibres ne laissent pas passer la lumière comme leurs voisines : elles deviennent visibles.

ENCRE INVISIBLE

On peut aussi écrire un message qui ne sera lisible qu'après avoir été exposé à une forte lumière. Cette encre invisible est du nitrate d'argent, un produit délicat à utiliser car il brûle la peau. Les grains d'argent ont la particularité de noircir à la lumière (ce produit est aussi utilisé en photographie).

ENIGMA, LA MACHINE QUI A PERDU LA GUERRE

Lors de la guerre de 1939-1945, les Allemands avaient mis au point un code permettant d'écrire des messages vraiment secrets. Sans l'aide d'une machine spéciale, personne ne pouvait les déchiffrer. En 1941, le sous-marin allemand UB110 est capturé et une machine à décoder est remise au fameux mathématicien anglais Alan Turing. Il en découvre le fonctionnement et permet aux Alliés de déchiffrer un grand nombre de messages de l'ennemi.

Lettre secrète

★

Il te faut :
- un citron pressé,
- un porte-plume et une plume,
- une feuille de papier,
- une source de chaleur (briquet, four, fer à repasser…).

1 Écris ta lettre secrète avec le jus de citron.

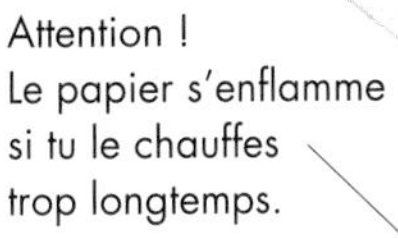

Attention ! Le papier s'enflamme si tu le chauffes trop longtemps.

2 Pour faire apparaître le texte, approche le papier de la source de chaleur. La chaleur fait brunir le jus de citron et le message devient lisible.

MAIS COMMENT FONT-ILS ?

Les vrais agents secrets, ceux que personne ne connaît, utilisent toute une panoplie de techniques pour communiquer discrètement. Un microfilm de la taille d'un point sur un *i*, par exemple, peut contenir un grand nombre de lignes de texte. Un message codé (en changeant le sens ou la place des lettres, en utilisant des mots anodins…) n'aura de sens que pour celui qui connaît le code pour le déchiffrer.

MIROIR, MON BEAU MIROIR...

La lumière rebondit sur les surfaces lisses et brillantes. Un miroir renvoie des images qui sont les reflets des objets. Observons cela de plus près.

Fais rebondir la lumière

Il te faut :
- une lampe de poche,
- de l'aluminium ménager,
- du papier noir,
- du carton blanc,
- un miroir,
- une cuillère,
- un crayon bien taillé,
- un élastique, un verre.

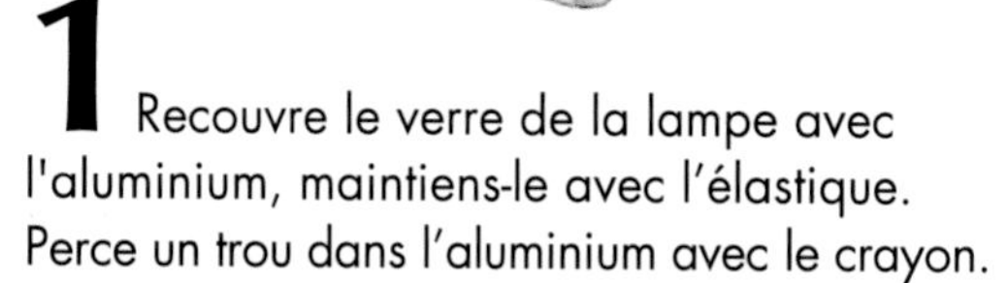

1 Recouvre le verre de la lampe avec l'aluminium, maintiens-le avec l'élastique. Perce un trou dans l'aluminium avec le crayon.

2 Pose la lampe sur la table et fais l'obscurité. Place successivement devant la lampe allumée le papier noir, le carton blanc, le verre, la cuillère, l'aluminium et le miroir.

3 La lumière rebondit sur les objets brillants comme le miroir et l'aluminium : elle est réfléchie.

Les objets sombres, par contre, absorbent les rayons lumineux.

VISER LA LUNE

Pour mesurer précisément la distance entre la Terre et la Lune, on envoie un rayon laser sur un réflecteur posé sur la Lune par les astronautes américains. Le temps mis pour l'aller et le retour du rayon lumineux est de 2,56 secondes. Quelle est la distance Terre-Lune, sachant que la lumière voyage à 300 000 km/s ?

Réponse p. 186.

De curieux reflets

Les reflets dépendent de la forme des objets.

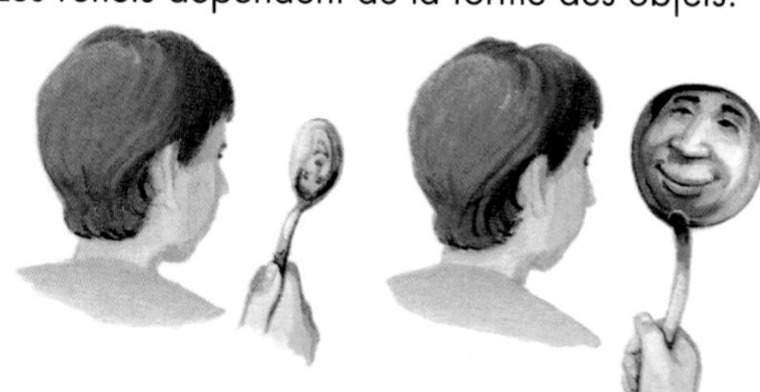

Dans le creux d'une cuillère, le reflet est inversé.

Sur le dos d'une louche, le reflet est court et large.

Jeux en reflets

Il te faut :
- de l'aluminium ménager,
- un carton rigide (10 x 8 cm),
- un stylo usagé,
- du ruban adhésif.

1 Fixe l'aluminium, sans le froisser, sur le carton avec le ruban adhésif.

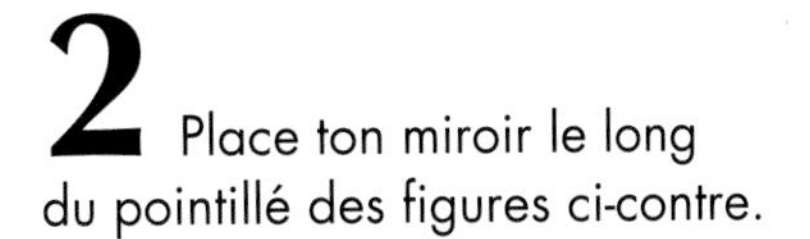

2 Place ton miroir le long du pointillé des figures ci-contre.

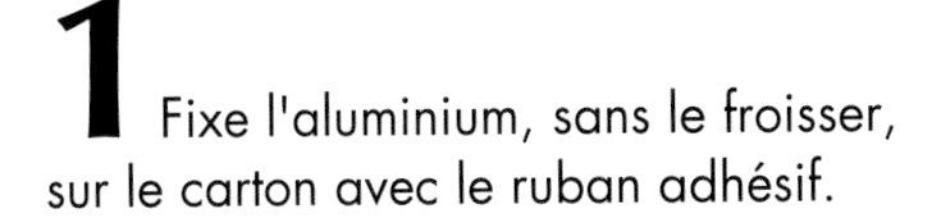

3 Lis le message ci-dessus dans ton miroir. Le reflet est toujours inversé, la droite devient la gauche.

4 Réalise d'autres messages secrets en posant du papier blanc sur un carbone à l'envers. Écris avec un stylo usagé. Le texte qui s'inscrit au dos de ta feuille n'est lisible qu'avec ton miroir.

L'ASTUCE DE LÉONARD

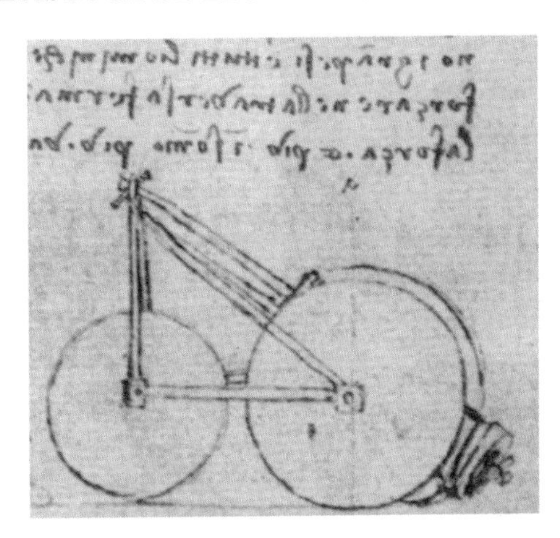

Léonard de Vinci (1452-1519) craignait qu'on déchiffre ses carnets de notes. Il s'est donc entraîné à écrire à l'envers, de façon à ne pouvoir être lu qu'avec un miroir.

VOIR SANS ÊTRE VU : LE PÉRISCOPE

Cet instrument d'observation, utilisé dans les sous-marins, permet de voir par-dessus et sur les côtés sans être vu.

Voir par-dessus

Il te faut :
- 2 petits miroirs identiques,
- du carton rigide,
- des ciseaux,
- du ruban adhésif.

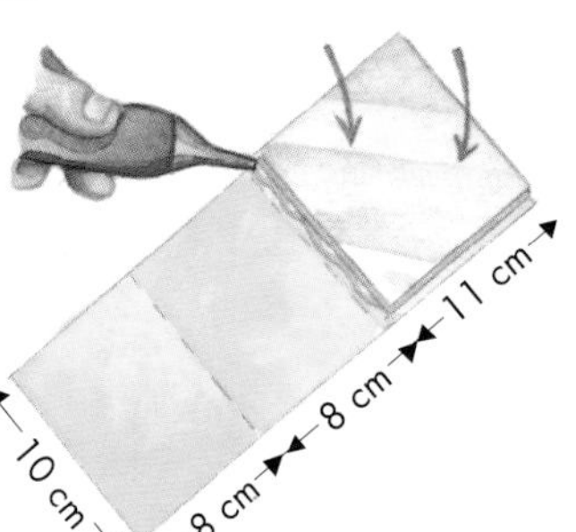

1 Coupe deux morceaux de carton deux fois et demie plus long que les miroirs et de même largeur. Fixe chaque miroir en le centrant comme sur le modèle.

2 Replie puis fixe le carton, pour fabriquer le support des miroirs.

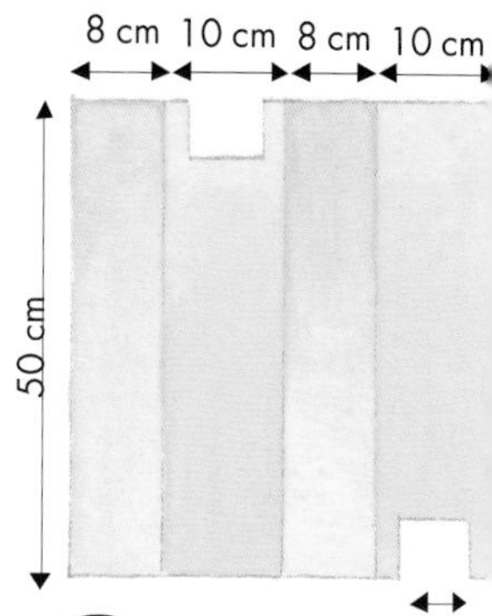

3 Trace les contours du périscope sur le carton.

REGARDER DERRIÈRE SOI (SANS SE RETOURNER)

Dans une voiture, il est dangereux de se retourner pour regarder derrière soi ! Grâce au rétroviseur, simple miroir fixé en face du conducteur, cela devient très facile.

VOIR SUR LES CÔTÉS

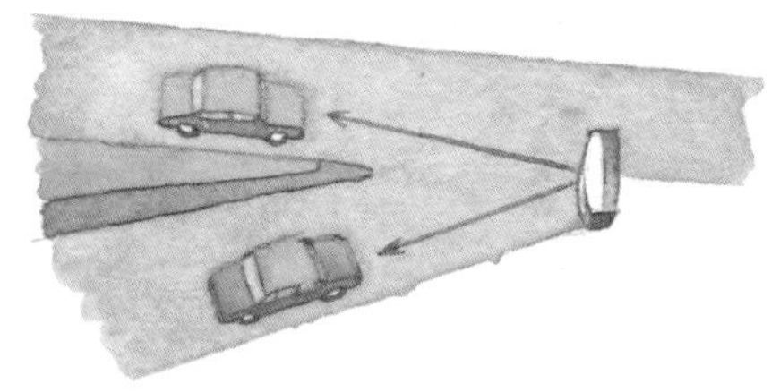

Avec des miroirs courbes, il est possible, à la sortie des garages ou aux intersections sans visibilité, de voir sur les côtés.

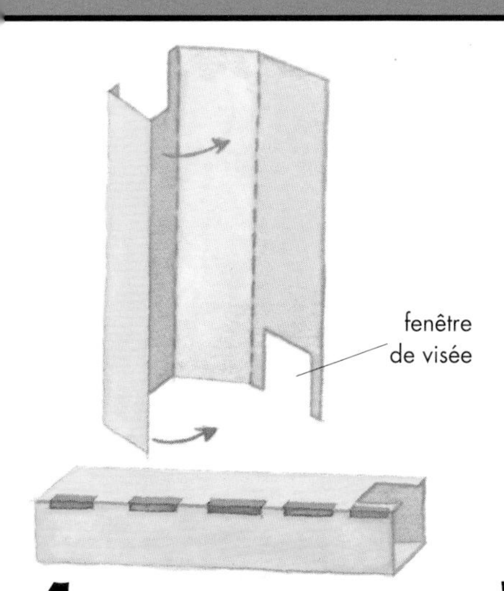

4 Découpe les fenêtres de visée et ferme le tube.

5 Fixe les deux supports de miroir dans le tube, les miroirs orientés vers les fenêtres.

6 Caché derrière un mur, avec seulement le miroir supérieur qui dépasse, tu peux observer, regarder sans être vu.

LE SOUS-MARIN

Afin de ne pas être détectés, les sous-marins restent cachés sous l'eau. Pour observer discrètement la surface de la mer, ils sortent un périscope capable de tourner sur 360°.

REFLETS DE REFLETS : LE KALÉIDOSCOPE

L'utilisation de plusieurs miroirs rend encore plus étonnant le phénomène de la réflexion de la lumière. Quand se mêlent les reflets de reflets, l'illusion est à son comble !

Deux miroirs : des reflets à l'infini

Il te faut :
- du ruban adhésif,
- 2 miroirs identiques,
- un objet (une bille, par exemple).

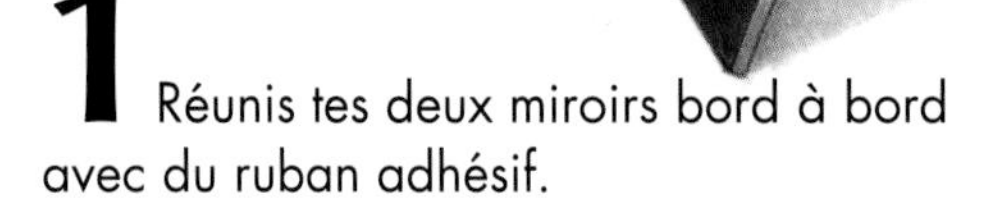

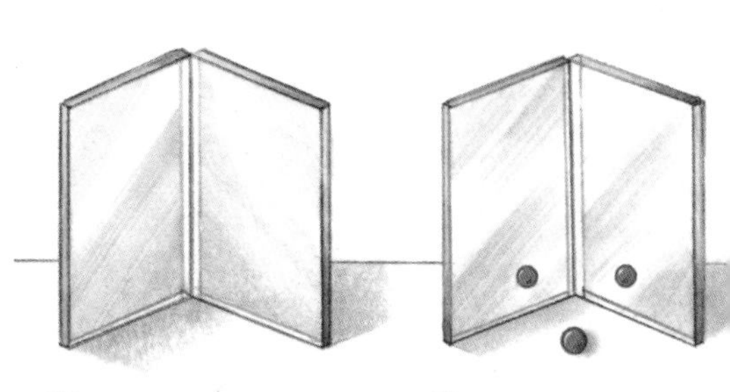

1 Réunis tes deux miroirs bord à bord avec du ruban adhésif.

2 Mets-les debout, ouverts.

3 Place un objet au centre. Combien de reflets vois-tu ?

Que se passe-t-il ?

Quand les miroirs se referment, la lumière se réfléchit de l'un à l'autre. On voit alors les reflets des reflets.
En séparant les deux miroirs et en les plaçant face à face, l'objet placé entre les deux est reflété à l'infini.

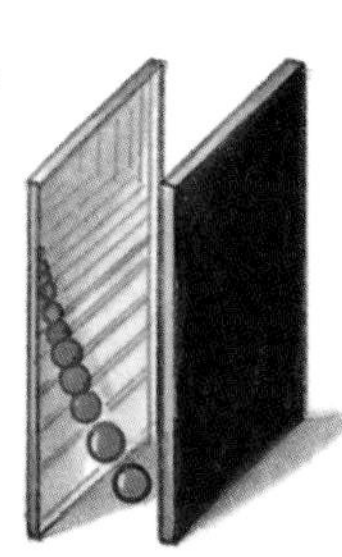

4 Referme progressivement les miroirs. Combien de reflets vois-tu ?

Du triangle à l'hexagone

Il te faut :
- 2 miroirs réunis,
- un crayon,
- du papier blanc,
- des crayons de couleur.

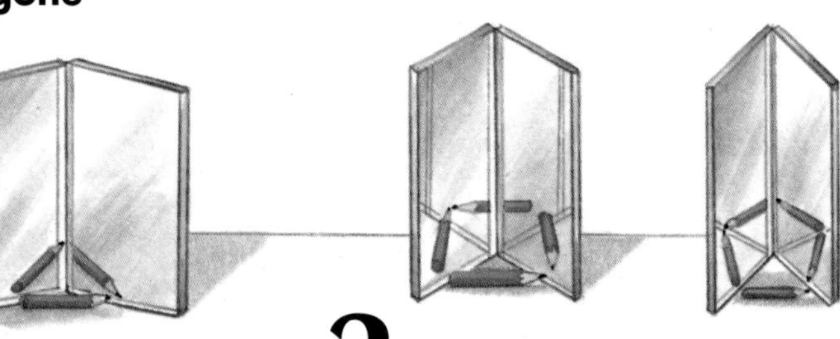

1 Place ton crayon entre les deux miroirs ouverts pour obtenir un triangle en reflet.

2 Puis fais varier l'écartement des miroirs pour obtenir des polygones réguliers : un carré, un pentagone, un hexagone.

3 Sur du papier blanc, dessine quelques motifs semblables à ceux-ci, colorie-les et observe-les avec tes miroirs.

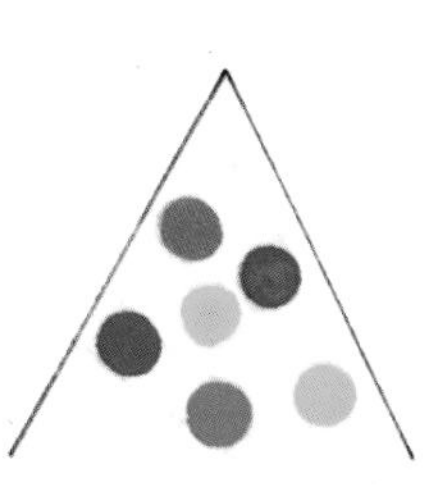

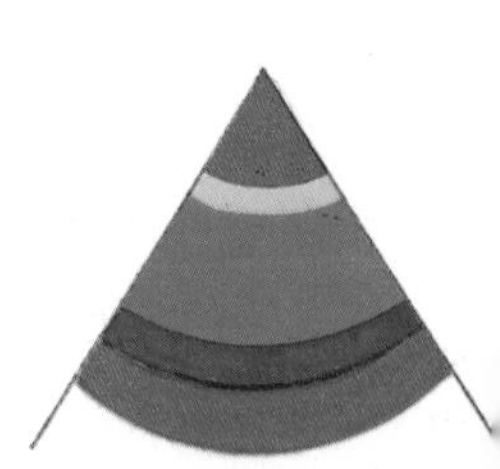

Trois miroirs : le kaléidoscope

★★

Il te faut :
- 3 miroirs rectangulaires,
- du ruban adhésif,
- du plastique transparent,
- du papier-calque,
- du papier cartonné,
- des crayons de couleur,
- des ciseaux.

1 Assemble les trois miroirs avec du ruban adhésif, faces réfléchissantes vers toi.

2 Forme le prisme, faces réfléchissantes à l'intérieur.

3 Ferme une extrémité avec le papier cartonné et perce un trou en son centre avec un crayon bien taillé.

4 Assemble un triangle de plastique et un triangle de calque avec du ruban adhésif. Glisse des morceaux de papiers colorés dans cette enveloppe.

5 Fixe l'enveloppe sur l'autre extrémité du prisme, papier-calque à l'extérieur.

Des images féeriques

Ton kaléidoscope est prêt. Dirige-le vers la lumière, regarde par le trou et fais-le tourner. La lumière rebondit sur les trois miroirs qui reflètent les formes colorées sous différents angles. On peut sans cesse modifier les dessins obtenus.

Clic, clac, merci l'appareil photo ! Dans la boîte noire, l'image se forme ; sur la pellicule, elle restera. Mais comment tout cela fonctionne-t-il ?

Fabrique une chambre noire

Il te faut :
- une boîte à chaussures,
- une loupe,
- du papier-calque,
- du ruban adhésif,
- un élastique.

1 Coupe ta boîte à chaussures en deux parties inégales.

2 Fixe la loupe avec du ruban adhésif devant un trou de 2 mm de diamètre percé sur la face avant.

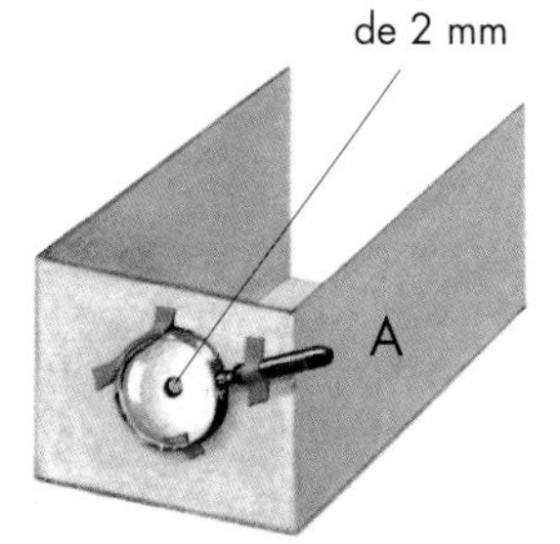

3 Découpe une grande fenêtre dans la partie la plus courte de la boîte, puis fixe le calque devant, avec du ruban adhésif.

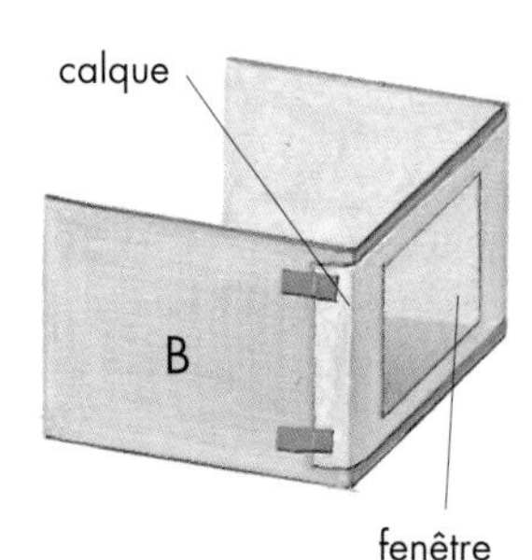

Pour bien réussir...
Suivant la distance de l'objet à l'appareil, l'image peut être floue. Fais coulisser la partie B dans la partie A pour obtenir une image nette des objets que tu regardes : tu as mis au point ton image.

4 Emboîte la partie B avec le calque dans la partie A.

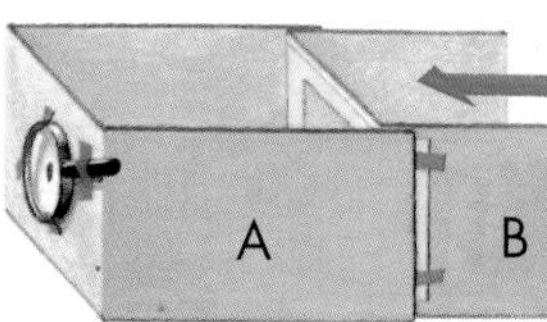

5 Ferme avec le couvercle que tu maintiens par un élastique. Dirige ton appareil vers la lumière et regarde à travers le calque : c'est le monde à l'envers !

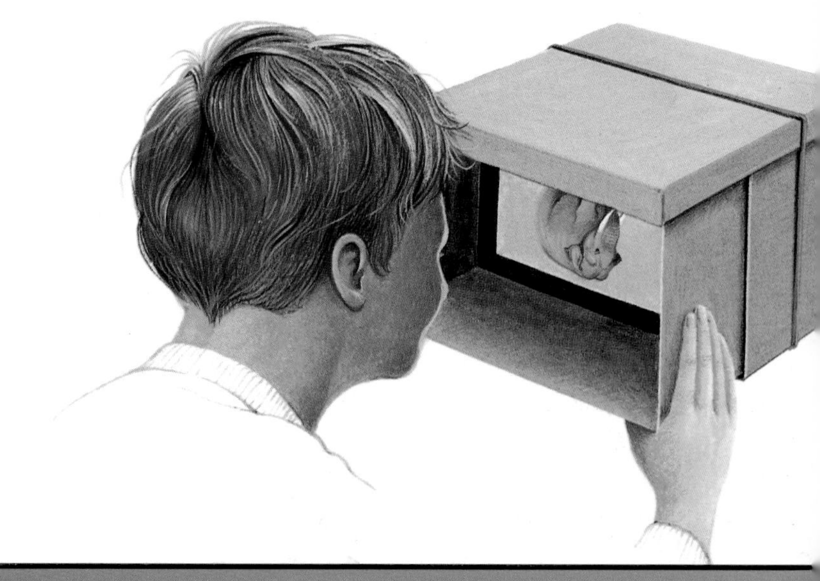

L'intérieur d'un appareil photo jetable

Le boîtier des appareils jetables est détruit au laboratoire photo, afin de récupérer le film 24 x 36 mm et de le développer.

1 : viseur
2 : déclencheur
3 : molette
4 : objectif
5 : chambre noire
6 : pellicule

COMME UN ŒIL

L'œil comporte une sorte de lentille : le cristallin. Sur le fond de ton œil, la rétine reçoit une image inversée, comme sur le calque de ta chambre noire. La rétine est tapissée de terminaisons nerveuses qui transforment la lumière en influx nerveux. Ces informations sont ensuite envoyées au cerveau.

Quand tu regardes un objet, l'image qui se forme sur la rétine est à l'envers. Le cerveau interprète ces images et les rétablit à l'endroit.

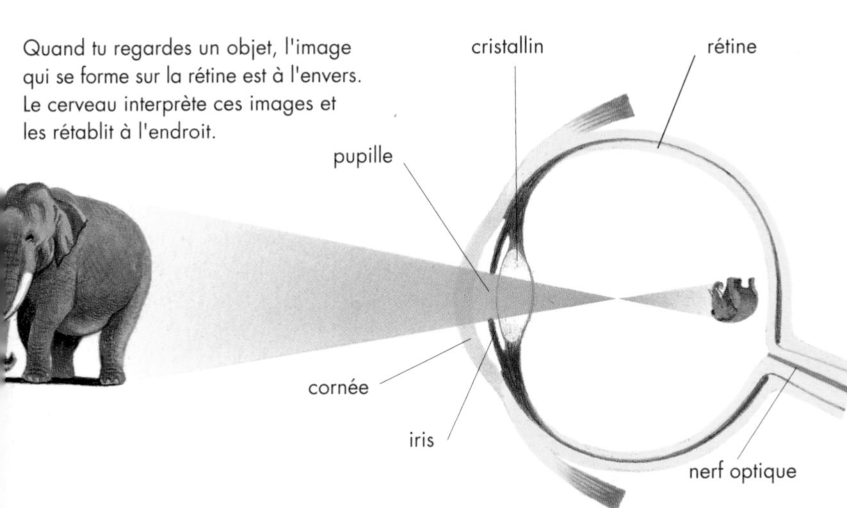

QUELQUES EXPLICATIONS

De tous les points d'un objet partent des rayons lumineux qui vont en ligne droite. Seuls passent dans ta boîte les rayons qui entrent par le trou. Celui-ci, très petit, oblige les rayons à se croiser à cet endroit précis : c'est pour cette raison que tu vois tout à l'envers.

Appareils photo d'hier et d'aujourd'hui

L'appareil à soufflet

Dans un appareil reflex...

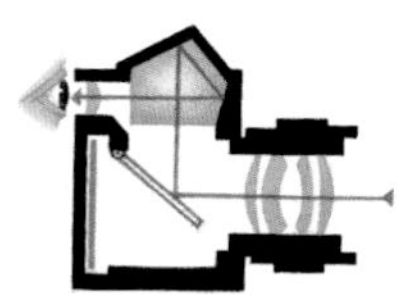

... la lumière traverse l'objectif et est réfléchie vers le viseur...

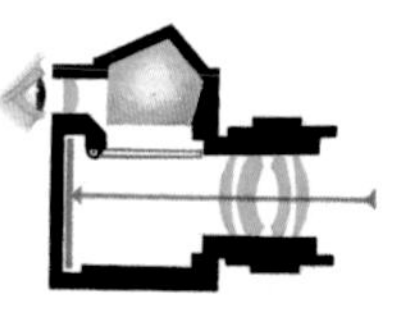

... le miroir se soulève quand on appuie sur le déclencheur et la lumière atteint la pellicule.

Dans un appareil motorisé, la pellicule avance automatiquement après chaque prise de vue.

Avec un Polaroïd, le développement de la photo se fait aussitôt après la prise de vue.

LA LUMIÈRE PLIÉE

La lumière voyage toujours en ligne droite… à moins qu'elle ne passe d'un milieu à un autre. On peut alors la voir changer de direction : on dit qu'elle se réfracte.

La lumière voyage en ligne droite

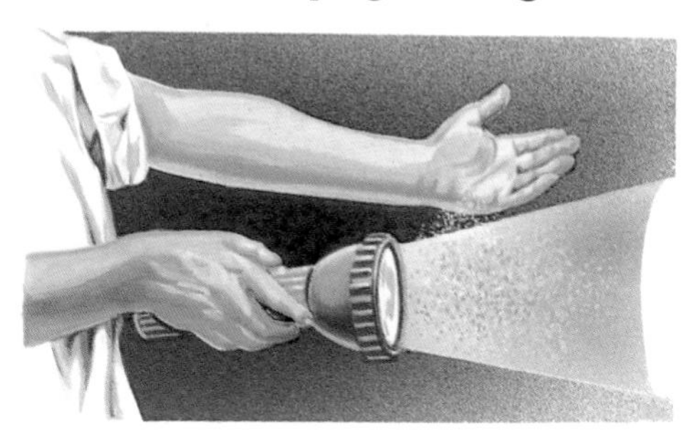

Dans l'obscurité, allume la lampe. À part la tache de lumière sur le mur, on ne voit pas la lumière : dans l'air pur, elle est invisible. Fais tomber un peu de talc au-dessus du faisceau lumineux : la poudre éclairée met en évidence le rayon lumineux rectiligne.

Une paille brisée

Place la paille dans un verre d'eau. Recule-toi et observe. La paille paraît brisée au contact de l'eau. En passant de l'air dans l'eau, la lumière ralentit. Les rayons lumineux changent un peu de direction : c'est la réfraction.

La pièce magique

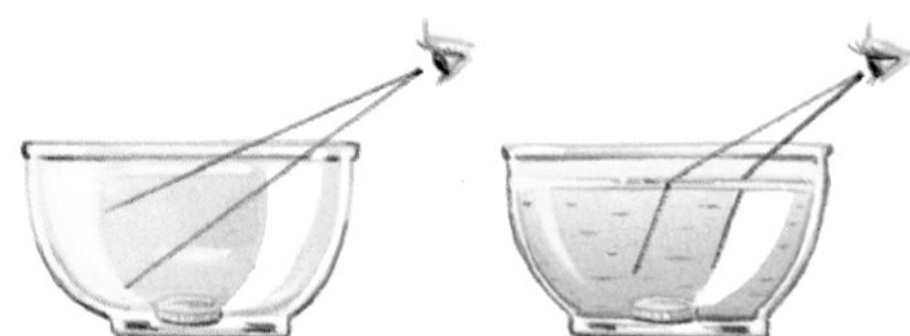

Place une pièce de monnaie dans un bol vide. Recule-toi jusqu'au moment où le bord cache la pièce. Remplis le bol d'eau, puis regarde de nouveau du même endroit. La pièce est maintenant visible, car la lumière est déviée par l'eau.

La réfraction trompe : le poisson semble plus près de la surface de l'eau qu'il ne l'est en réalité.

Dévier les rayons lumineux

Il te faut :
- une boîte à chaussures,
- une lampe électrique,
- 2 pots en verre (à faces plates et ordinaire),
- une règle, un crayon, un cutter,
- une feuille de papier blanc.

1 Ouvre l'un des grands côtés de la boîte et tapisse le fond d'une feuille blanche. Demande à un adulte d'ouvrir une fente de 1 mm de large sur l'un des petits côtés.

air

air

eau

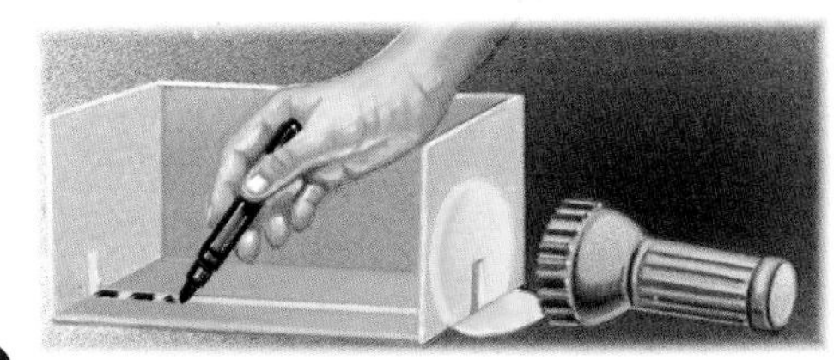

2 Dans l'obscurité, place la lampe allumée devant la fente et trace sur la feuille le chemin du rayon lumineux.

3 Pose le pot à faces plates rempli d'eau. Observe et trace la déviation de la lumière. Change-le de place ou installe le pot ordinaire. Observe ce qui se passe.

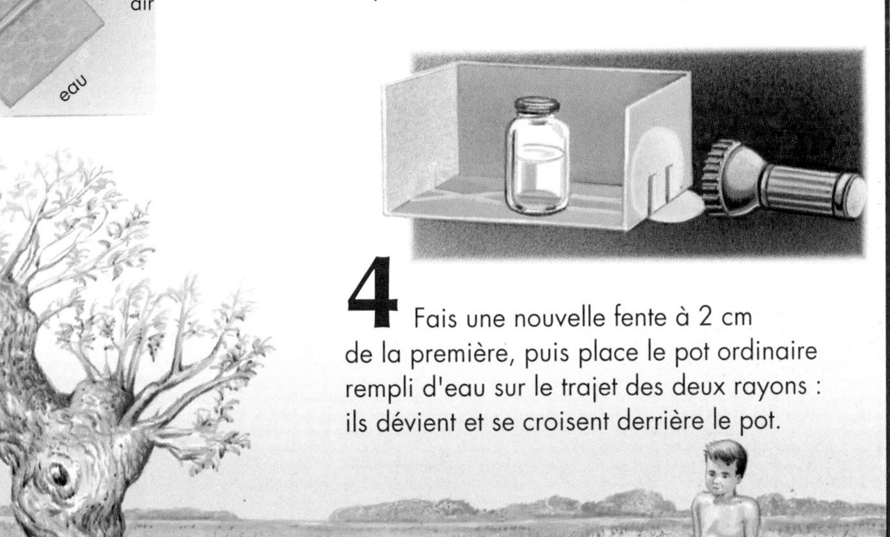

4 Fais une nouvelle fente à 2 cm de la première, puis place le pot ordinaire rempli d'eau sur le trajet des deux rayons : ils dévient et se croisent derrière le pot.

LENTILLES ET LUNETTES

Pour augmenter ou diminuer la taille des objets, on utilise des matières transparentes comme le verre ou l'eau. La lumière change de direction lorsqu'elle les traverse. Elle se réfracte.

La goutte d'eau qui grossit

Il te faut :
- une paille,
- un bristol (carte de visite),
- une perforatrice,
- une lampe de poche,
- des ciseaux,
- de l'eau,
- des objets à observer (une feuille d'arbre, du sable...).

1 Avec la perforatrice, perce un trou de 4 mm au centre du bristol. Puis plie-le comme sur le dessin.

2 À l'aide de la paille, pose délicatement une goutte d'eau sur le trou. Elle va servir de lentille grossissante.

3 Place un petit objet à observer sous le bristol. Éclaire-le avec la lampe de poche, puis règle la netteté en montant ou descendant le bristol : tu as fabriqué une loupe.

COMMENT VOIR PLUS GROS ?

Tous les instruments d'optique qui grossissent (jumelles, téléobjectif d'appareil photo ou de caméra, télescope ou microscope) utilisent des lentilles convergentes convexes. Elles sont grossissantes, alors que les lentilles concaves servent à rapetisser.

Loupe à l'eau

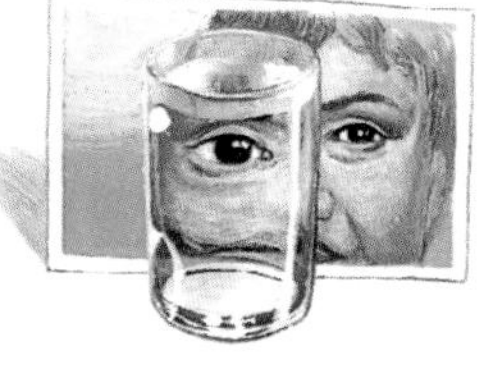

Place une photo
ou un livre derrière
un verre plein d'eau :
l'image est agrandie.
La forme convexe
du verre et l'eau jouent le rôle de loupe.

Lunettes de myope

Les lunettes de myope
servent à rapetisser.
Tu peux faire le test
avec une image
ou un livre et voir les caractères
plus petits. La forme des verres est concave.

Converger ou disperser

Il te faut :
- une lampe de poche,
- un bristol (carte de visite),
- un peigne,
- une feuille de papier blanc,
- une loupe,
- des lunettes de myope.

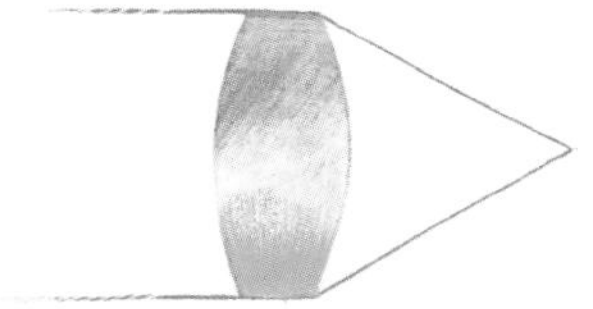

lentille convexe

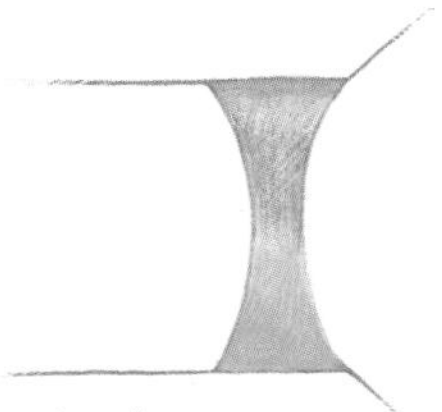

lentille concave

1 Découpe un disque de 2 cm de diamètre dans le bristol et place le peigne devant le trou. Installe une feuille blanche sur un support.

2 Dans l'obscurité, éclaire le disque avec la lampe. Si tu places la loupe devant le bristol, les ombres des dents du peigne se rejoignent : les rayons de lumière convergent.

3 Avec un verre de lunettes de myope, au contraire, les ombres s'écartent : les rayons de lumière divergent.

MIROIRS ARDENTS

On raconte qu'Archimède mit le feu à toute une flotte qui attaquait Syracuse en faisant converger sur elle les rayons du Soleil. C'est sans doute une légende, mais tu peux consumer un morceau de papier en faisant converger sur lui les rayons du Soleil, à l'aide d'une loupe. Attention, ça brûle !

UNE LUNETTE ASTRONOMIQUE

Avec deux loupes, il est possible de fabriquer une lunette astronomique simplifiée, assez performante pour distinguer les mers de la Lune et la couleur de certaines étoiles.

Une lunette à loupes

Il te faut :
- une petite et une grande loupes,
- une grande règle plate,
- 2 gros élastiques,
- un carton blanc.

1 Fixe une loupe sur la règle plate avec un élastique.

2 Le paysage vu par une fenêtre apparaît à l'envers sur le carton tenu à une certaine distance de la loupe. Cette distance est la longueur focale de la lentille. Tu peux ainsi mesurer celle des deux loupes.

3 Additionne les longueurs focales. Le résultat est la distance à laquelle il faut fixer les deux loupes l'une de l'autre. Regarde par la plus petite, tu verras les objets à l'envers (ce qui n'est pas gênant en astronomie), mais plus gros.

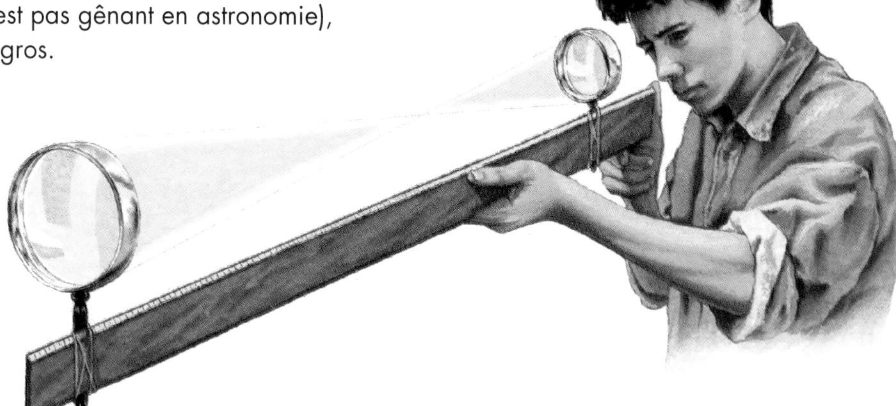

La loupe la plus grande est celle qui a la plus grande longueur focale. Elle sert d'objectif et collecte la lumière pour former une image au plan focal (le carton). La plus petite des deux loupes sert d'oculaire et permet d'observer cette image en la grossissant.

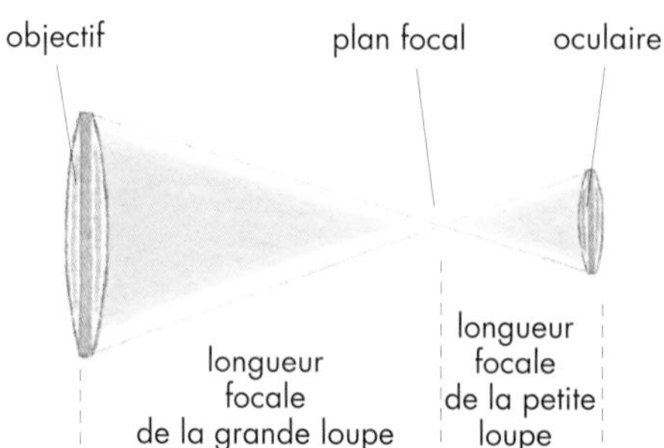

Télescopes du XXIe siècle
Quatre télescopes de 8 mètres de diamètre, construits par les Européens, seront installés au Chili en 1998. Ils permettront d'observer un objet de un mètre à la surface de la Lune : ce sont actuellement les plus grands téléscopes du monde.

Énigme

Sais-tu combien de fois les objets sont grossis par ta lunette ? Pour le calculer, divise la longueur focale de la loupe objectif par celle de la loupe oculaire.
Par exemple, pour un objectif de 20 cm et un oculaire de 8 cm, le grossissement est de 2,5 fois.

DU JOUET...

En 1610, le savant italien Galilée s'est servi pour la première fois d'une lunette astronomique pour observer le ciel. Auparavant, des opticiens hollandais en fabriquaient déjà, mais de très mauvaise qualité, car ils ne cherchaient pas à en faire des instruments d'observation scientifique. Il s'agissait de jouets.

... AU TÉLÉSCOPE

Galilée a taillé et poli lui-même des lentilles. Il a pu ainsi construire des instruments pour observer les satellites de la planète Jupiter, les cratères et les montagnes de la Lune, les phases de la planète Vénus. Ces observations ont complètement changé la manière dont les hommes se représentaient l'Univers.

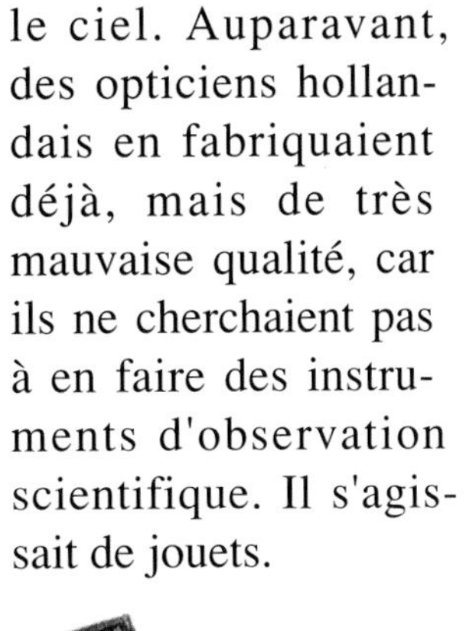

LE NEZ DANS LA LUNE ET LES ÉTOILES

La nuit, tout le monde dort, sauf les astronomes qui observent le ciel. Avec une lunette, tu peux faire comme eux.

LA COULEUR DES ÉTOILES

Les étoiles sont si éloignées que, même observées avec des télescopes grossissant des centaines de fois, elles apparaissent toujours comme de minuscules points lumineux. Pourtant, tu peux facilement distinguer leur couleur avec ta lunette et en déduire des indications sur leur température : rouge pour les plus froides, puis orangé, jaune, blanc, et bleu pâle pour les plus chaudes. C'est en étudiant leur lumière que les astrophysiciens découvrent la température et la composition des étoiles.

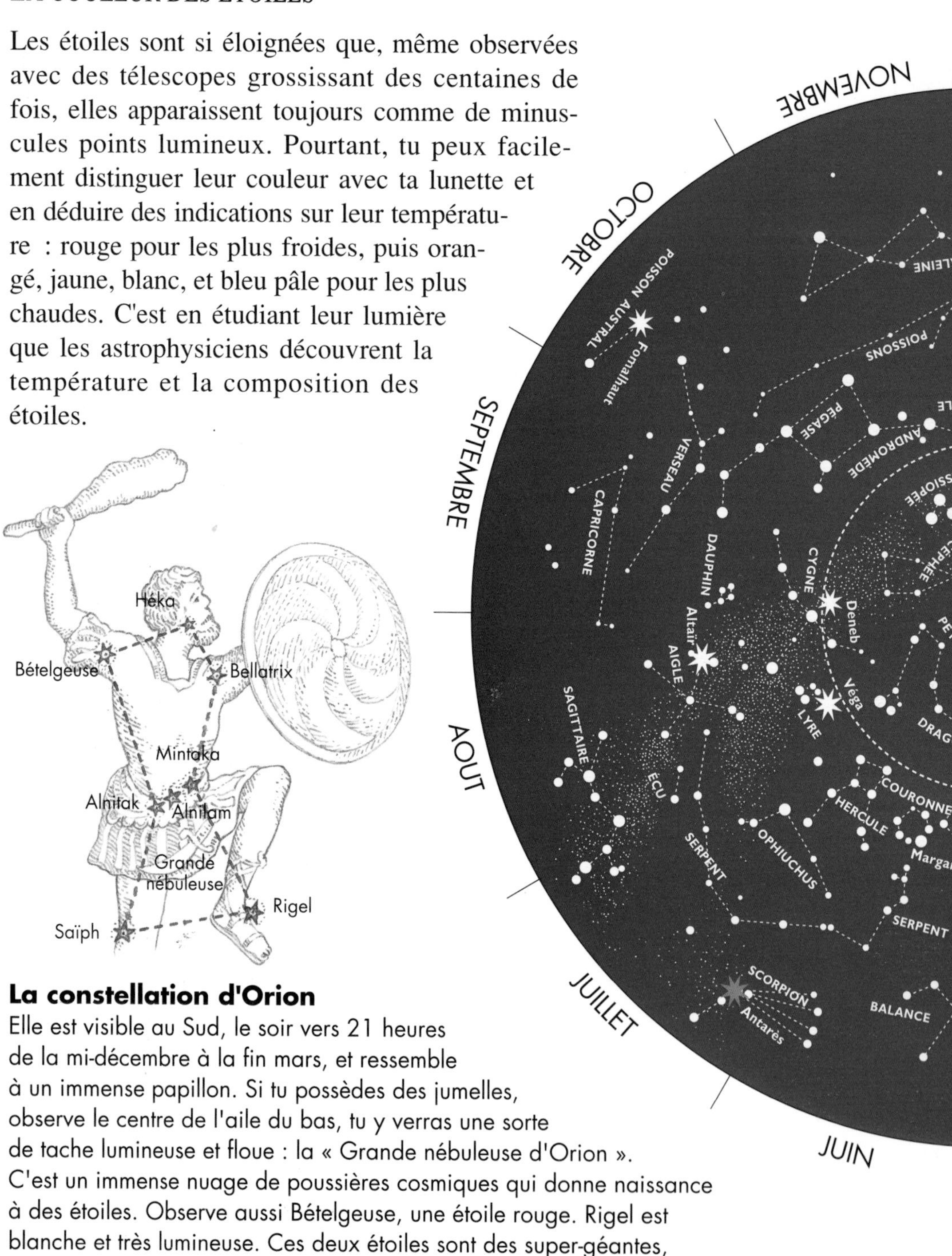

La constellation d'Orion

Elle est visible au Sud, le soir vers 21 heures de la mi-décembre à la fin mars, et ressemble à un immense papillon. Si tu possèdes des jumelles, observe le centre de l'aile du bas, tu y verras une sorte de tache lumineuse et floue : la « Grande nébuleuse d'Orion ». C'est un immense nuage de poussières cosmiques qui donne naissance à des étoiles. Observe aussi Bételgeuse, une étoile rouge. Rigel est blanche et très lumineuse. Ces deux étoiles sont des super-géantes, car elles sont des centaines de fois plus grosses que le Soleil.

LA CARTE DU CIEL

Le ciel semble tourner autour de l'Étoile Polaire visible assez haut, exactement en direction du Nord. Les constellations situées dans le cercle autour de cette étoile sont visibles toute l'année.

La carte du ciel t'indique les étoiles les plus brillantes. Tiens-la au-dessus de ta tête. Les dates indiquent les constellations que tu peux voir le soir, en regardant vers le Sud.

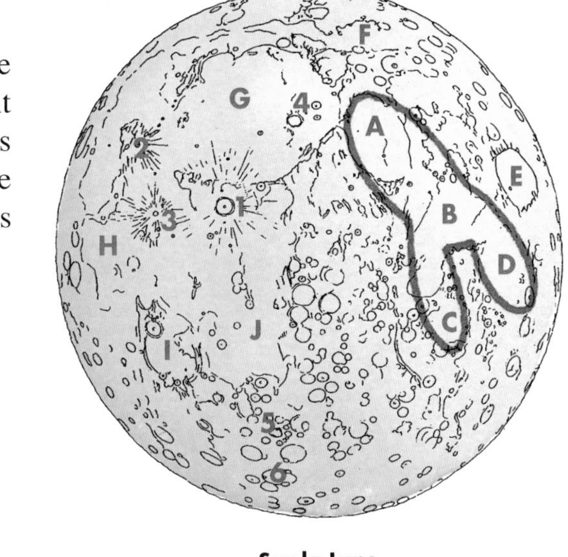

Sur la Lune

Cratères
1 - Copernic
2 - Aristarque
3 - Kepler
4 - Archimède
5 - Tycho
6 - Clavius

Mers
A - mer de la Sérénité
B - mer de la Tranquillité
C - mer du Nectar
D - mer de la Fécondité
E - mer des Crises
F - mer du Froid
G - mer des Pluies
H - océan des Tempêtes
I - mer des Humeurs
J - mer des Nuées

Observe la Lune

Ta lunette (fabrication page 86) te permet de distinguer les mers et quelques grands cratères que tu peux identifier sur cette carte. La Lune est trop petite pour retenir une atmosphère ou de l'eau, les « mers » ne sont en réalité que de vastes plaines rocheuses et poussiéreuses. Tu peux reconnaître facilement quatre de ces mers qui font penser à une tête de lapin à l'envers.

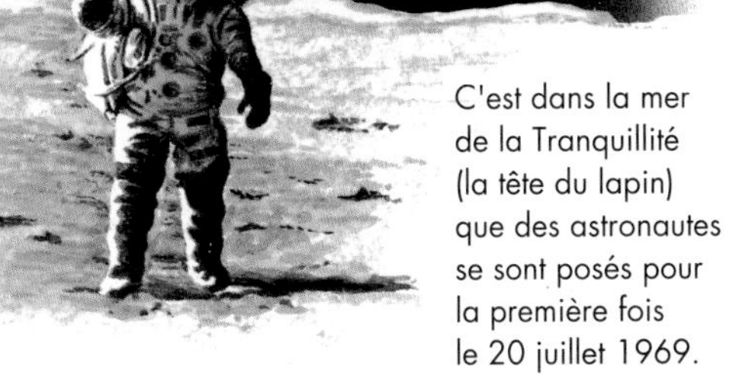

C'est dans la mer de la Tranquillité (la tête du lapin) que des astronautes se sont posés pour la première fois le 20 juillet 1969.

L'équilibre d'un objet dépend de la position de son centre de gravité. Plus il est bas, plus l'objet est stable. Le funambule réalise ainsi des prouesses...

Où est le centre de gravité ?

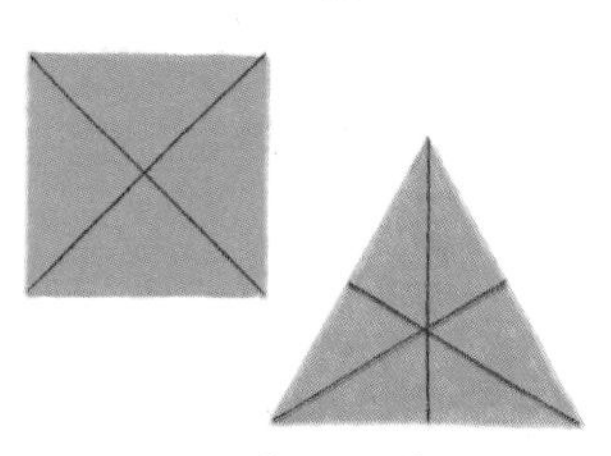

Le centre de ces formes régulières correspond à leur centre de gravité. Pour le trouver, il suffit de tracer les diagonales et les médianes.

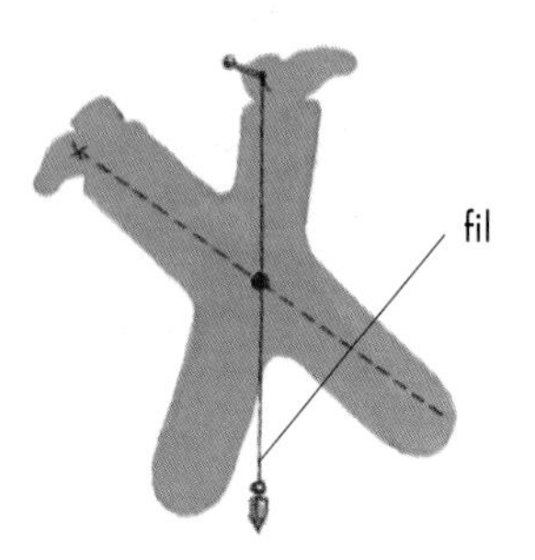

Si la forme est quelconque, détermine le centre de gravité en utilisant un fil lesté pour tracer deux droites.

Trouve le centre de gravité en équilibrant une forme sur un crayon.

Construis des funambules

Il te faut :
- du carton, des billes,
- de la ficelle de cuisine,
- 2 bouteilles remplies d'eau,
- du ruban adhésif.

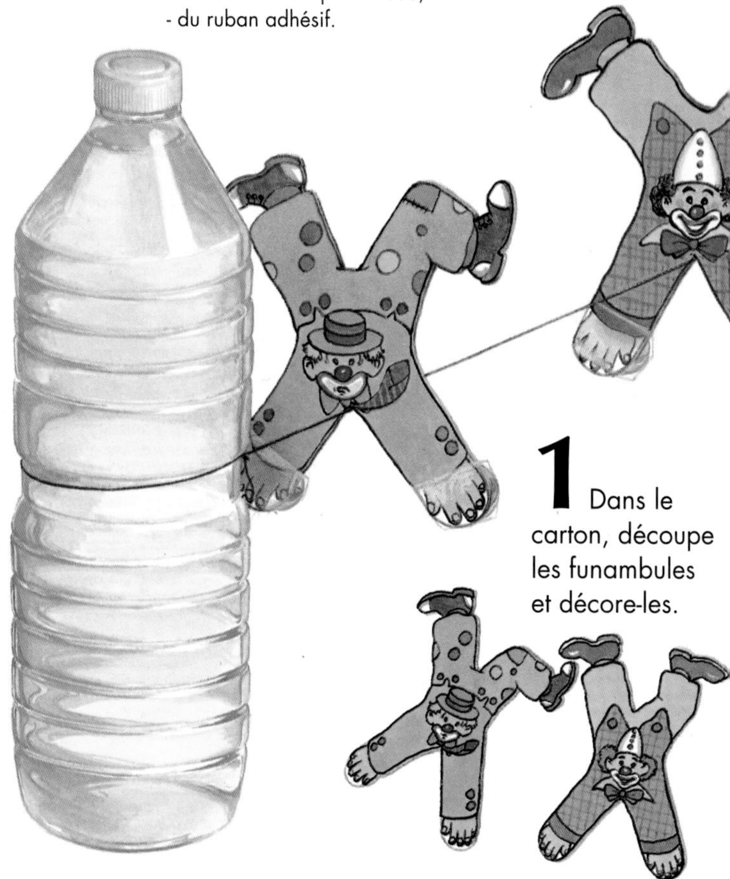

1 Dans le carton, découpe les funambules et décore-les.

Le crayon en équilibre

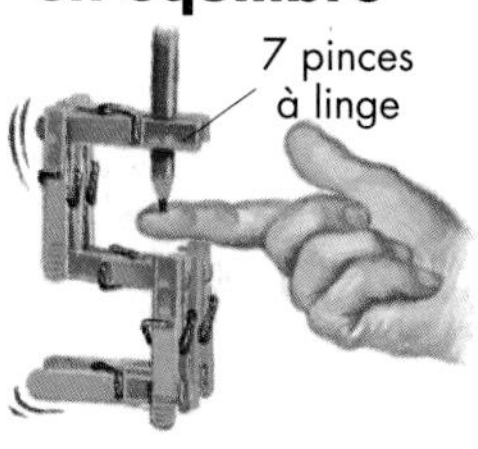

Le crayon horizontal

Les pinces à linge abaissent le centre de gravité.

La boîte surprise

Elle tient toute seule !

Impossible de faire ces mouvements sans déplacer ton corps.

ATTENTION ! ÉQUILIBRE FRAGILE...

Un objet reste en équilibre tant que la ligne verticale qui passe par son centre de gravité est comprise à l'intérieur de sa base d'appui.

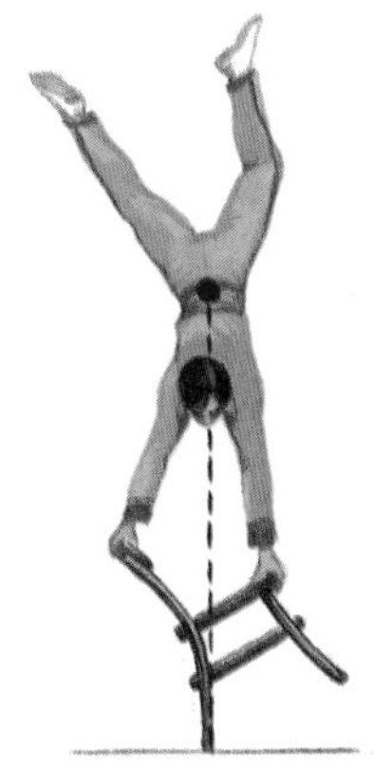

2 Sur l'envers, fixe une bille à chacune de leurs mains, avec un ruban adhésif.

ÉQUILIBRE STABLE

Plus son centre de gravité est bas, plus il est difficile de renverser un objet. Ainsi, pour améliorer la stabilité des véhicules, le moteur est placé le plus bas possible.

3 Noue la ficelle entre les deux bouteilles, puis tends-la. Pour faire avancer les funambules, effleure la ficelle de la main.

Le bouchon équilibriste

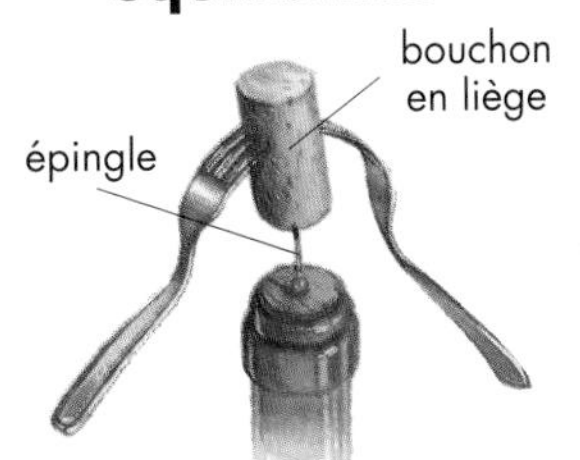

Il ne tombe jamais !

Le culbuto

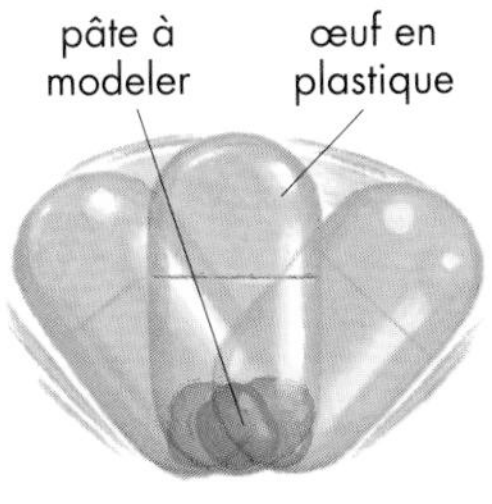

Il se relève toujours !

L'anneau désobéissant

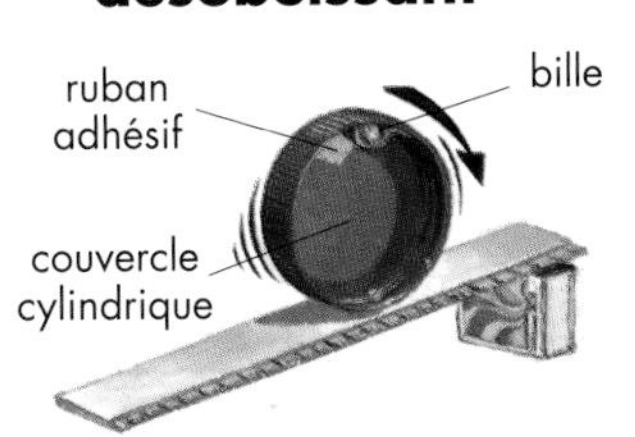

Il remonte tout seul !

Le ballon fou

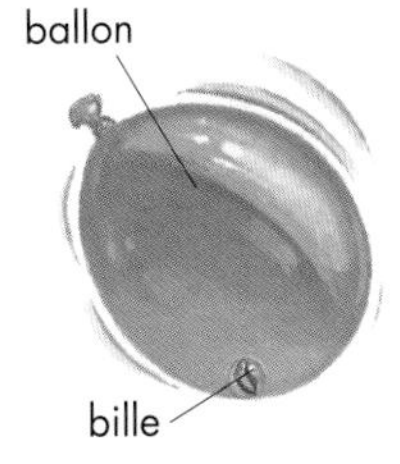

Il va n'importe où !

CENTRIPÈTE ET CENTRIFUGE

En vélo, on se penche naturellement vers l'intérieur du virage pour ne pas tomber. En voiture, le virage nous projette vers l'extérieur. Quelles sont les forces qui agissent ?

La comète baladeuse

Il te faut :
- des ciseaux,
- un vieux journal (ou du tissu, c'est plus résistant),
- du sable,
- de la ficelle.

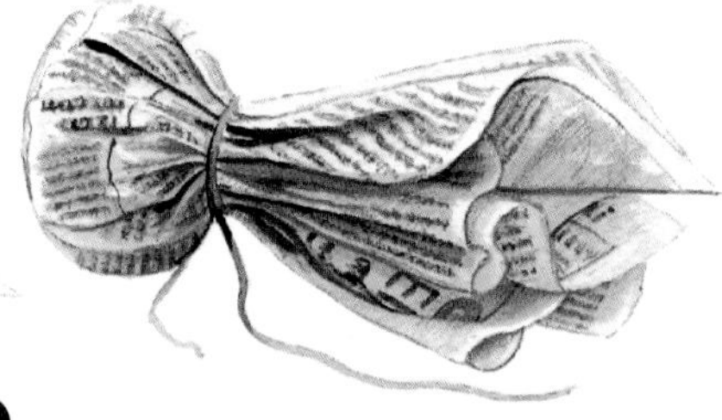

1 Enveloppe le sable dans une feuille de journal. Enferme la boule obtenue au centre d'une autre feuille.

2 Ferme solidement la boule avec de la ficelle, en gardant un brin assez long pour la lancer ensuite.

3 Découpe des franges pour faire la queue de la comète.

4 Quand la comète tourne, ta main, qui la retient, exerce une force centripète. Quand tu la lâches, elle part en ligne droite, soumise à la force centrifuge.

VIRAGES RELEVÉS

Dans les virages, la force centrifuge entraîne les véhicules vers l'extérieur, au risque de déraper. Sur les circuits automobiles ou les vélodromes, les virages sont relevés pour assurer une meilleure sécurité aux pilotes.

Dans le mille...

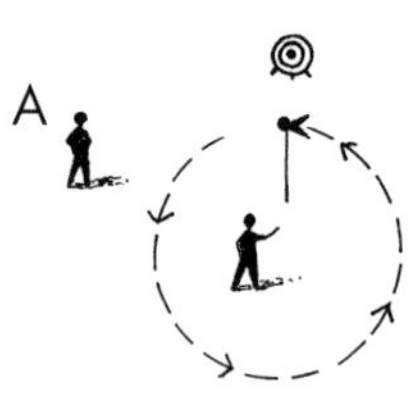

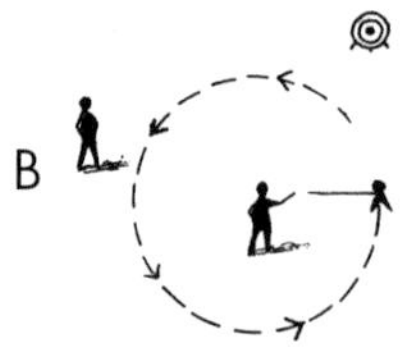

Dans quelle position le lanceur doit-il lâcher la ficelle de la comète pour atteindre la cible ?
Réponse p. 186.

L'essoreuse à papier

★

Il te faut :
- 2 passoires,
- une pelote de ficelle,
- des mouchoirs en papier.

1 Attache solidement les deux passoires par les anses, après avoir enfermé à l'intérieur des mouchoirs en papier mouillés.

2 Noue une ficelle à l'une des anses. Dehors, fais tourner l'essoreuse autour de toi à toute vitesse pendant 20 secondes.

DE L'EAU QUI COLLE AU SEAU

Pour renverser un seau d'eau sans recevoir une goutte sur la tête, il faut le balancer, puis le faire tourner très vite en larges cercles verticaux. Plaquée au fond du seau par la force centrifuge, l'eau ne tombe pas ! C'est la même force qui agit pour l'essoreuse : l'eau est éjectée par les trous.

3 Ouvre l'essoreuse. Les mouchoirs sont presque secs, l'eau a été éjectée pendant la rotation. La force centrifuge a projeté l'eau vers l'extérieur.

Soulève un gros poids sans effort

★

Il te faut :
- une petite gomme,
- une grosse gomme,
- du fil solide,
- une paille.

1 Passe le fil dans la paille, puis attache les deux gommes. Fais ensuite tourner la petite gomme autour de la paille.

2 Quand la force centrifuge qui éloigne la petite gomme de la paille est assez importante, elle soulève la grosse gomme.

ATTACHEZ VOS CEINTURES !

Une voiture qui freine brusquement s'arrête. Mais les passagers, du fait de la vitesse acquise quand elle roulait, sont projetés en avant. C'est la force d'inertie qui s'exerce. Heureusement, une ceinture de sécurité les retient !

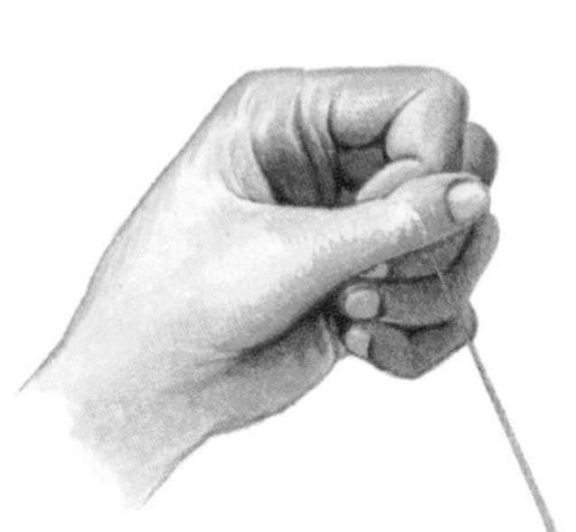

Servir du ketchup : merci l'inertie !

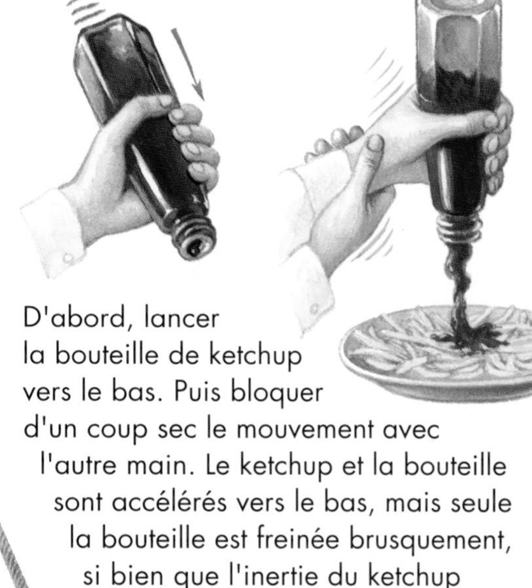

D'abord, lancer la bouteille de ketchup vers le bas. Puis bloquer d'un coup sec le mouvement avec l'autre main. Le ketchup et la bouteille sont accélérés vers le bas, mais seule la bouteille est freinée brusquement, si bien que l'inertie du ketchup le pousse à sortir… et à inonder tes frites !

Jouer avec l'inertie : le yo-yo

Il te faut :
- 2 gros boutons,
- du fil et une aiguille,
- 50 cm de ficelle.

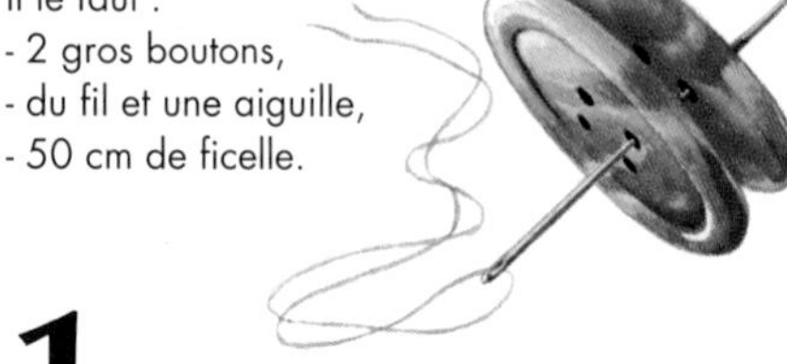

1 Couds les boutons dos à dos.

2 Attache la ficelle entre les deux boutons et fais une boucle à l'autre extrémité. Puis enroule-la entre les boutons.

3 Laisse-la se dérouler.
La rotation acquise pendant la chute fera un peu remonter le yo-yo. Plus les boutons sont lourds, plus l'inertie est forte, et plus le yo-yo remonte haut.

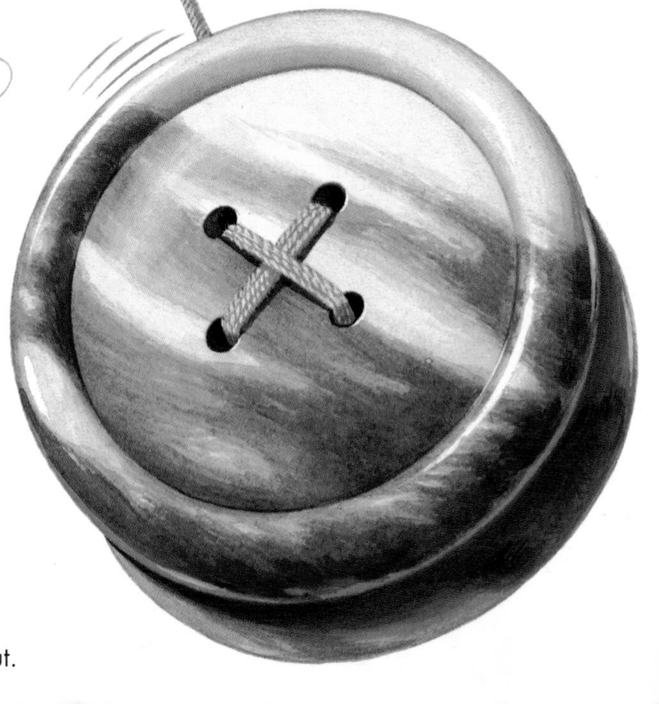

Œuf frais, œuf dur

Facile de les distinguer ! Fais tourner un œuf sur lui-même, stoppe-le, puis enlève ton doigt. L'œuf frais se remet à tourner, car le blanc et le jaune continuent leur rotation ; l'œuf dur, lui, ne repart pas.

Le truc étonnant

Comment chasser une pièce placée sous une pile ? En utilisant l'inertie ! Il suffit de donner un coup sec à la pièce, avec une lame de couteau. Elle est chassée tandis que la pile, plus lourde, restera en place du fait de son inertie.

Faible ou forte inertie ?

Il te faut :
- une tasse,
- une boîte d'allumettes,
- une orange,
- une carte postale.

1 Empile la carte postale, la boîte d'allumettes et enfin l'orange sur la tasse.

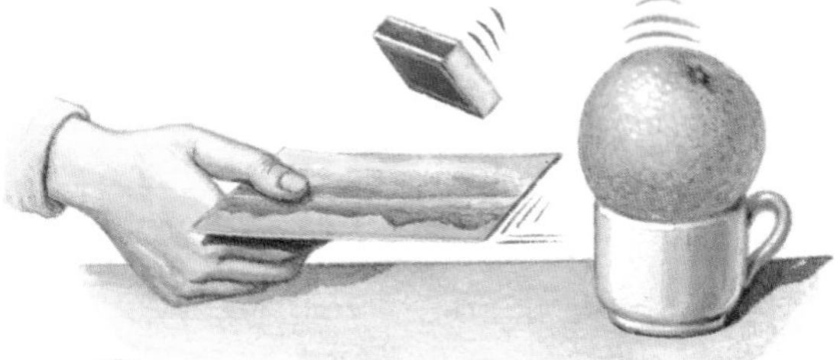

2 Tire la carte postale d'un coup sec. La boîte d'allumettes suit le mouvement, car elle est légère. En revanche, l'orange reste en place avant de tomber dans la tasse. Sa forte inertie l'a empêchée de bouger.

VOITURES À FRICTION

À l'intérieur de ces voitures, un disque de métal assez lourd emmagasine l'énergie quand tu frottes les roues sur le sol : c'est le volant d'inertie.

Quand tu lâches la voiture, il restitue l'énergie et provoque le mouvement.

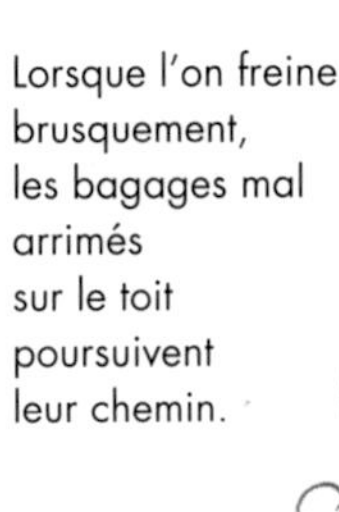

Lorsque l'on freine brusquement, les bagages mal arrimés sur le toit poursuivent leur chemin.

TRANSFORMER L'ÉNERGIE

L'énergie représente le travail potentiel ou réel d'une force. Elle pourra être mécanique, cinétique, potentielle, chimique, calorifique, solaire, éolienne... C'est avec des machines que l'on passe facilement d'une forme d'énergie à une autre.

Une turbine à vapeur

★★

Il te faut :
- un tube d'aspirine en métal,
- une paille,
- 2 bougies,
- une bobine de fil vide,
- des petits rectangles de bristol,
- un crayon,
- du ruban adhésif.

1 Perce le bouchon pour introduire un morceau de paille et remplis le tube à moitié d'eau. Bouche-le. C'est la chaudière.

2 Colle les rectangles de bristol sur la bobine pour faire huit ailettes. Glisse le crayon pour faire un axe. C'est le moulin.

3 Pose la chaudière sur deux supports au-dessus des deux bougies allumées. Le moulin tourne dans le jet de vapeur (attention, c'est chaud !). Tu peux utiliser le jet de vapeur d'une cocotte-minute à la place de la chaudière.

MACHINE À VAPEUR

La locomotive est un bel engin à transformer l'énergie. Dans le foyer, le charbon brûle en dégageant de la chaleur (énergie thermique) qui entraîne les bielles (énergie mécanique) puis les roues pour faire avancer le train (énergie cinétique).

Un moulin à eau

Il te faut :
- 8 cuillères en plastique,
- un gros bouchon de liège,
- un poinçon (ou une pointe),
- une aiguille à tricoter (n° $1\frac{1}{2}$ - 2).

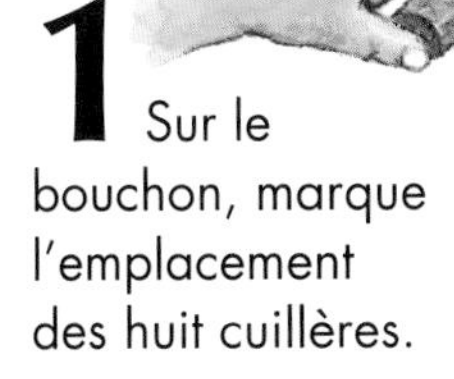

1 Sur le bouchon, marque l'emplacement des huit cuillères.

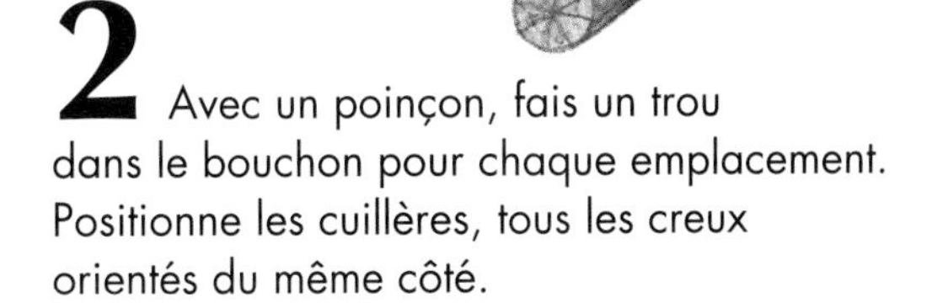

2 Avec un poinçon, fais un trou dans le bouchon pour chaque emplacement. Positionne les cuillères, tous les creux orientés du même côté.

3 Avec le poinçon, perce le centre du bouchon dans le sens de la longueur, pour passer l'aiguille à tricoter qui ne doit pas frotter.

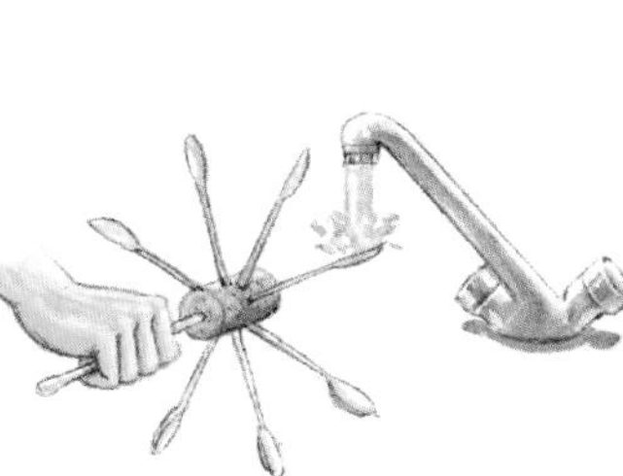

4 Place le moulin en position sous le robinet. L'énergie cinétique de l'eau se transforme en énergie mécanique.

ÇA TOURNE !

L'énergie calorifique (la chaleur) se transforme en énergie mécanique (le mouvement) par l'intermédiaire de la vapeur.

Un moteur à élastique

Il te faut :
- une boîte métallique vide (avec couvercle),
- un clou et un marteau,
- un élastique,
- de la ficelle,
- un gros écrou.

1 Fais deux trous dans le fond de la boîte et dans le couvercle.

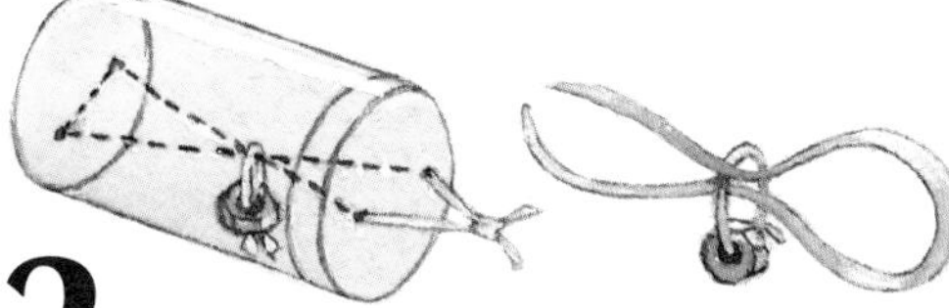

2 Passe l'élastique comme sur le dessin, puis suspends l'écrou à un court morceau de ficelle.

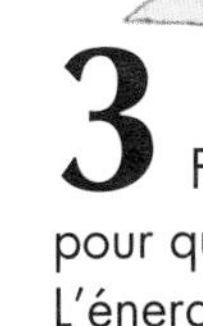

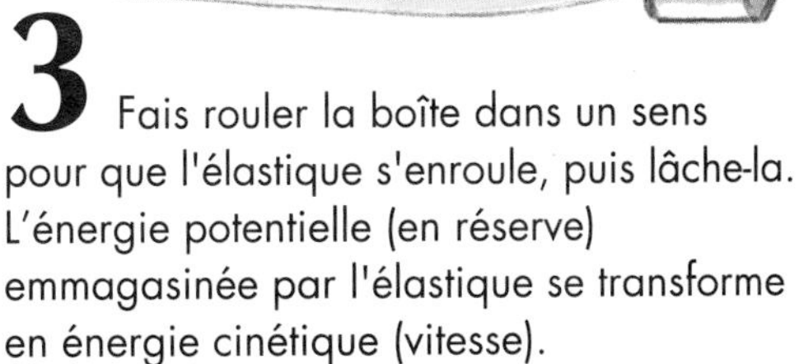

3 Fais rouler la boîte dans un sens pour que l'élastique s'enroule, puis lâche-la. L'énergie potentielle (en réserve) emmagasinée par l'élastique se transforme en énergie cinétique (vitesse).

DES MOULINETS DANS LE VENT

Depuis des siècles, le vent est utilisé pour faire avancer les bateaux, actionner les moulins ou les éoliennes. Des ailes, des voiles ou des hélices captent cette énergie inépuisable, non polluante et économique !

Réalise un moulinet

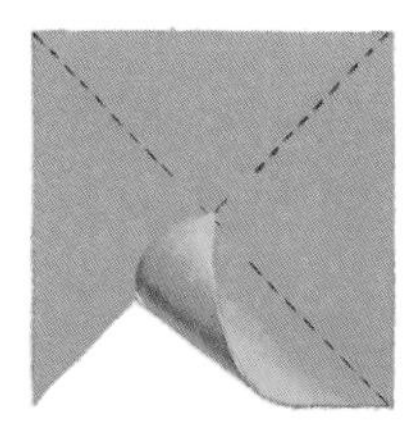

1 Dans un carré de papier, trace et découpe les diagonales.

2 Réunis les quatre ailes à l'aide d'une épingle.

3 Fixe le moulinet sur un bouchon. Une perle lui permettra de tourner plus librement.

Il te faut :
- du papier à dessin (un carré de 15 cm de côté),
- une épingle à tête,
- une perle,
- un bouchon.

À utiliser :
dehors, ou avec un sèche-cheveux ou un ventilateur.

Joue avec le vent

En fonction de leur position, les moulinets tournent plus ou moins rapidement.

Le moulinet tourne plus vite lorsque l'air s'engouffre latéralement.

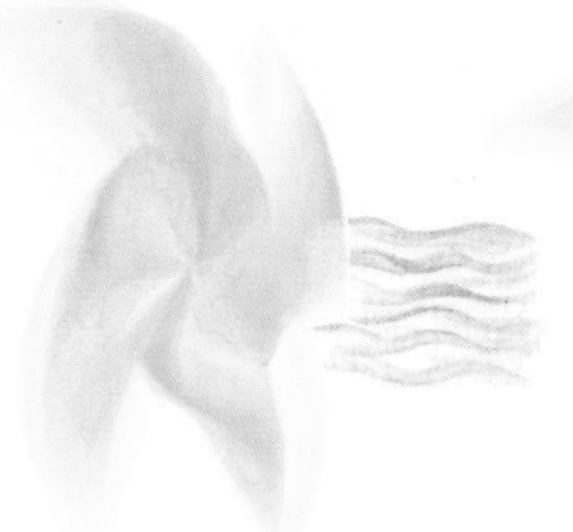
souffle frontal

souffle latéral

Selon leur montage, les moulinets tournent dans un sens ou dans l'autre. Quel moulinet tourne dans le sens des aiguilles d'une montre ?
Réponse p. 186.

a

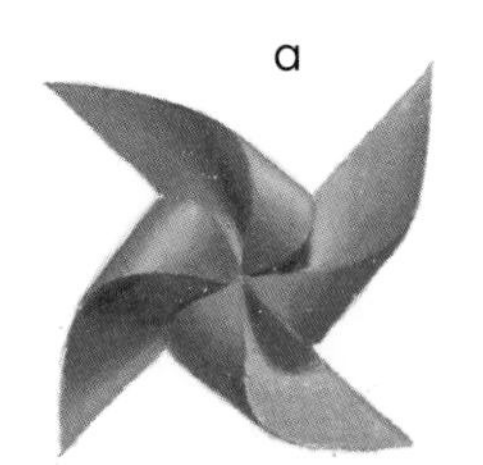

b

Avec une seule aile,
c'est une planche à voile !

Formes à utiliser pour obtenir des moulinets...

... à 2 ailes

... à 3 ailes

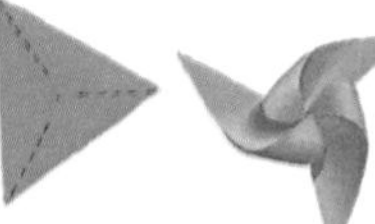

... à 6 ailes

Les ailes des premiers moulins à vent étaient en toile. Elles imitaient les voiles des bateaux. On en voit encore de semblables en Crète.

Les ailes ont eu ensuite des armatures en bois. Un système permet de les orienter pour qu'elles soient toujours face au vent.

Les deux pales de cette éolienne tournent autour d'un axe central. Un ordinateur modifie leur position selon la direction du vent.

UNE ÉNERGIE CAPTÉE ET TRANSFORMÉE

L'énergie produite par le vent est transformée en énergie mécanique par les moulins et en énergie électrique par les éoliennes. Cette « énergie douce » n'entraîne aucune pollution.

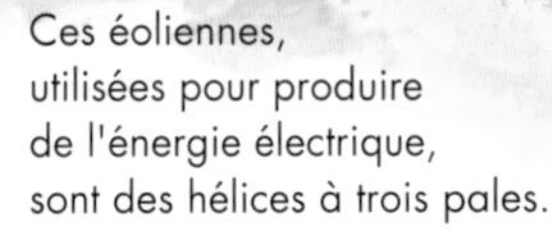

Ces éoliennes, utilisées pour produire de l'énergie électrique, sont des hélices à trois pales.

MERCI ARCHIMÈDE !

Eurêka (« j'ai trouvé » en grec) ! C'est le cri poussé par le savant Archimède vers 200 avant J.-C. quand, entrant dans son bain, il s'aperçut qu'il flottait. Il venait de découvrir le principe qui porte son nom. Explications fluides...

Œuf, coule ou flotte ?

Il te faut :
- un œuf cuit dur (7 min. dans l'eau bouillante),
- 4 cuillères à café de sel fin,
- un verre d'eau.

1 Plonge l'œuf dans le verre d'eau : il coule.

2 Verse le sel dans le verre, remue : l'œuf flotte !

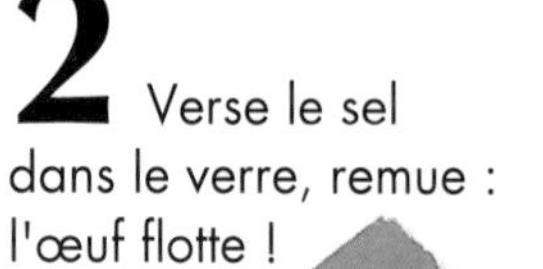

L'œuf déplace son volume d'eau. Le poids de l'eau douce est inférieur à celui de l'œuf, donc la force d'Archimède n'est pas suffisante pour le soulever. Si l'eau est salée, son poids devient plus important. La force d'Archimède propulse l'œuf vers le haut : il flotte.
L'eau de la mer Morte est tellement salée que l'on y flotte tout seul. Pas besoin de savoir nager !

LE PRINCIPE D'ARCHIMÈDE

Tout corps plongé dans un fluide (air, eau...) subit une poussée vers le haut égale au poids du volume déplacé.

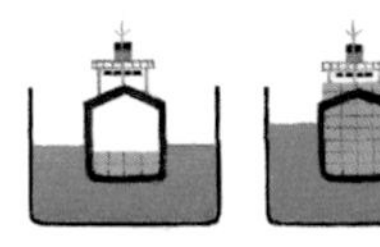

C'est pourquoi les bateaux flottent car ils sont plus légers que le volume d'eau qu'ils déplacent.

SOUS- MARIN, COULE OU FLOTTE ?

L'autre façon de faire flotter ou couler un corps est de modifier son propre poids. C'est ce que fait le sous-marin, à l'aide de grands caissons (le ballast). Quand ils se remplissent d'eau de mer, le sous-marin s'alourdit et s'enfonce dans l'eau. Quand les caissons se vident, le sous-marin s'allège, remonte et flotte.

Montgolfière, vole !

Il te faut :
- des feuilles de papier de soie,
- des feuilles de papier journal,
- une bande de carton,
- de la colle.

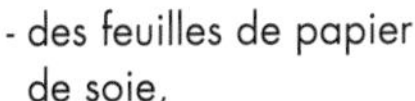

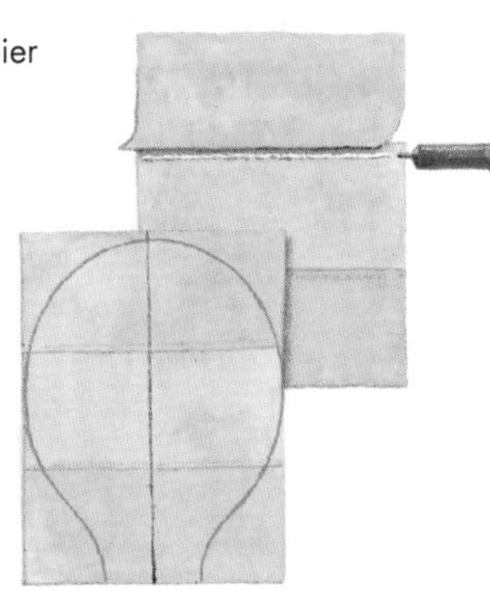

1 Colle les feuilles côte à côte, de façon à obtenir une feuille de 80 cm de côté. Recommence six fois. Empile les six feuilles. Dessine puis découpe la forme de la montgolfière.

2 Plie soigneusement les six formes en deux. Colle chaque forme bord à bord avec la suivante. Entre deux collages, mets une feuille de papier journal pour bien séparer les panneaux entre eux.

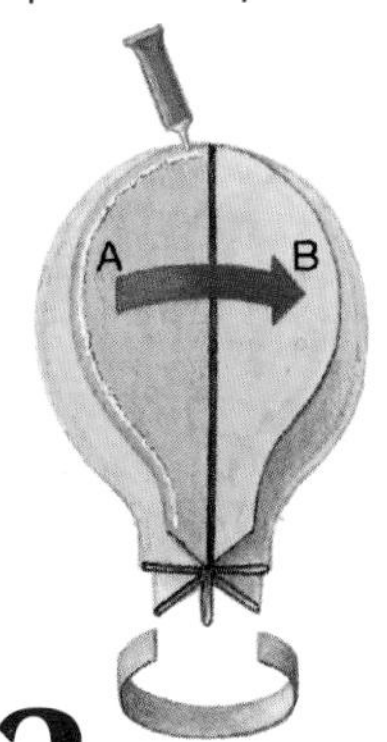

3 Colle la première forme à la dernière : tu as formé un sac. Laisse-le sécher.

4 Déploie la montgolfière. Colle une bande de carton autour de la base. Gonfle la montgolfière avec un sèche-cheveux, elle s'envole…

Le principe d'Archimède est aussi valable pour les corps plongés dans l'air. L'air est un fluide, comme l'eau. Une montgolfière remplie d'air chaud est plus légère que le volume d'air froid qu'elle déplace : elle peut flotter dans l'air.

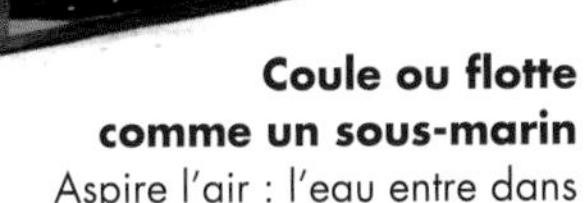

Coule ou flotte comme un sous-marin

Aspire l'air : l'eau entre dans la bouteille, qui s'alourdit et coule. Par contre, si tu souffles de l'air, l'eau est chassée de la bouteille qui s'allège et flotte.

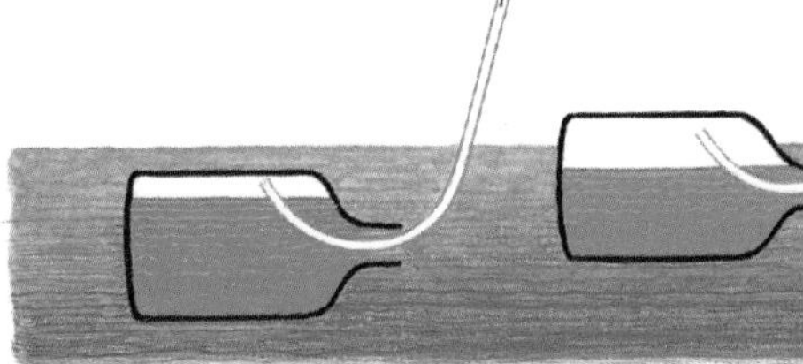

DES PARACHUTES POUR FREINER

À plus de 3 000 mètres d'altitude, le parachutiste fait le grand saut, et vole entre ciel et terre durant quelques secondes. Le parachute s'ouvre et freine la descente vertigineuse.

Un parachute pour jouer

Il te faut :
- 8 ficelles de cuisine de 40 cm,
- un grand sac en plastique,
- du ruban adhésif,
- un élastique,
- un personnage en plastique.

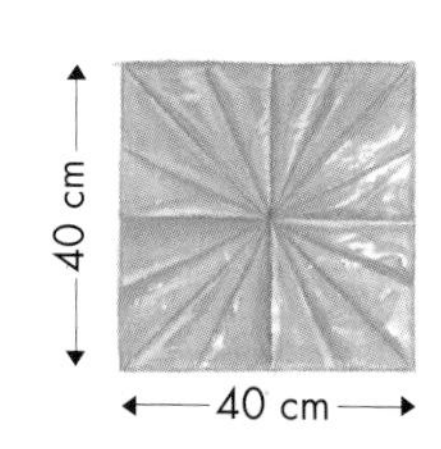

1 Découpe un carré de 40 cm dans le sac. Plie-le selon la diagonale en deux, quatre fois de suite. Tu as seize sections.

2 Découpe l'arrondi, puis ouvre le parachute.

3 Fixe une ficelle avec du ruban adhésif à chaque pli.

4 Rassemble les ficelles et noue-les ensemble.

5 Fixe le personnage aux ficelles avec l'élastique.

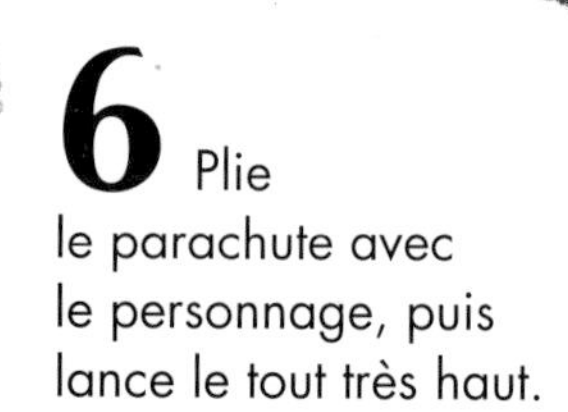

6 Plie le parachute avec le personnage, puis lance le tout très haut.

UN FREIN À AIR COMPRIMÉ !

En tombant, un parachute emprisonne l'air sous sa toile. L'air ainsi comprimé ralentit la chute.

Des parachutes à l'essai

Construis et teste des parachutes en faisant varier les éléments suivants :
- diamètre des disques ;
- type de matériau (papier, plastique, tissu) ;
- longueur des ficelles.

En chute libre
Lors des sauts en formation, les parachutistes se réunissent et composent d'audacieuses figures géométriques.

Comment amortir une chute ?
Pour les premiers essais de parachute, il était recommandé de voler à basse altitude et au-dessus de l'eau ! On doit les premiers dessins de parachute à Léonard de Vinci.

DESCENDRE SANS ÊTRE PARACHUTÉ !

Cousins des cerfs-volants, les parapentes ont la forme d'une aile d'avion. Ce sont des sortes de grands sacs dont les compartiments, ouverts à l'avant, se remplissent d'air. Plus maniables que les parachutes, ils sont conçus pour s'élancer d'un versant montagneux ou du sommet d'une falaise.

SOUS PRESSION

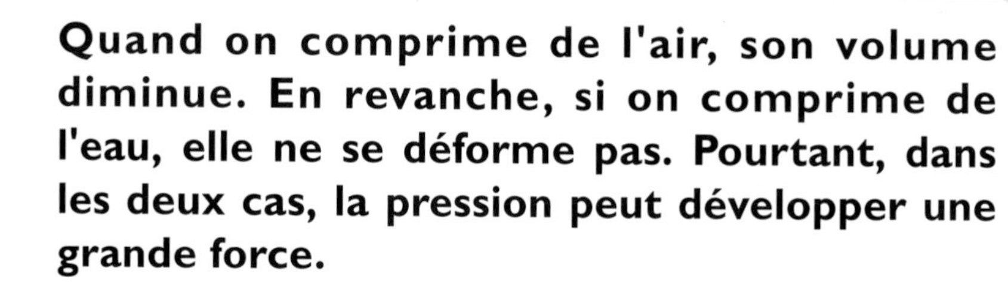

Quand on comprime de l'air, son volume diminue. En revanche, si on comprime de l'eau, elle ne se déforme pas. Pourtant, dans les deux cas, la pression peut développer une grande force.

L'air comprimé

Pour amortir les cahots de la route.

Pour respirer longtemps sous l'eau.

Pour lancer loin une flèche empoisonnée.

Une fusée à air comprimé

Il te faut :
- une bouteille en plastique de 1,5 litre,
- 3 morceaux de carton fort (ou de balsa),
- des ciseaux,
- une valve pour gonfler les ballons,
- un bouchon de liège,
- une chignole,
- de la pâte à modeler,
- du ruban adhésif,
- une pompe à bicyclette.

1 Perce un trou dans le bouchon pour placer la valve. Colmate avec de la pâte à modeler.

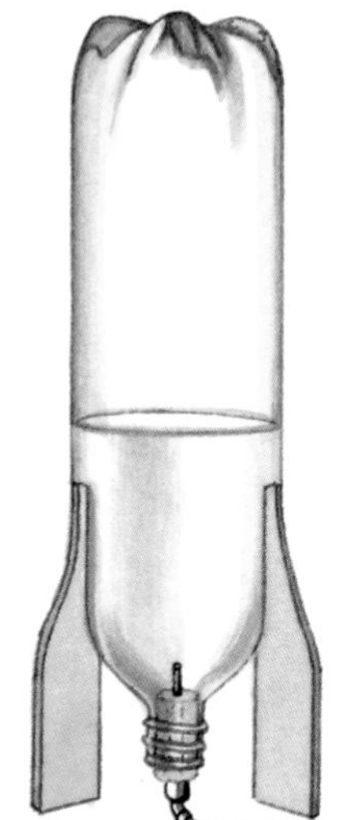

2 Remplis la bouteille avec un peu d'eau, enfonce le bouchon, puis visse l'embout de la pompe.

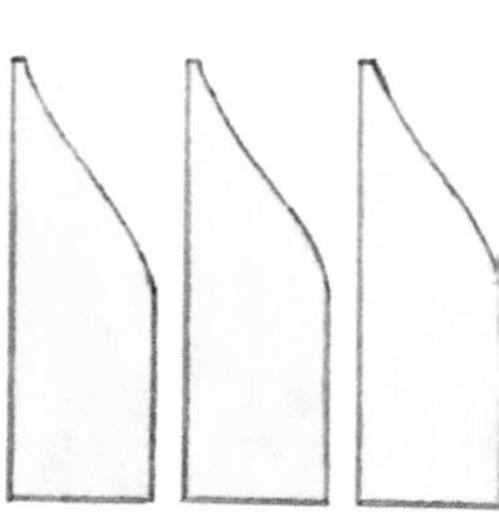

3 Dans le carton, trace et découpe les ailerons. Fixe-les sur la bouteille avec du ruban adhésif.

4 Installe-toi dehors, loin des maisons et des fils électriques, et pompe… L'air se comprime de plus en plus dans la bouteille. Si le bouchon n'est pas assez hermétique, rajoute de la pâte à modeler. Quand la pression est assez grande pour faire sauter le bouchon… la fusée décolle.

L'eau sous pression

Attention ! La force de propulsion est très importante. Ne te penche pas sur la bouteille quand tu pompes !

Pour arroser efficacement.

Pour décaper et nettoyer.

CIRCUIT DE FREINAGE HYDRAULIQUE

En pesant sur la pédale de frein de sa voiture, le conducteur transmet son effort de freinage aux quatre roues par l'intermédiaire d'un liquide non déformable.

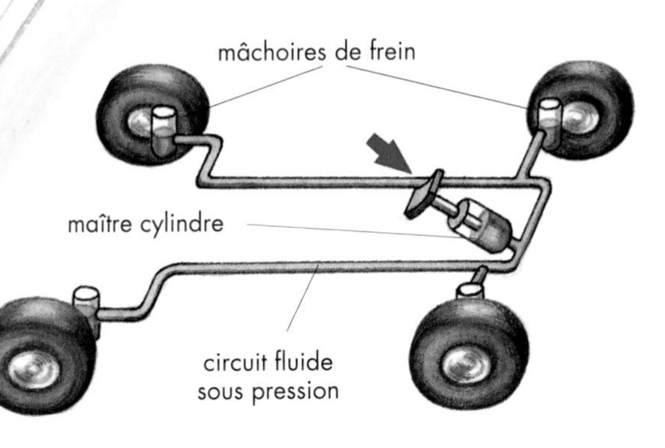

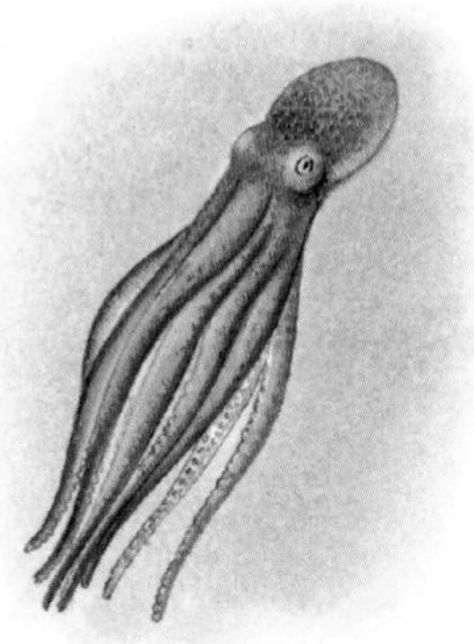

Pour se propulser rapidement.

LE POP-CORN À TOUTE VAPEUR

Comment le maïs explose-t-il en délicieux flocons blancs ? Grâce à la vapeur ! L'intérieur du grain de maïs est très humide alors que la coque est très solide. Quand on chauffe du maïs, l'eau contenue à l'intérieur du grain, qui ne peut pas se vaporiser, dégage une grande pression qui fait éclater la coque, et la chaleur cuit le grain… à toute vapeur.

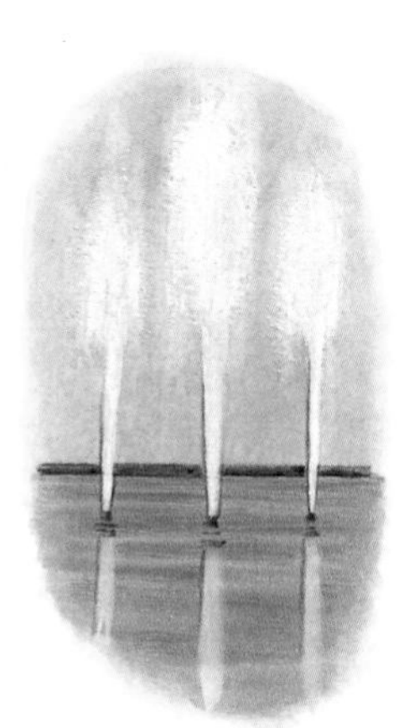

Pour décorer.

IRRÉSISTIBLES AIMANTS

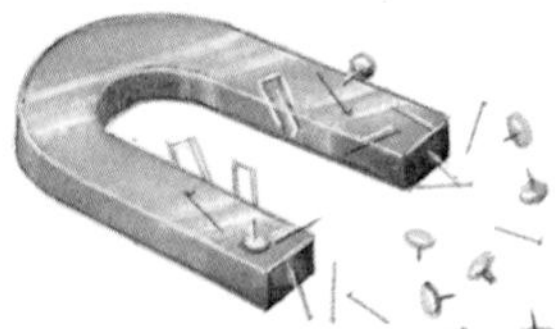

J'assemble des matériaux en fer entre eux et pourtant je ne suis pas de la colle. Qui suis-je ? Un aimant !

Char magnétique chinois (IIIe siècle avant J.-C).

Aimanter des épingles

★

Il te faut :
- des trombones,
- un aimant,
- des épingles en fer (et non en acier).

1 Frotte une épingle pendant quelques minutes contre un aimant, toujours dans le même sens et sans mouvement de va-et-vient. L'épingle est alors capable d'en attirer d'autres : elle est aimantée.

2 Dès qu'un aimant touche un morceau de fer (ou de nickel), il le transforme aussitôt en aimant. Il est possible ainsi de réaliser une chaîne d'aimants avec une série d'épingles ou de trombones.

MÉTAL AIMANTÉ

Dans un morceau de fer ou de nickel, mais non dans les autres métaux, il existe de minuscules aimants orientés dans tous les sens. Au contact d'un aimant permanent, tous ces petits aimants se rangent dans le même sens et transforment le métal en aimant.

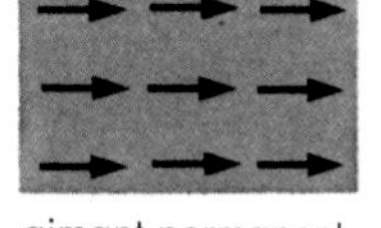
aimant permanent

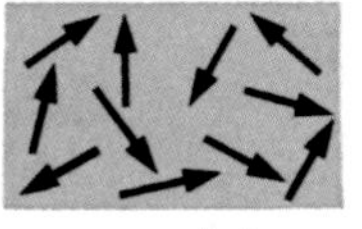
morceau de fer

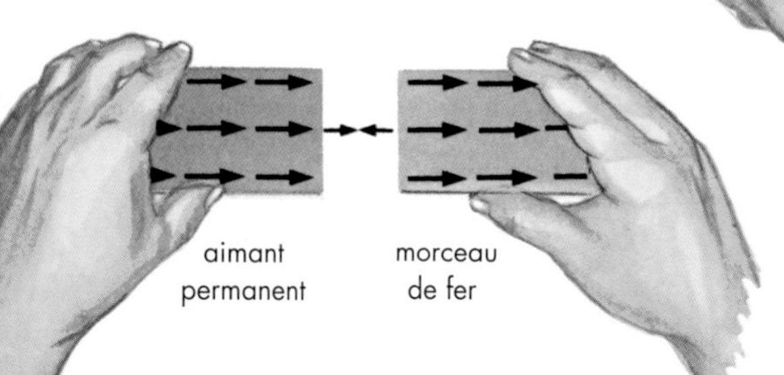

La boussole

★

Il te faut :
- un bouchon de liège,
- une soucoupe pleine d'eau,
- une épingle,
- un aimant.

1 Coupe une tranche de bouchon de 1 cm d'épaisseur et pose-la sur l'eau.

2 Aimante l'épingle, puis pose-la doucement sur le bouchon.

3 Elle s'oriente suivant l'axe Nord-Sud car la Terre se comporte comme un gros aimant.

IL Y A PLUS DE 2 000 ANS, EN CHINE...

Il y a plus de 2 000 ans, les Chinois découvraient les propriétés d'une curieuse pierre, aimantée naturellement, la magnétite, et inventaient la boussole. Très impressionné par cette découverte, l'explorateur Marco Polo (1254-1324) rapporta la boussole en Europe après un voyage en Chine.

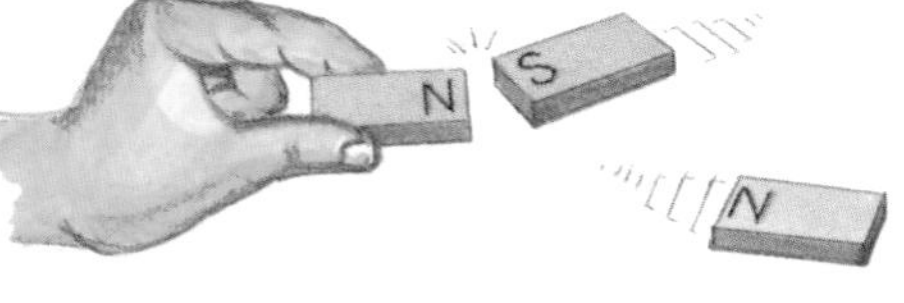

BATAILLE D'AIMANTS

Chaque aimant a deux pôles : Nord et Sud. Quand on approche deux aimants, les pôles de même nom se repoussent et ceux de noms différents s'attirent. Sur une table, tu peux repousser ou attirer un aimant avec la force d'un autre aimant : c'est la bataille magnétique.

Spectre en limaille

Il te faut :
- une feuille de papier,
- de la limaille de fer,
- un aimant.

1 Saupoudre le papier de limaille de fer (tu peux aussi utiliser des fragments de paille de fer).

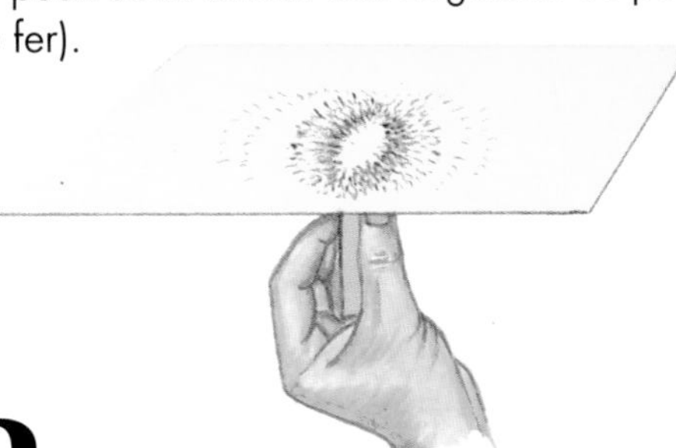

2 Place ton aimant sous la feuille et déplace-le à ta guise. De curieux dessins apparaissent : c'est le spectre magnétique.

LA PUISSANCE DES AIMANTS

À travers le papier, le bois, le verre ou l'eau, un aimant attire les morceaux de fer. Tout cet espace dans lequel l'aimant agit s'appelle le champ magnétique. Il est possible de classer les aimants suivant la distance à laquelle ils agissent.

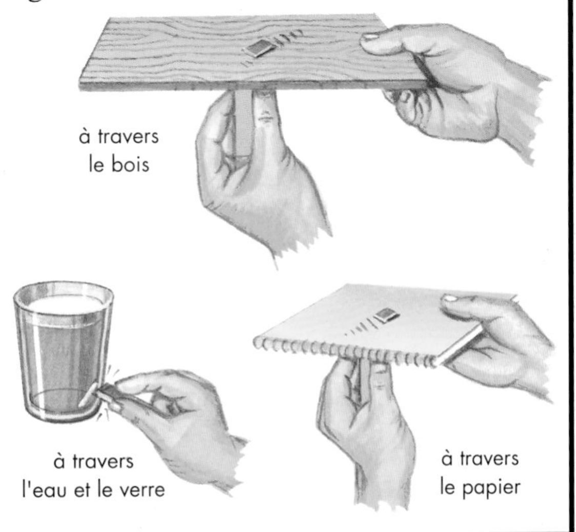

DU COURANT À L'AIMANT

Électricité et magnétisme sont deux faces d'un même phénomène. Curieux, non ? Pour en être vraiment persuadé, rien de tel qu'une expérience : réaliser un électroaimant.

L'électroaimant

Il te faut :
- du fil électrique fin (fil téléphonique),
- un gros clou de charpentier,
- des épingles,
- une pile de 4,5 V.

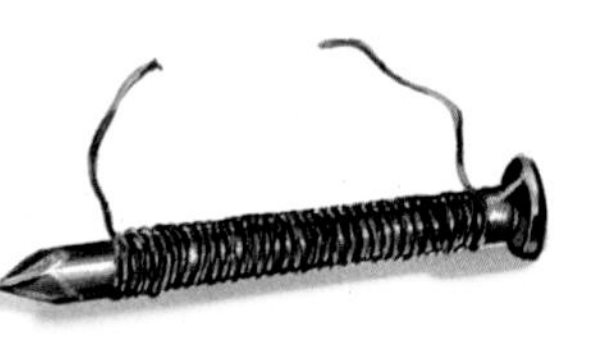

1 Enroule le fil électrique sur le clou (il faut au moins 30 tours).

2 Branche les deux extrémités du fil de chaque côté de la pile.

3 Approche cet électroaimant des épingles : il va les attirer comme un aimant.

Attention
Il ne faut pas brancher les fils trop longtemps, car ils s'échauffent (tu peux te brûler) et cela use la pile.

4 Débranche les fils de la pile : les épingles tombent. Ce n'est que lorsque le courant passe dans le fil que le clou se transforme en aimant.

intérieur de la dynamo

ÉLECTRICITÉ ET AIMANT

Grâce à l'électricité, tu peux réaliser un aimant et, réciproquement, avec un aimant, tu peux produire de l'électricité : c'est ainsi que fonctionne la dynamo de ton vélo. Entraîné par le mouvement de la roue, l'aimant qui se trouve à l'intérieur de la dynamo produit du courant qui alimente les ampoules de tes feux.

Voir le champ électromagnétique

Il te faut :
- du fil électrique,
- une pile de 6 V,
- de la limaille de fer,
- un couvercle en plastique,
- 2 verres.

1 Perce le couvercle en son milieu, puis passe le fil électrique branché sur la pile. Saupoudre de limaille de fer : elle s'organise autour du fil.

2 Perce des trous comme sur le dessin pour réaliser une spirale avec le fil.

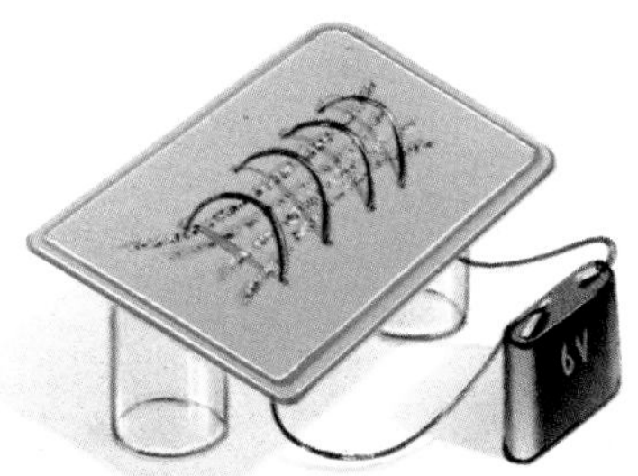

3 Branche la pile et observe les particules de fer. Leur dessin permet de voir les lignes du champ magnétique créé par le courant électrique.

Un électroaimant peut attirer de lourdes charges métalliques, à condition qu'il soit branché.

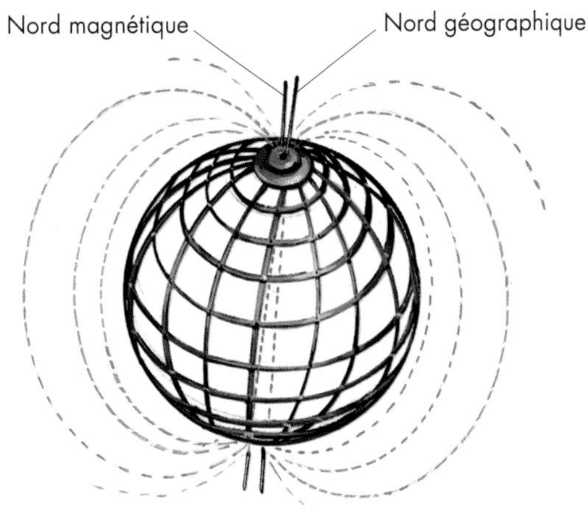

LA TERRE, COMME UN AIMANT

Le cœur de la Terre est comme un aimant. Il attire l'aiguille de la boussole. C'est là qu'il faut chercher l'origine du champ magnétique de notre planète.

DES LEVIERS TRÈS UTILES

Les leviers sont utilisés pour soulever plus facilement des charges et pour amplifier des efforts. Ils ont d'innombrables usages, balances, grues, avirons, battes de base-ball…

Une catapulte

Il te faut :
- un fond de pot de yaourt,
- une punaise,
- un élastique large,
- 5 pointes,
- des planchettes de bois (épaisseur : 1 cm),
- une scie.

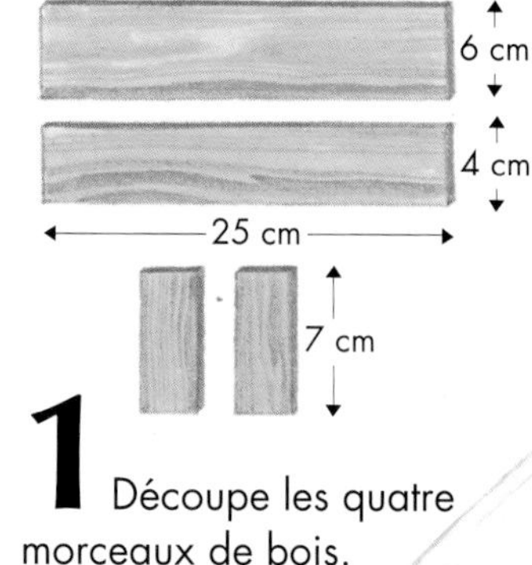

1 Découpe les quatre morceaux de bois.

10 cm

2 Perce les trous et cloue les trois planchettes.

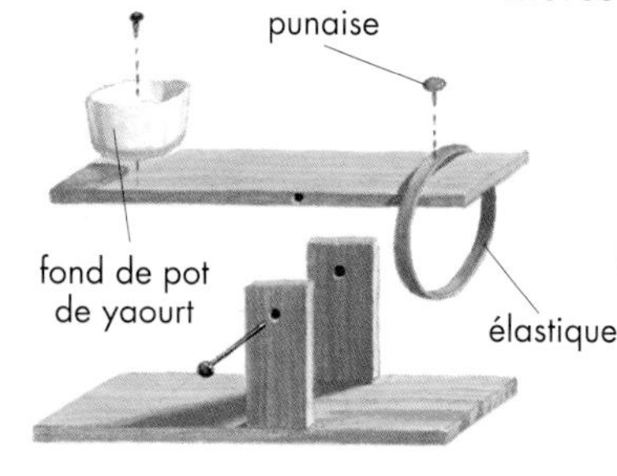

3 Assemble la catapulte.

Appuie sur la planche et lâche d'un seul coup.

4 Propulse une boulette de papier en lâchant la planche.

Un pêcheur en ombre chinoise

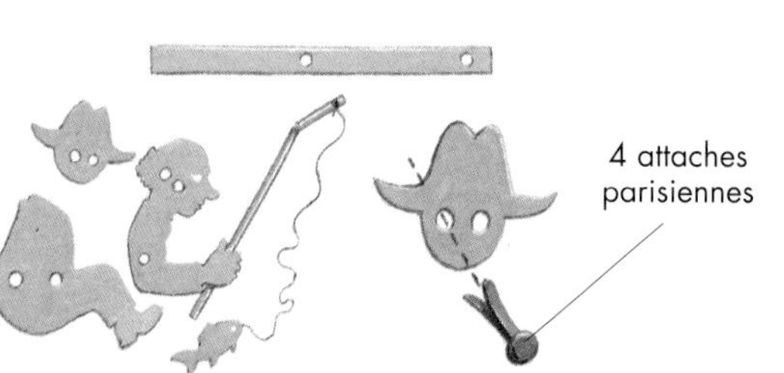

Découpe les quatre parties dans le carton et joins les éléments avec les attaches parisiennes.

En manipulant le levier, l'ombre du pêcheur devient mobile.

TROIS CATÉGORIES DE LEVIERS

Dans tout levier, il y a un point d'appui (a), une force motrice (f) et une force résistante (r). Selon la position de ces trois éléments, les leviers appartiennent à l'une de ces trois catégories :

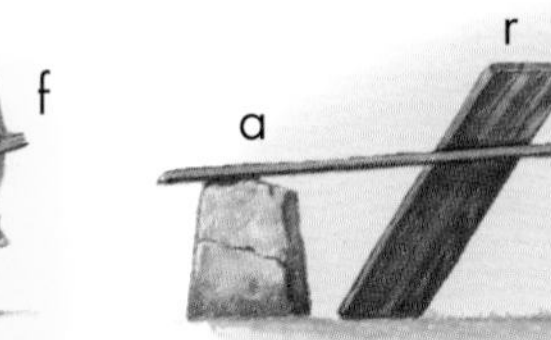

1. Le point d'appui est entre les deux forces.

2. La charge est entre le point d'appui et l'effort.

3. L'effort est entre le point d'appui et la charge.

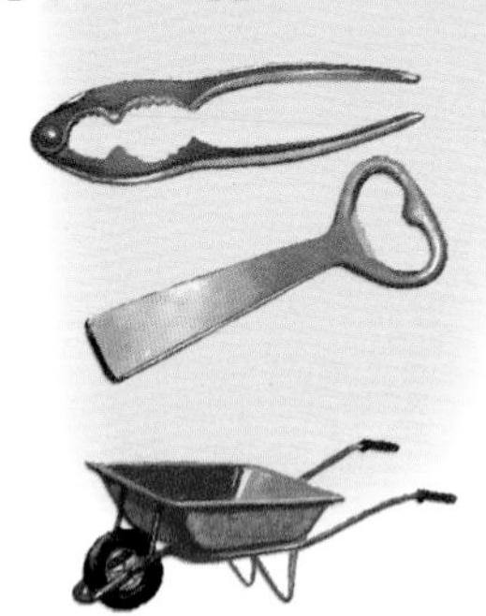

Des articulations

Le bras d'une pelleteuse est articulé comme un bras humain dont les muscles seraient les vérins. Repère à quelle catégorie de leviers appartiennent le bras élévateur, le bras porte-godet et le godet. Réponse p. 186.

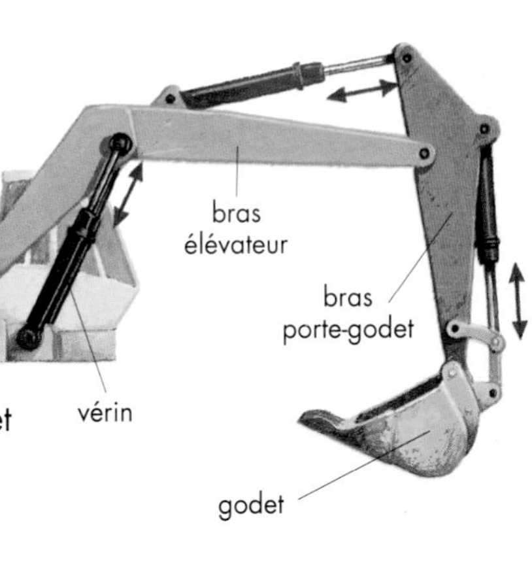

Des effets à distance

Une pile de pièces trois fois plus lourde équilibre une pile de pièces placée trois fois plus loin.

Selon la longueur du bras de levier, l'effort est plus ou moins amplifié.

TOURNER, MONTER, DESCENDRE

Une vis et un écrou permettent d'assembler ou de serrer des éléments. Mais le principe de la vis a de multiples autres usages. En voici quelques exemples...

l'escalier du phare

un plan incliné : le funiculaire

UNE VIS : UN PLAN INCLINÉ ENROULÉ

Pour élever une charge, il est plus facile de la tirer le long d'un plan incliné que de la soulever verticalement. Enroulés en spirale, les plans inclinés occupent moins de place. Ce sont les voies d'accès de parkings ou les escaliers à vis...

Faire monter les bouchons

D'abord, la vis s'enfonce en tournant dans le bouchon. Lorsqu'elle ne peut plus descendre, c'est le bouchon qui monte. Certains tire-bouchons ont deux vis, la première s'enfonce dans le bouchon, la seconde le fait monter.

Serrer, presser

La vis tourne et fait avancer la partie mobile de la presse ou de l'étau...

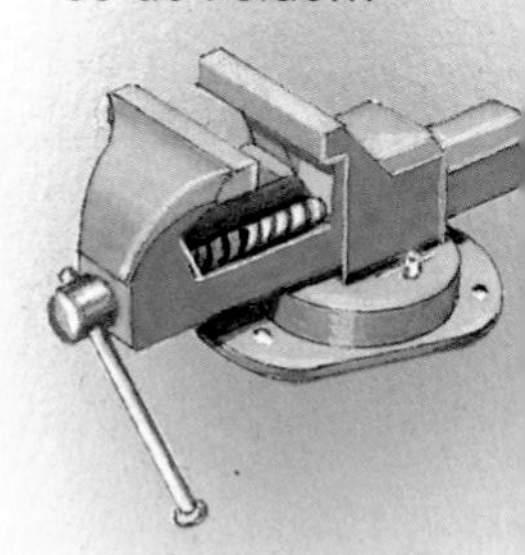

Soulever une voiture

La vis fait lever le cric.

PLUS OU MOINS INCLINÉ

La distance parcourue par une vis en un tour s'appelle le pas de vis. Plus le filetage de la vis est incliné, plus elle avance vite.

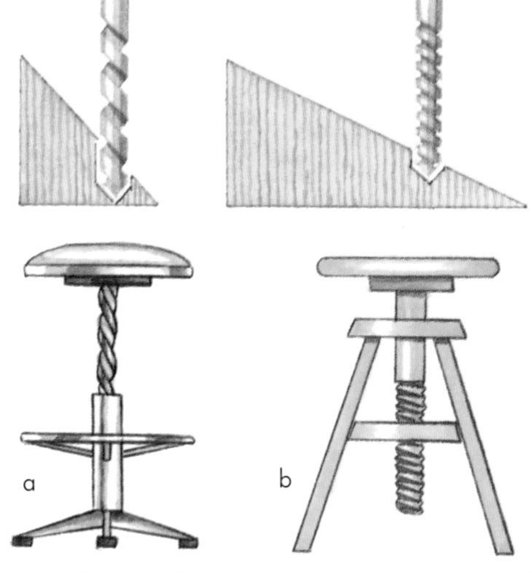

Quel tabouret descend le plus rapidement ?
Réponse p. 186.

Démonte un bâton de colle

★

Il te faut :
- un bâton de colle usagé,
- une paire de pinces.

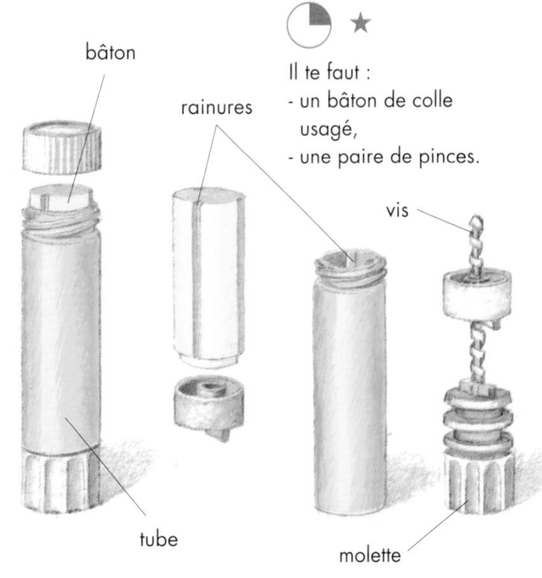

Utilise une paire de pinces pour séparer le tube de la vis. Grâce aux trois rainures à l'intérieur du tube, la rotation de la molette permet au bâton de monter sans tourner.

Faire tourner

La vis descend dans la toupie, l'écrou tourne.

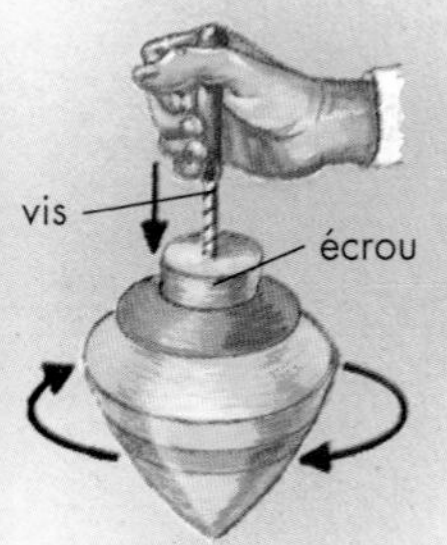

L'écrou de la vrille descend, la vis tourne.

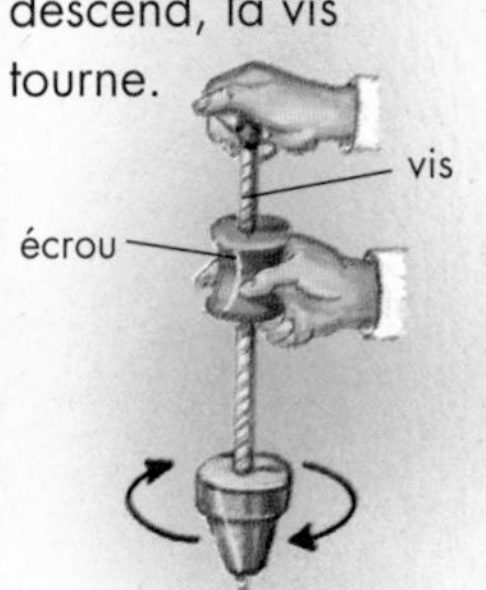

Déplacer de l'eau

200 ans avant Jésus-Christ, Archimède inventa cette vis. Elle est utilisée pour faire monter l'eau dans certaines écluses, pour déplacer le sable ou le blé, pour évacuer les boues produites par les tunneliers…

S'élever dans l'air

En 1483, Léonard de Vinci avait imaginé cette vis, lointain ancêtre des hélicoptères.
Les hélices des avions ou des bateaux sont aussi des vis.

Faire monter les copeaux

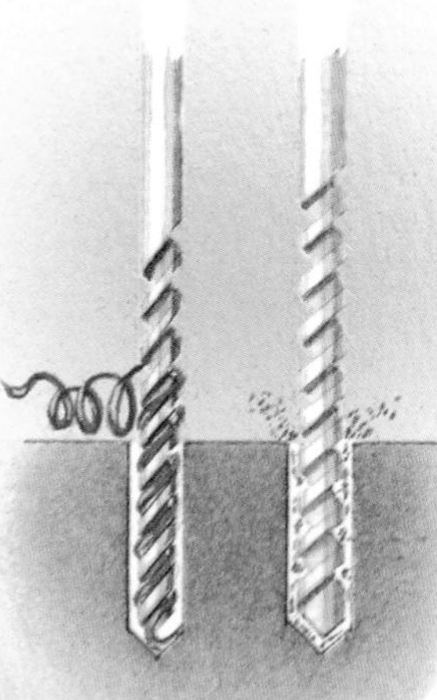

Les copeaux de bois, de métal ou de pierre ressortent du trou creusé par la mèche ou le foret.

DES VA-ET-VIENT

Le système bielle-manivelle est le mécanisme le plus courant pour transformer un mouvement de rotation en un mouvement de translation. Les moteurs de voiture, les machines à coudre de nos arrière-grand-mères et de nombreux jouets utilisent ce mécanisme.

Les ailes du canard

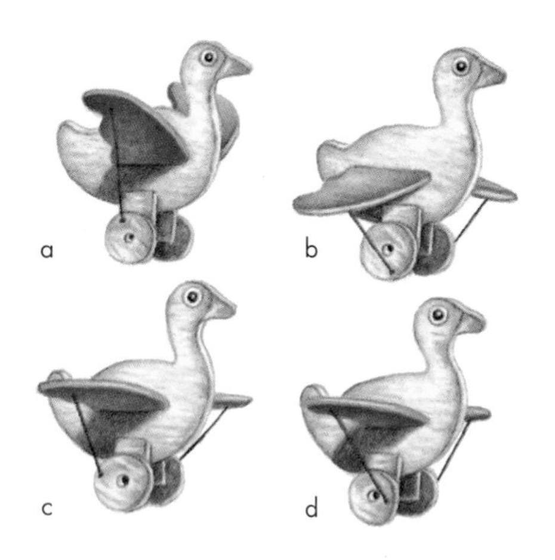

Remets dans l'ordre les quatre étapes du mouvement.

Réponse p.186.

DES BIELLES-MANIVELLES DANS LES MOTEURS DE VOITURE

Dans un moteur, l'explosion produite par l'étincelle au contact du mélange air-essence produit une poussée sur le piston. Il entraîne dans sa descente la bielle qui actionne la manivelle. Il y a généralement quatre pistons qui font tourner quatre manivelles réunies sur un vilebrequin.

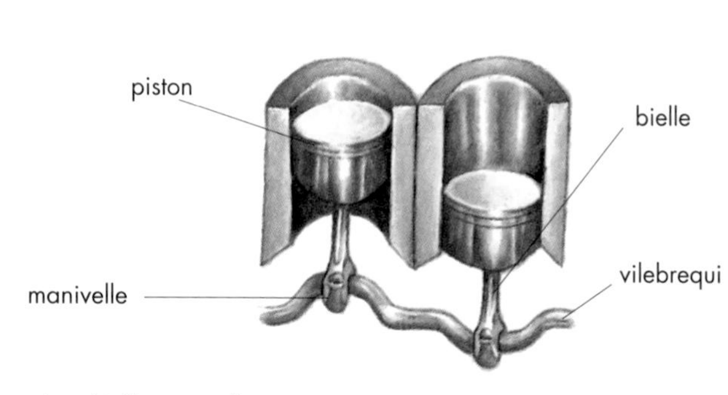

Le système bielle-manivelle est utilisé dans certains derricks pour extraire du pétrole.

Coucou ! me revoilà !

Il te faut :
- du carton,
- une agrafeuse,
- 3 attaches parisiennes,
- un compas,
- des ciseaux.

1 Trace et découpe les éléments du mécanisme. Puis perce les trous à l'aide d'une pointe de compas.

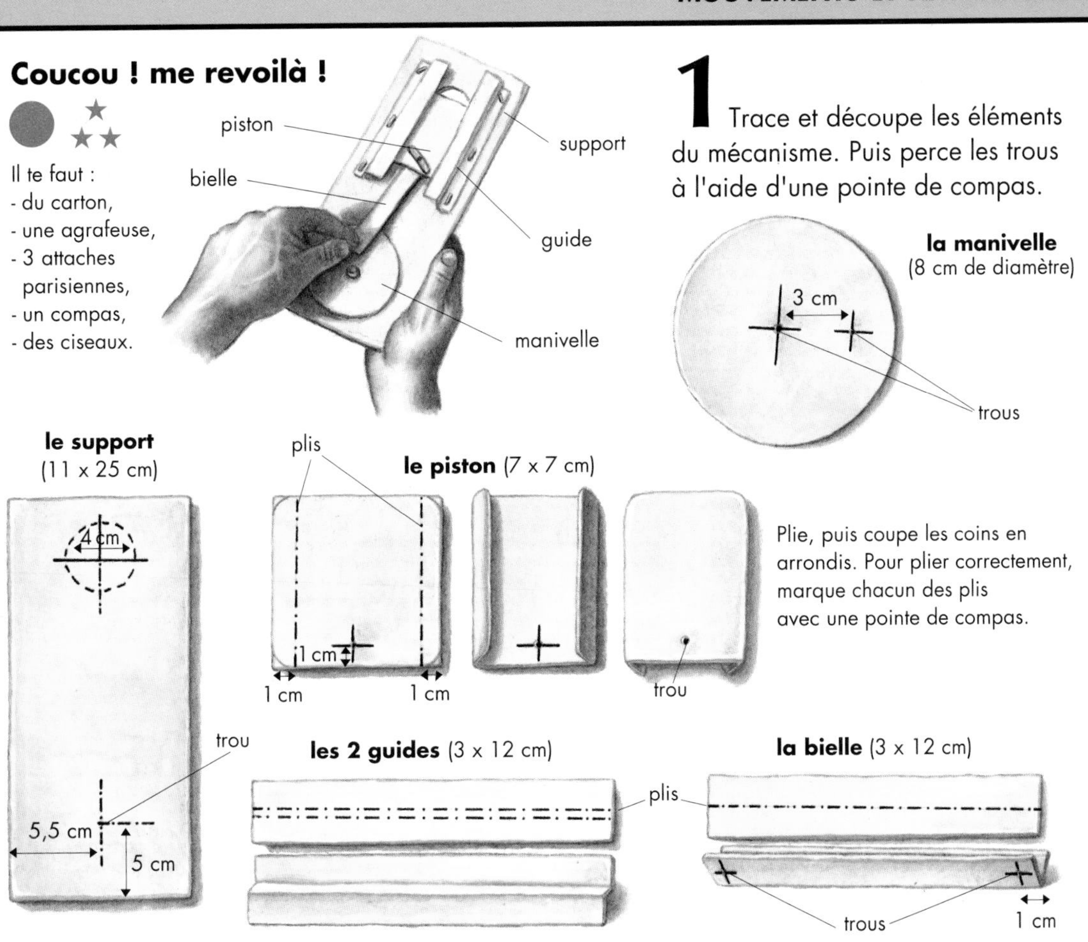

Plie, puis coupe les coins en arrondis. Pour plier correctement, marque chacun des plis avec une pointe de compas.

2 Assemble la manivelle, la bielle et le piston en respectant le sens des attaches parisiennes.

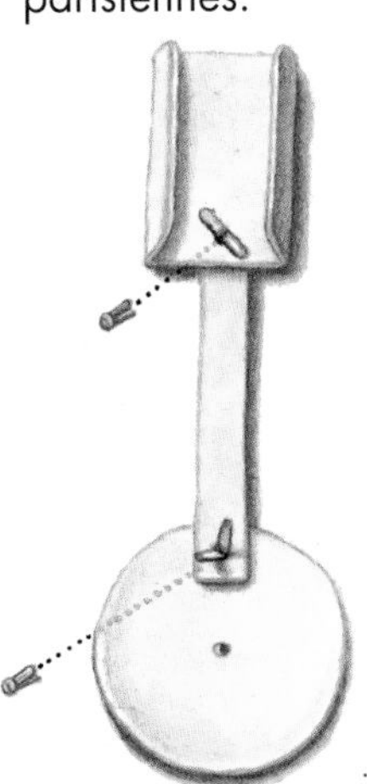

3 Puis assemble la manivelle sur le support.

4 Place un guide et agrafe-le. Puis place l'autre : agrafe-le après avoir fait fonctionner le mécanisme.

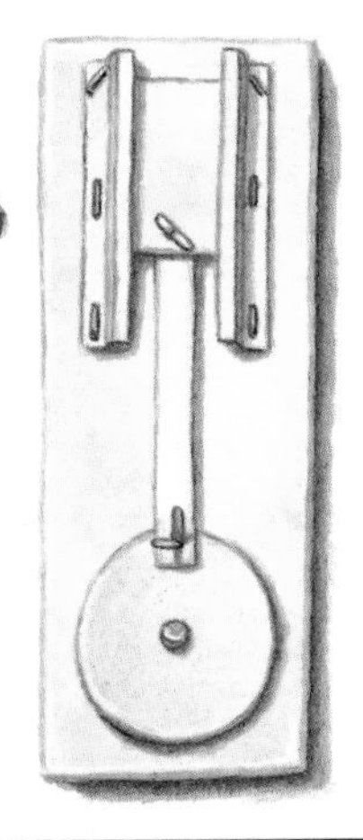

5 Dessine un lapin sur le piston après avoir retourné le support. Puis dessine un personnage.

LORSQUE LES ROUES ONT DES DENTS

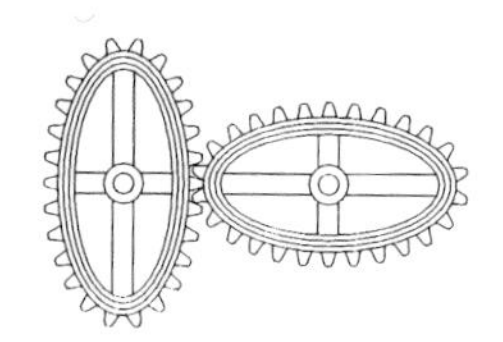

Dent pour dent : c'est le principe des roues dentées. À une dent d'un engrenage correspond une dent d'un autre. Et ça tourne !

Un chariot manège

Il te faut :
- un bloc de polystyrène (4 x 12 x 10 cm),
- 24 pointes à tête plate (Ø 2 mm, long. 25 mm),
- un disque en polystyrène (Ø 10,8 cm),
- 2 disques en carton mince (Ø 10,8 cm),
- un disque en polystyrène (Ø 5,4 cm),
- 2 disques en carton mince (Ø 5,4 cm),
- 2 couvercles de boîte à fromage percés en leur centre,
- 24 perles ovales percées (Ø 3 mm),
- 3 pointes (Ø 3 mm, long. 40 mm),
- de la colle en bâton,
- une bande de bristol,
- quelques personnages.

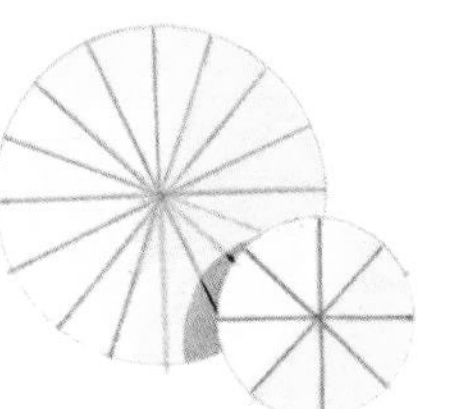

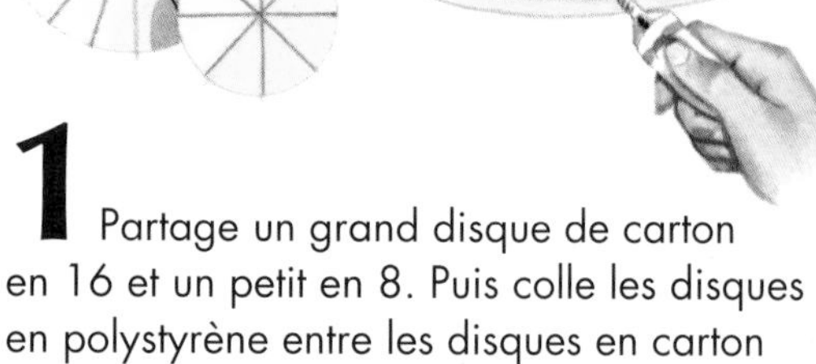

1 Partage un grand disque de carton en 16 et un petit en 8. Puis colle les disques en polystyrène entre les disques en carton pour obtenir une grande et une petite roues.

Augmenter la puissance

Lorsque la chaîne se trouve sur le petit pignon arrière, l'effort à fournir pour appuyer sur la pédale est important, mais la distance parcourue est grande.

Pour gravir une pente, la chaîne se trouve sur le plus grand pignon arrière. Pour le même nombre de tours de pédales, la roue tourne plus lentement, mais l'effort à fournir est moins important.

QUATRE TYPES D'ENGRENAGES

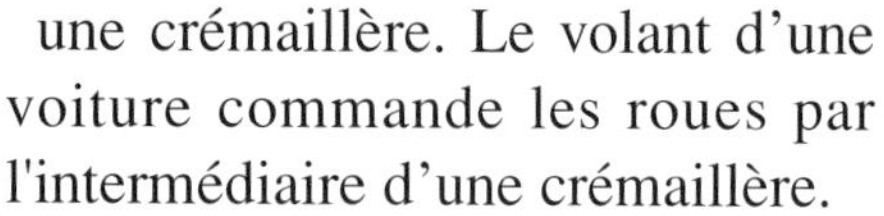

Deux roues dentées constituent un engrenage. Selon l'usage qu'on doit en faire, les engrenages sont droits ou coniques. Parfois, l'une des roues n'a qu'une dent : c'est une vis sans fin ou une crémaillère. Le volant d'une voiture commande les roues par l'intermédiaire d'une crémaillère.

2 Dans l'épaisseur du polystyrène, cloue les perles. Elles sont dans l'axe des rayons que tu as tracés.

3 Avec une pointe, perce le centre des roues dentées. Puis fixe-les sur le bloc de polystyrène. Elles tournent librement et s'engrènent.

4 Démonte la petite roue dentée et colle-la sur un couvercle de boîte à fromage. Puis fixe les deux roues du chariot.

5 Dans le bristol, découpe des silhouettes de personnages et colle-les. Tire le chariot : le manège tourne !

> **Pour bien réussir...**
> Les rayons tracés sur les disques doivent être très précis afin que les roues s'engrènent parfaitement.

DES DENTS POUR COMPTER

La pascaline, nom donné par Pascal à sa machine à calculer, ne comporte que des roues dentées. Chaque tour de la petite roue est compté grâce à sa dent qui fait tourner la grande.

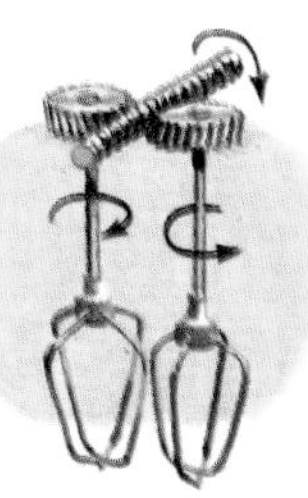

Les fouets du batteur tournent en sens opposé.

Avec la vitesse, l'eau est projetée dans l'essoreuse à salade.

De la manivelle au foret de la perceuse, le mouvement change d'orientation.

Dans quel sens tourne la dernière roue ?

Réponse p. 186.

ET LA ROUE DEVIENT POULIE

Grâce aux poulies, les objets sont moins lourds à soulever. Avec des courroies entre les poulies, les mouvements sont transmis à distance.

Construis une machine à peindre

Il te faut :
- une grande boîte à fromage en carton,
- un bouchon,
- 2 couvercles de pots à fromage blanc (7 à 10 cm de diamètre),
- un élastique large,
- une planche de bois (20 x 30 cm environ),
- 2 pointes de 5 cm,
- une pointe de 3 cm,
- 2 clous de tapissier ou 2 grandes punaises,
- du ruban adhésif,
- un foret (n° 4),
- des disques de papier,
- de la gouache liquide.

1 Avec le foret, perce le bouchon et entailles le au milieu.

2 Enfonce une grande pointe dans la planchette. Le bouchon doit tourner librement.

3 Assemble les deux couvercles avec du ruban adhésif. C'est la poulie.

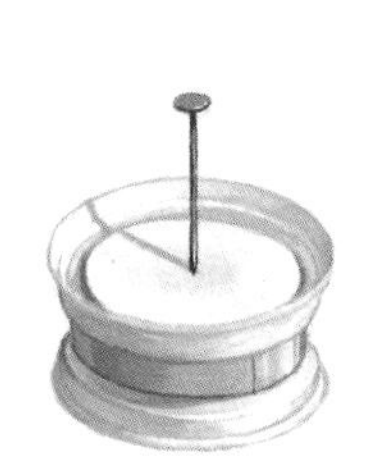

4 Perce la poulie en son centre avec la petite pointe légèrement chauffée.

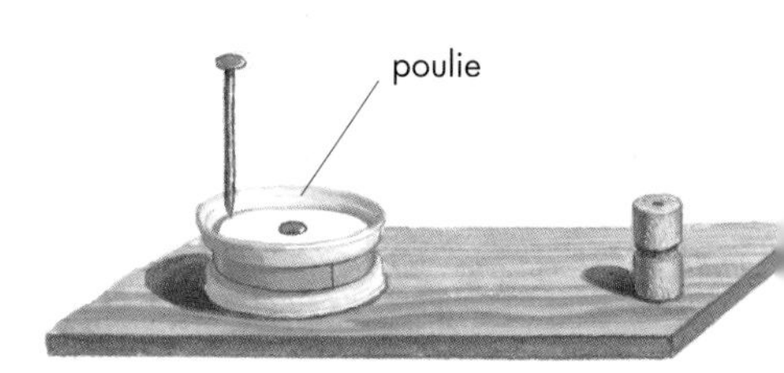

5 Fixe la poulie sur la planchette. Plante l'autre grande pointe dans la poulie pour réaliser une poignée.

LE RÔLE DES ROUES

Les courroies transmettent le mouvement. Lorsque les poulies ont le même diamètre, elles tournent à la même vitesse. Mais lorsque l'une est quatre fois plus grande que l'autre, la plus petite tourne quatre fois plus vite : à chaque tour de la grande, la petite fait quatre tours !

La petite poulie tourne plus vite que la grande.

Les deux poulies tournent à la même vitesse.

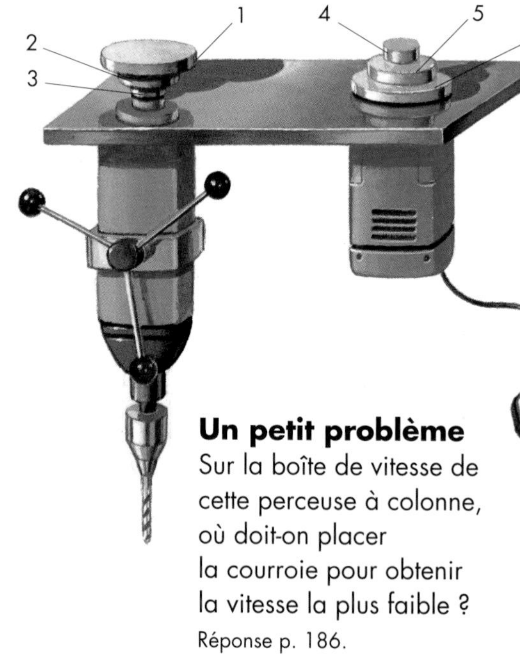

Un petit problème

Sur la boîte de vitesse de cette perceuse à colonne, où doit-on placer la courroie pour obtenir la vitesse la plus faible ?
Réponse p. 186.

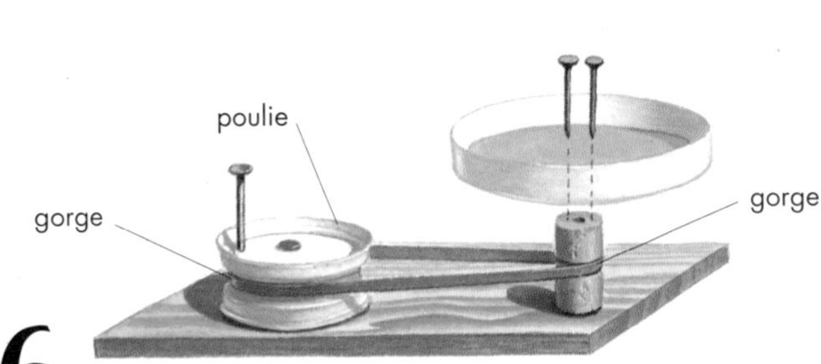

6 Passe l'élastique dans la gorge de la poulie et du bouchon. Fixe la boîte à fromage sur le bouchon, avec les clous de tapissier.

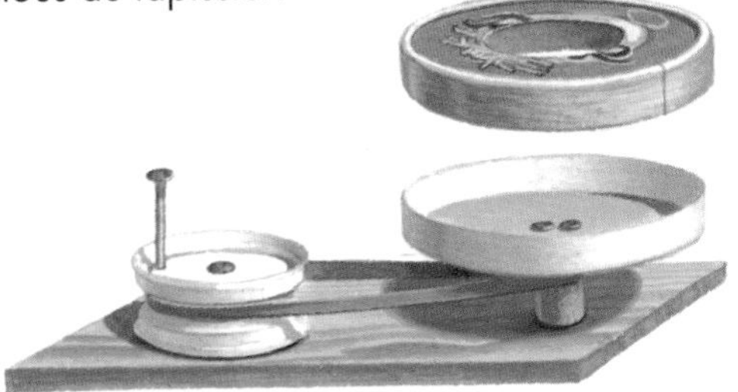

7 Évide le centre du couvercle de la boîte comme sur le dessin.

8 Place un disque de papier dans la boîte et laisse tomber des gouttes de peinture. Selon les couleurs utilisées et la vitesse de la machine, les effets seront inattendus !

Pour bien réussir... La peinture ne doit pas être trop liquide.

DES POULIES ET UNE CORDE

Les palans, formés d'une corde et de poulies, permettent de diviser la force de traction. Mais ce que l'on gagne en force, on le perd en déplacement.

Seul contre tous, facile de rapprocher les deux manches à balais ! C'est comme si tu utilisais ces poulies :

Le treuil permettait autrefois de soulever les blocs extraits des carrières. C'est un autre moyen de réduire les charges.

AUTOMATES ET ROBOTS

Créés pour imiter les êtres vivants, les automates exécutent inlassablement les mêmes actions et les robots semblent réfléchir avant d'agir. Ces derniers sont aujourd'hui utilisés pour faciliter le travail des hommes.

Des éclairages programmés

Il te faut :
- une planchette de bois (6 x 20 cm),
- une barrette de domino,
- un fond de barquette en aluminium,
- 3 LED (rouge, verte et jaune),
- 3 résistances de 330 ohms (orange, orange, marron),
- 2 fils électriques (longueur 20 cm),
- une pile de 4,5 V,
- 2 trombones,
- 2 vis,
- du ruban adhésif,
- un morceau de barquette de polystyrène,
- une bande de bristol (largeur 3 cm),
- une perforatrice de bureau.

Pierrot écrivain est un automate du siècle dernier. Il s'endort, se réveille, prend sa plume, grâce à un mécanisme d'horlogerie.

1 À l'aide du ruban adhésif, fixe un fil électrique et plie en trois l'aluminium.

2 Perfore la bande de bristol sur trois colonnes pour « écrire » le programme.

planchette

vis

3 Fixe la barrette de dominos et les trois morceaux de polystyrène sur la planchette.

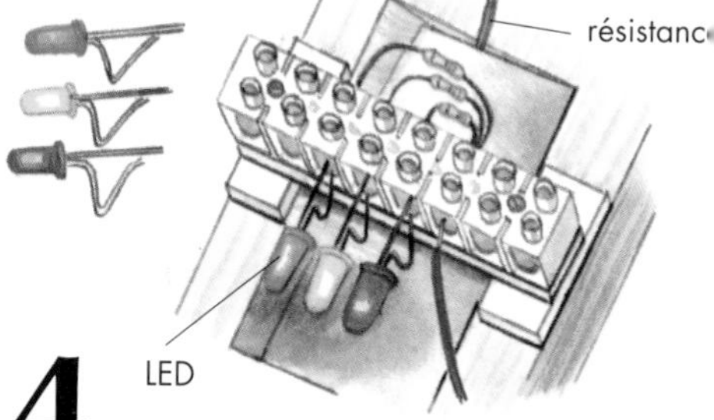

4 Plie la plus grande patte des LED. Puis réalise le montage électrique.

5 Branche le montage à la pile. Tire sur la bande : les LED s'allument alternativement.

LE CANARD DE VAUCANSON

Il avalait le blé et le digérait. Le grain, broyé par une roue dentée, subissait une action chimique qui le transformait en une pâte évacuée après avoir traversé un long tube figurant les intestins !

DU LINGE BATTU À LA MACHINE À LAVER

1890

1920

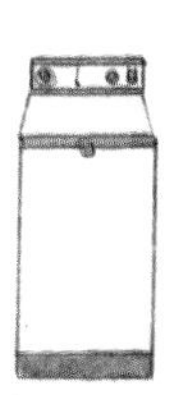

1995

Autrefois, toutes les étapes de la lessive étaient distinctes et nécessitaient l'intervention humaine. Les « robots à laver » d'aujourd'hui lavent, rincent, essorent et sèchent.

DES PROGRAMMES

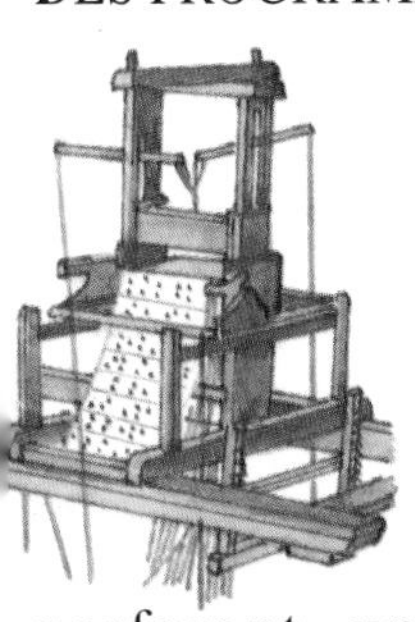

Les actions complexes peuvent se décomposer en une suite d'actions simples, c'est-à-dire en un programme. Au XIXe siècle, les programmes étaient écrits en perforant une bande de papier. Il suffit de changer la bande perforée des orgues de Barbarie ou des métiers à tisser Jacquard pour modifier la ritournelle ou le motif de l'étoffe. Aujourd'hui, l'informatique conduit à une nouvelle révolution grâce à l'écriture des programmes sur des supports magnétiques.

LA ROBOTIQUE INDUSTRIELLE

Le mot « robot » signifie « travail » en tchèque. Commandés par de puissants systèmes informatiques, les robots soudent, peignent et assemblent les voitures en adaptant leurs gestes à chaque véhicule.

Wabot musicien lit avec sa caméra la partition d'orgue qu'il joue avec ses pieds et ses mains. Il en tourne même les pages ! Un programme informatique a prévu chacune des décisions prises selon la musique jouée, son rythme…

DES IMAGES ANIMÉES

En 1895, le cinéma est né grâce aux frères Lumière. L'âge des praxinoscopes, zoétropes et autres fabuleuses inventions était révolu...

Un zoétrope

Il te faut :
- 2 fonds identiques de boîte à fromage,
- une bande (8 x 40 cm) de bristol quadrillé (5 x 5 mm),
- une agrafeuse,
- une perceuse à main et un foret (Ø 4 mm),
- une aiguille à tricoter (n° 3 ½),
- une bande de papier machine (3 x 35 cm),
- une petite bouteille en matière plastique.

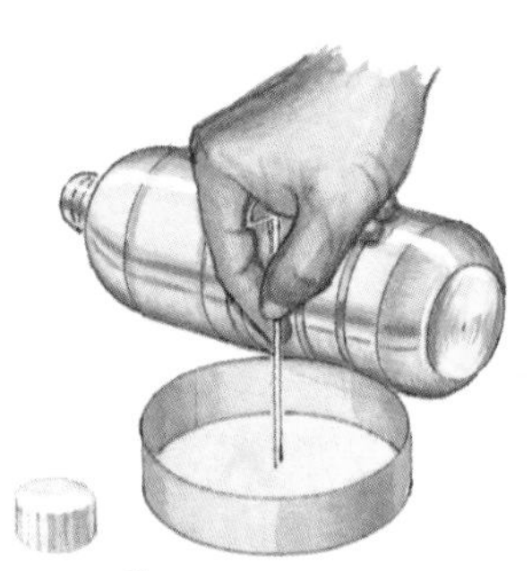

1 Perce bien en leur centre le fond d'une boîte à fromage, le bouchon et le fond de la bouteille.

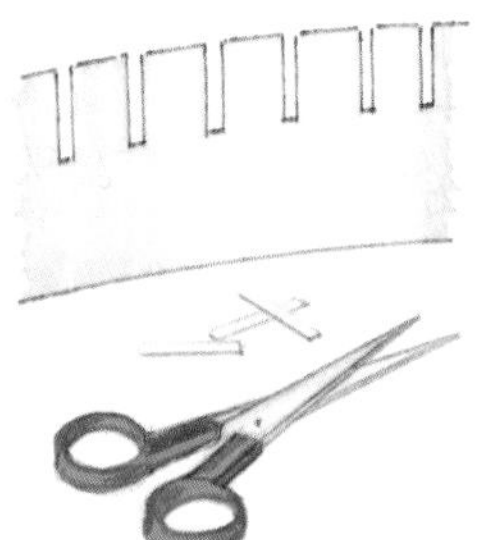

2 Sur le bristol, tous les 2,5 cm, découpe une fente de 2 à 3 mm de large et de 3 cm de hauteur.

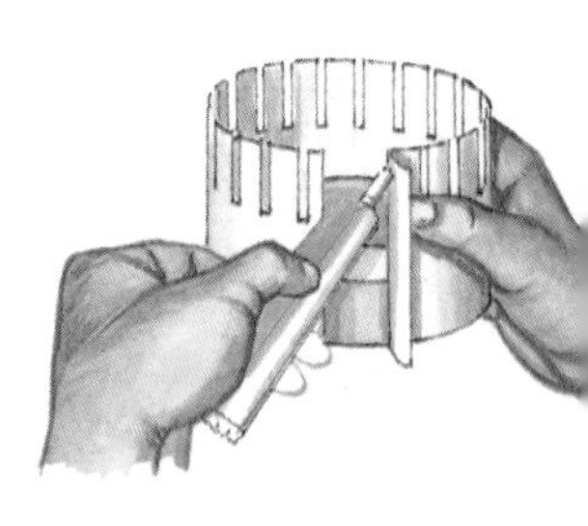

3 Colle la bande de bristol autour de la boîte à fromage.

LE SPECTACLE CINÉMATOGRAPHIQUE

La projection des films résulte de nombreuses innovations techniques : la mise au point de sources de lumière artificielles ou le film souple que l'on peut bobiner, par exemple. Auguste et Louis Lumière ont mis au point une mécanique qui entraîne la pellicule. Le cinématographe projette 16 images à la seconde et les agrandit sur un écran.

UN FUSIL À IMAGES

Les scientifiques étudiaient le vol des oiseaux, le galop des chevaux avec ce fusil photographique : c'est l'ancêtre de la caméra. En 1906, le film passe du noir et blanc à la couleur. Il devient parlant en 1927.

L'arrivée d'un train à La Ciotat est un des tout premiers films. Certains spectateurs voyant le train se précipiter sur eux furent effrayés !

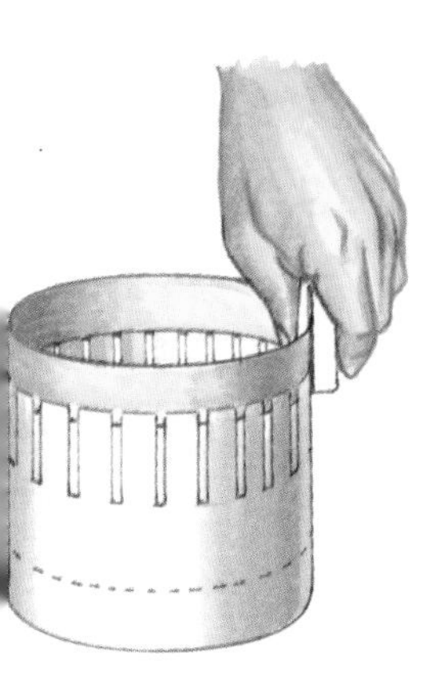

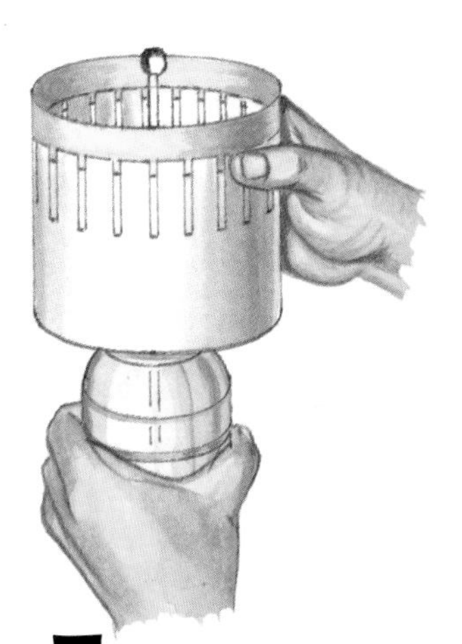

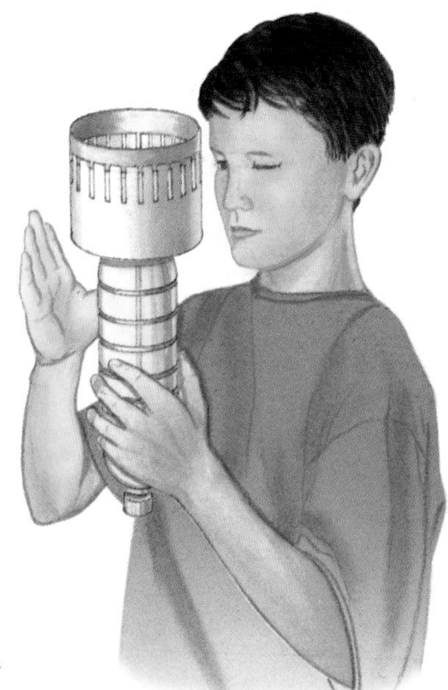

4 Enlève le fond de la seconde boîte à fromage. Agrafe le tour sur le bristol pour maintenir les languettes.

5 Sur une bande de papier, reproduis le vol de l'oiseau ci-dessous. Puis assemble le zoétrope.

6 Place la bande d'images, puis fais tourner le tambour : regarde par une fente, les images s'animent !

Une tradition de spectacles

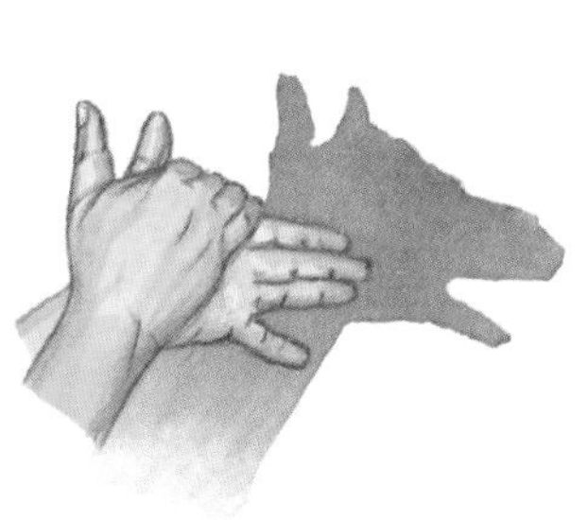

Les jeux d'ombres, de mains ou de marionnettes sont les premiers divertissements animés.

La lanterne magique projette des images fixes sur un écran.

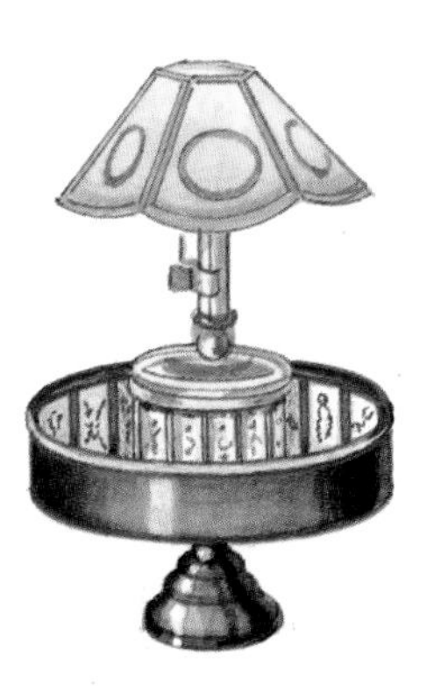

Les figures tournent et le mouvement apparaît sur les miroirs centraux du praxinoscope.

Les dessins du disque du phénakistiscope s'animent au travers d'une fente.

SUR UN COUSSIN D'AIR

Les hydroglisseurs, comme les aéroglisseurs, sont propulsés par des hélices aériennes. Ils se déplacent sur l'eau, la neige, le sable..., sans les toucher, grâce à un coussin d'air produit par un puissant ventilateur.

Construis un hydroglisseur

Il te faut :
- un moteur électrique (de jouet),
- 30 cm de fil électrique,
- une pile de 4,5 V,
- 2 trombones,
- 4 pointes de 3 cm,
- une barquette à poulet en polystyrène,
- du polystyrène d'emballage (2 cm d'épaisseur),
- une bouteille en plastique lisse,
- du ruban adhésif résistant,
- un couteau à dents,
- du papier de verre,
- un bouchon.

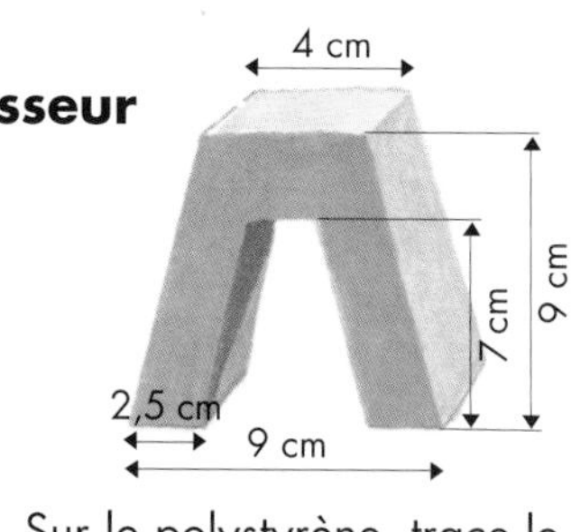

1 Sur le polystyrène, trace le support du moteur, puis découpe-le avec le couteau à dents.

2 Avec du papier de verre enroulé sur le bouchon, réalise l'empreinte en creux du moteur.

3 Dénude les fils et connecte-les au moteur. Puis fixe-le sur son support avec le ruban adhésif.

4 Fixe le moteur et son support à l'arrière de la barquette, avec des pointes.

SUR UN COUSSIN D'AIR

Le coussin d'air réduit le frottement de l'aéroglisseur avec la surface sur laquelle il se déplace. N'étant pas freiné par cette résistance, il va plus vite qu'un bateau. Sa jupe en caoutchouc lui permet de passer du sable à l'eau : il est amphibie.

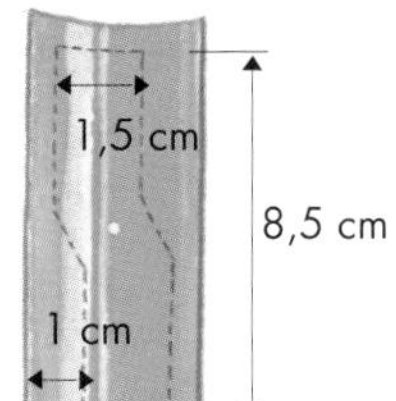

5 Découpe une hélice dans le corps de la bouteille. Perce-la avec une pointe de compas.

6 En forçant, introduis l'hélice sur l'axe du moteur. Puis branche le moteur à la pile.

Certaines tondeuses à gazon ou certains aspirateurs sont également portés par un coussin d'air. La lame ou la turbine jouent le rôle du ventilateur de l'aéroglisseur.

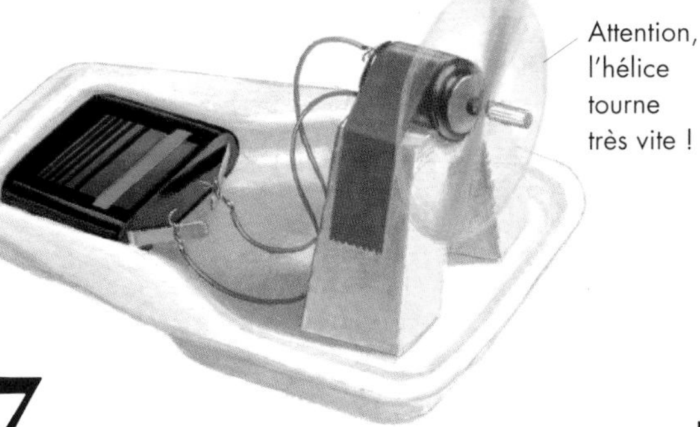

Attention, l'hélice tourne très vite !

7 Selon le branchement du moteur, l'hydroglisseur avance ou recule. Pour aller droit, le moteur doit se trouver dans l'axe du bateau.

Une course d'aéroglisseurs

 ★

Il te faut :
- 2 emballages de hamburger,
- 2 gobelets en plastique,
- un feutre et des ciseaux.

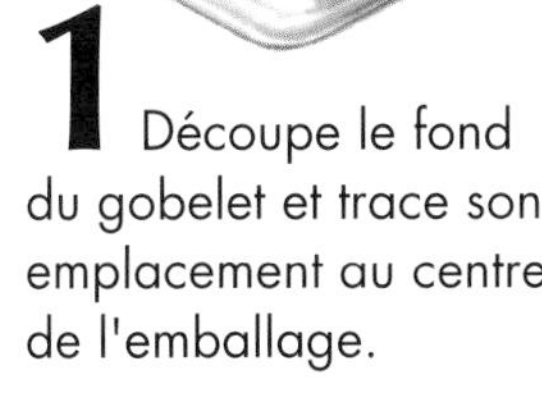

1 Découpe le fond du gobelet et trace son emplacement au centre de l'emballage.

2 Découpe l'emballage et place le gobelet.

3 En soufflant fort plusieurs fois, tu provoques un coussin d'air. Les engins sont prêts pour la course ! Mets-toi de préférence sur un carrelage lisse.

DES VÉHICULES À RÉACTION

Le principe d'action-réaction fait voler les avions et les fusées. Il fait aussi avancer les petits bateaux qui vont sur l'eau ! Voici des modèles de véhicules à réaction qui volent ou qui flottent.

Un bateau à bicarbonate

★★

Il te faut :
- un morceau de bois en forme de bateau,
- du ruban adhésif,
- un tube d'aspirine vide,
- une paille (un morceau de 2 cm),
- du vinaigre,
- du bicarbonate de soude,
- un mouchoir en papier,
- un couteau pointu.

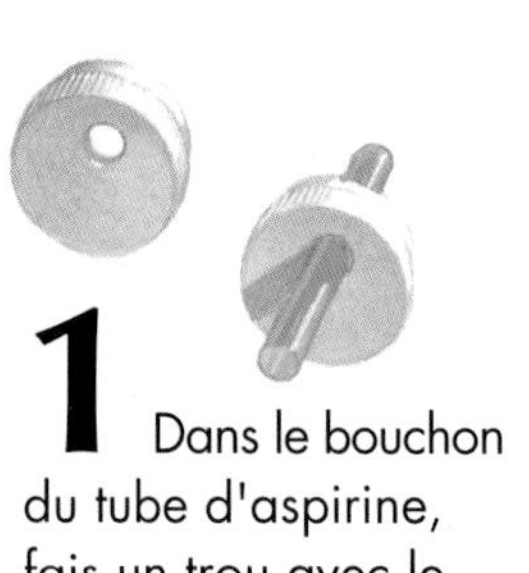

1 Dans le bouchon du tube d'aspirine, fais un trou avec le couteau ; installe la paille. Colmate autour de la paille avec de la colle.

2 Mets une cuillère à café de vinaigre dans le tube.

3 Dans le mouchoir en papier, verse trois ou quatre pincées de bicarbonate de soude et place le tout dans le tube.

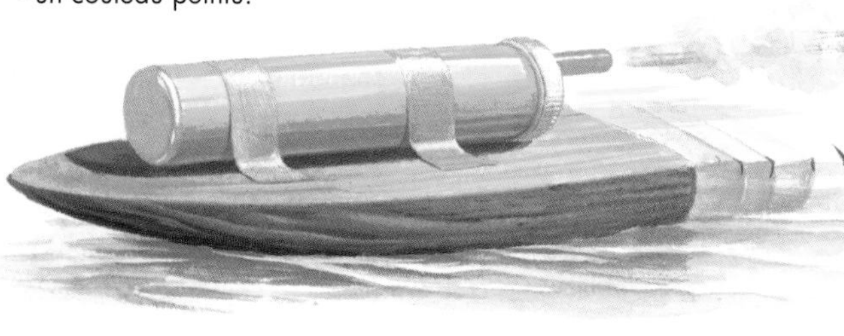

4 Fixe vite le tube bouché sur le morceau de bois à l'aide du ruban adhésif.
Du gaz s'échappe de l'arrière du tube (action) et le bateau avance (réaction).

Un avion à réaction

★★

Il te faut :
- un petit ballon de baudruche,
- une paille,
- une pince à documents,
- du ruban adhésif,
- 3 ou 4 m de ficelle.

1 Gonfle le ballon et ferme-le avec la pince.

2 Fixe la paille sur le ballon avec le ruban adhésif.

3 Tends bien la ficelle entre deux chaises, après l'avoir passée dans la paille fixée au ballon.

4 Ouvre la pince.
L'air s'échappe (action) et le ballon avance le long de la ficelle (réaction).

DE L'ACTION À LA RÉACTION

Un véhicule à réaction avance parce qu'il est propulsé par un jet de matière. Pour un avion, l'action est fournie par l'hélice qui rejette l'air vers l'arrière ou par le réacteur qui expulse des gaz chauds. Par réaction, l'avion avance.

Course de bateaux ★

Découpe deux bateaux en carton, fendus en leur milieu comme sur le dessin. Dépose une goutte d'huile dans le mince canal du premier bateau, et une goutte de liquide vaisselle dans l'autre. Les gouttes vont s'écouler vers l'arrière (action) et vont alors pousser le bateau en avant (réaction). Quel bateau va gagner la course ?

Le fauteuil de l'espace se déplace grâce à des jets d'air comprimé.

Les premières fusées ont été utilisées en Chine pour réaliser des feux d'artifice.

Le scooter des mers avance aussi par réaction.

Sous l'eau, la torpille avance grâce à une hélice, comme un avion dans l'air.

Déplace-toi par réaction

Chausse des patins à roulettes ou à glace, et munis-toi d'une brassée d'objets lourds (pierres, boules de pétanque, etc.). Une fois accroupi, lance vigoureusement devant toi les objets, les uns après les autres ; c'est l'action. Surprise, tu recules ! C'est la réaction.

DU RÊVE D'ICARE AU MIRAGE

Contes et légendes racontent le rêve longtemps inaccessible que firent les hommes : voler. Des machines furent dessinées puis construites. Bon nombre de pionniers furent victimes d'essais audacieux au décollage, en vol et à l'atterrissage.

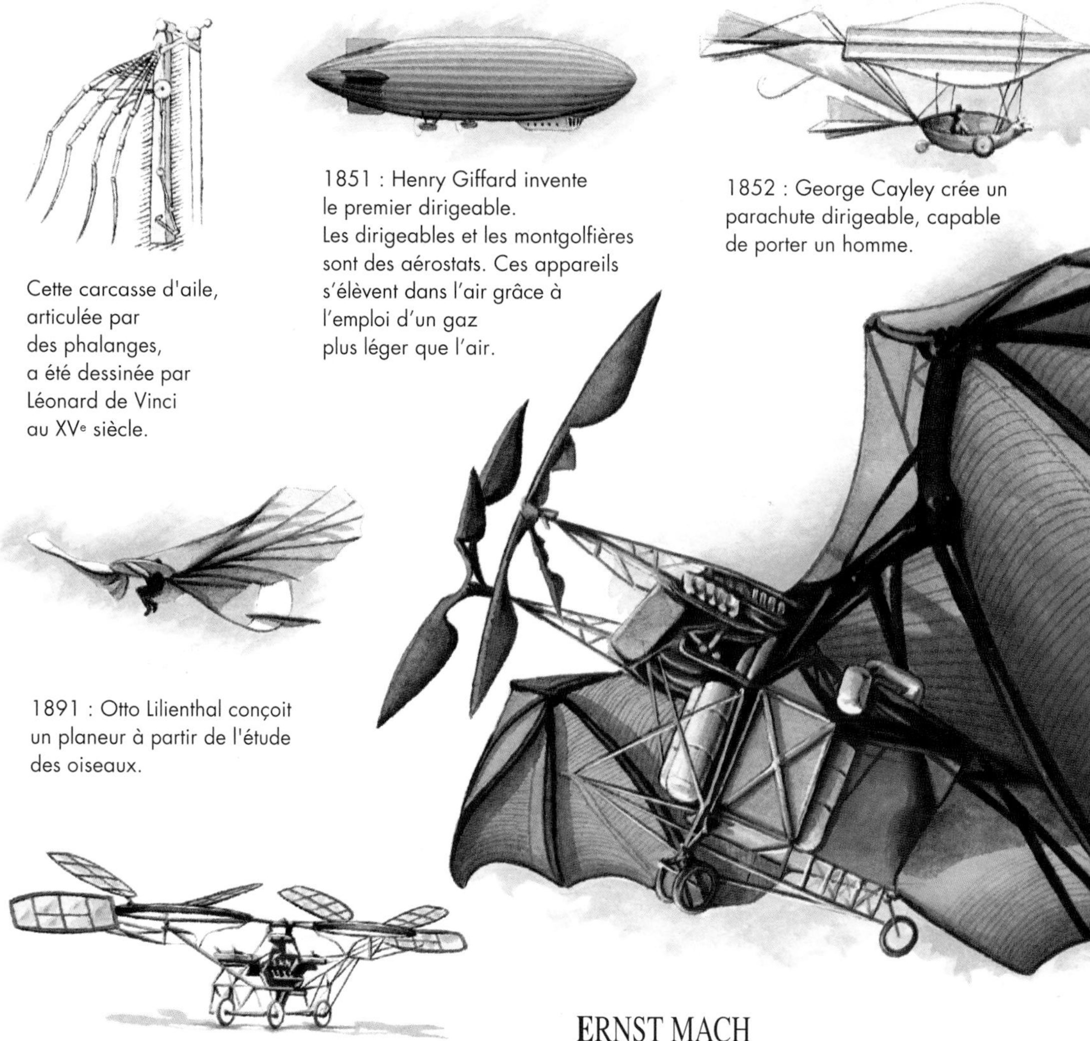

Cette carcasse d'aile, articulée par des phalanges, a été dessinée par Léonard de Vinci au XVe siècle.

1851 : Henry Giffard invente le premier dirigeable.
Les dirigeables et les montgolfières sont des aérostats. Ces appareils s'élèvent dans l'air grâce à l'emploi d'un gaz plus léger que l'air.

1852 : George Cayley crée un parachute dirigeable, capable de porter un homme.

1891 : Otto Lilienthal conçoit un planeur à partir de l'étude des oiseaux.

1906 : Paul Cornu construit le premier engin plus lourd que l'air à décollage vertical.

Le moteur à explosion permet à Louis Blériot de traverser la Manche en 1909, puis à Charles Lindbergh de franchir l'Atlantique en 1927.

ERNST MACH

Ce physicien autrichien a laissé son nom à la mesure des vitesses établies par rapport à celle du son dans l'air. Mach 1 est environ égal à 1 100 kilomètres par heure, à une altitude de 12 000 mètres. Lorsqu'un avion dépasse cette vitesse, il franchit le mur du son. Concorde dépasse Mach 2 et certains avions militaires frôlent Mach 5 à très haute altitude.

LE MYTHE D'ICARE

Selon la légende grecque, Icare s'évada par les airs du Labyrinthe du roi Minos. Mais il s'approcha trop du Soleil et la cire qui collait les plumes sur ses ailes fondit : Icare tomba dans la mer.

C'est Clément Ader, en 1890, qui donna le nom d' « avion » à une machine volante. C'était le premier appareil capable de décoller et de voler grâce à un moteur à vapeur.

1969 : l'avion supersonique Concorde dépasse la vitesse du son.

1981 : la navette spatiale Columbia décolle à la verticale comme une fusée, tourne sur orbite et atterrit comme un avion.

1985 : le F117A de l'armée de l'air américaine est invisible sur les écrans des radars.

DES AILES ADAPTÉES AU VOL

Les oiseaux et certains animaux volent grâce à leur musculature et à leur rythme cardiaque. La forme de leurs ailes dépend, comme pour les avions, de leur façon de voler.

Voilure simple, épaisse et robuste pour des vols à faible vitesse.

Ailes longues et étroites pour planer.

Ailes à géométrie variable pour atteindre les vitesses maximales.

Ailes robustes pour porter un avion ou un oiseau lourds.

DES CERFS-VOLANTS POUR LA PLAGE

Contrairement à l'avion qui avance dans l'air, le cerf-volant reste presque immobile par rapport à l'air en mouvement. Sa voilure, très inclinée, s'oppose à la force du vent.

Construis un cerf-volant

★★

Il te faut :
- une feuille de papier machine,
- du papier journal,
- du fil à coudre,
- du ruban adhésif.

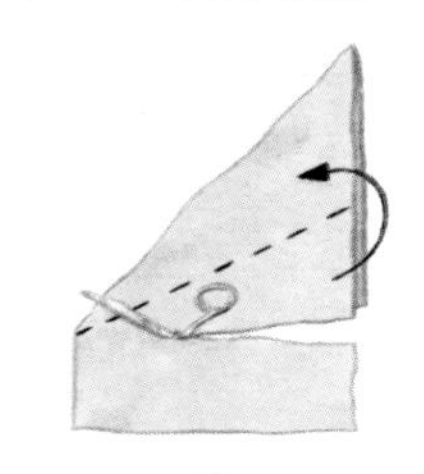

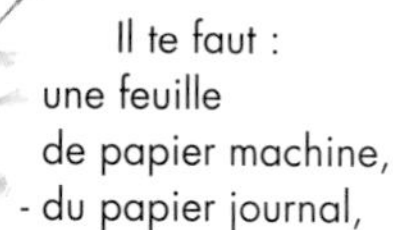

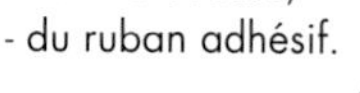

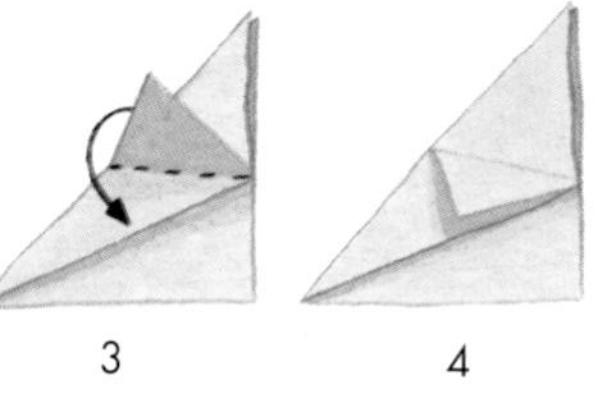

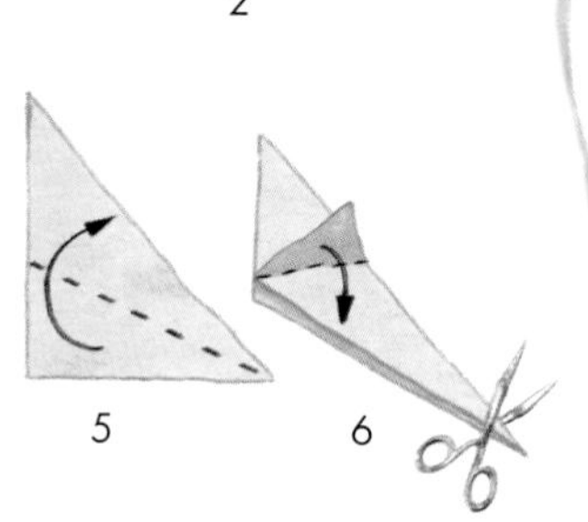

1 Plie la feuille de papier et coupe légèrement le nez.

bride

fil de retenue

2 Colle deux bandes de papier journal de 1 cm de large. Puis, dans les plis, fixe un fil de 50 cm. Attache le fil de retenue au milieu de cette bride.

UNE PRISE AU VENT

Pour être soulevée par le vent, l'aile du cerf-volant doit être inclinée. Le vent alors comprimé contre le cerf-volant est dévié vers le bas, ce qui provoque son ascension.

LE PREMIER OBJET VOLANT

Nés en Chine il y a plus de 2 000 ans, les cerfs-volants sont encore présents lors des fêtes religieuses. Très tôt, ils ont eu de multiples usages : jouets, surveillances militaires, études scientifiques ou techniques. Dès le XVIIIe siècle, ils servirent à mesurer les variations de température à différentes altitudes. C'est grâce au cerf-volant que Benjamin Franklin inventa le paratonnerre. Ils inspirèrent aussi les premières machines volantes et plus récemment les ailes delta.

Pour lancer le cerf-volant, il faut se mettre face au vent. S'il tournoie, rallonge la queue. S'il monte difficilement, raccourcis la queue.

Fais voler un hexagone dans le ciel

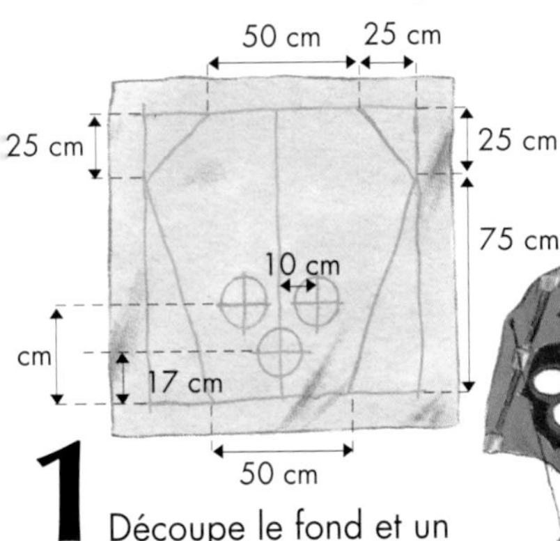

1 Découpe le fond et un côté du sac pour l'ouvrir. Puis trace le contour du cerf-volant et les trois centres des cercles.

2 Trace les trois cercles en te servant du saladier. Puis découpe le cerf-volant.

Il te faut :

- un saladier de 16 à 18 cm de diamètre,
- un sac poubelle de 50 litres,
- 2 tourillons de bois (5 mm de diamètre), de 90 cm,
- un petit anneau de rideau,
- du ruban adhésif résistant,
- de la ficelle de cuisine,
- 50 m de fil de pêche,
- un stylo à bille.

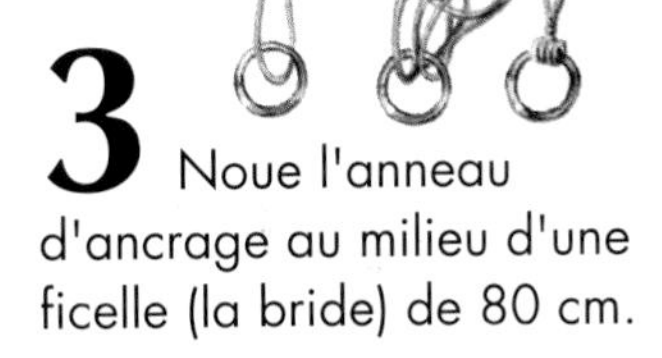

3 Noue l'anneau d'ancrage au milieu d'une ficelle (la bride) de 80 cm.

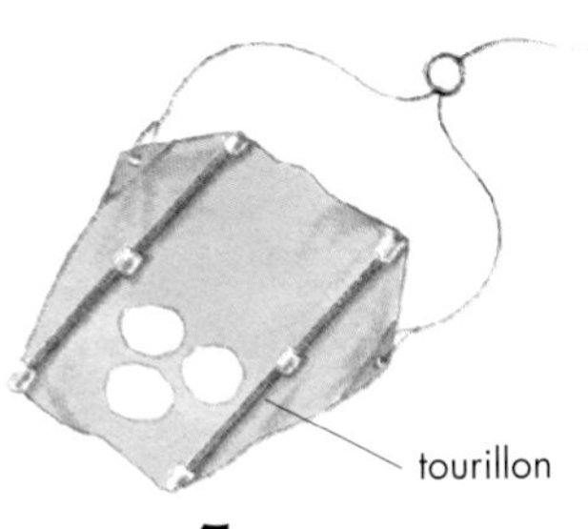

4 Pour fixer solidement les deux tourillons et la bride, utilise du ruban adhésif.

ATTENTION DANGER

La plage est l'endroit idéal pour faire voler un cerf-volant. D'une part, il y a beaucoup de vent, d'autre part, il n'y pas de lignes électriques. Il ne faut jamais faire des essais de vol près des lignes électriques : tu risques d'être électrocuté.

Selon le même principe que le cerf-volant dans l'air, le skieur nautique se maintient sur l'eau, tiré par une corde.

L'AIR PORTEUR

Grâce à la forme galbée de leurs ailes ou de leurs surfaces portantes, les oiseaux, les avions ou les boomerangs se maintiennent en l'air car ils sont aspirés en haut lorsqu'ils se déplacent.

Un planeur profilé

Il te faut :
- une feuille de papier machine,
- 2 pailles,
- du ruban adhésif,
- un trombone.

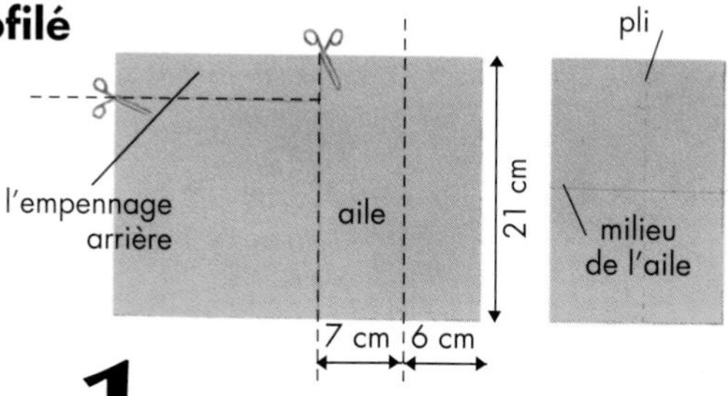

1 Trace puis découpe l'aile et l'empennage arrière du planeur. Plie l'aile en deux.

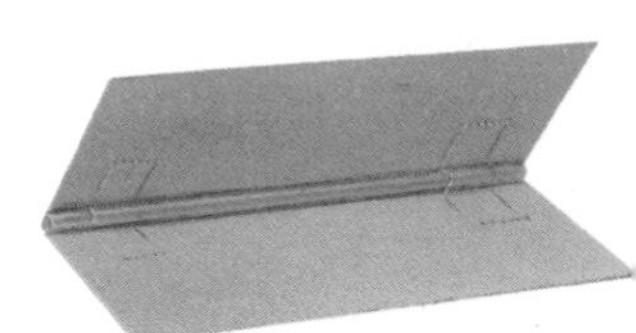

2 Fixe une paille dans le pli de l'aile, avec du ruban adhésif.

Quel souffle !

Avec une paille, souffle entre deux balles de ping-pong posées sur deux règles...

... les balles se rapprochent !

Souffle au-dessus d'une feuille de papier maintenue entre les doigts...

... la feuille se lève !

Souffle au-dessus du profil d'aile...

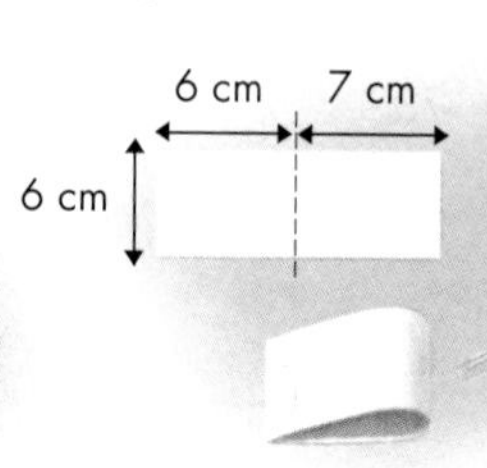

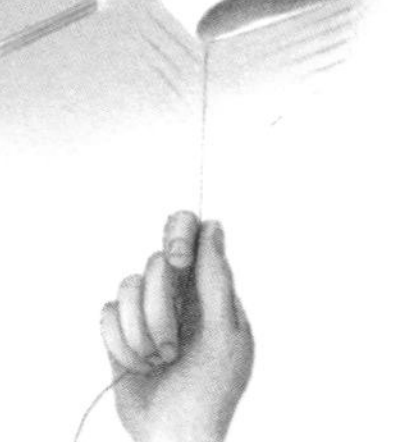

... l'aile monte le long du fil !

UN PROFIL QUI PORTE

Lorsque l'aile se déplace, l'air va plus vite au-dessus qu'au-dessous. L'air appuie alors plus fortement sous l'aile qu'au-dessus. C'est cette différence de pression qui fait que l'aile se soulève.

air rapide
aile
air lent

pression faible
aile
pression forte

Pour les engins volants, cette force de l'air s'appelle la portance. Elle équilibre le poids des avions, plus de 600 tonnes parfois, et les maintient en l'air.

3 Assemble l'aile sur l'autre paille, puis retourne l'avion.

4 Avec trois morceaux de ruban adhésif, donne le galbe de l'aile.

5 Plie en quatre l'empennage arrière.

6 Colle l'empennage à l'arrière de la paille.

7 Leste le planeur grâce à un trombone placé à l'avant.

Pour bien réussir... Vérifie que l'empennage est bien collé dans le même plan que l'aile.

PRESSION ET ASPIRATION

Par vent fort, une cheminée a un meilleur tirage car le souffle du vent amplifie l'aspiration.

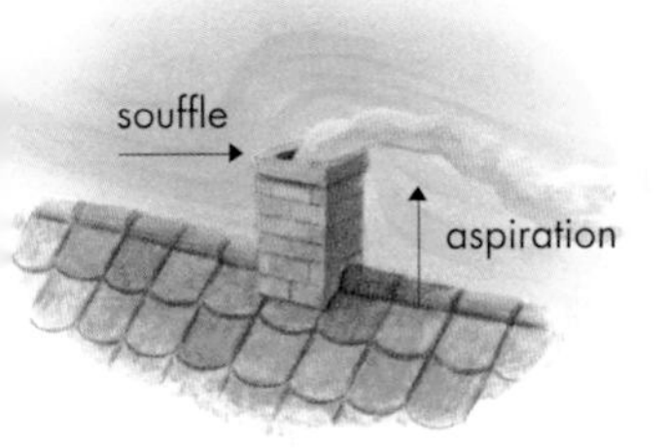

La fumée est aspirée dehors.

Les pulvérisateurs et les pistolets à peinture fonctionnent sur le même principe que la cheminée.

La peinture est aspirée quand on souffle.

Les pales des hélices du bateau ont un profil d'ailes.

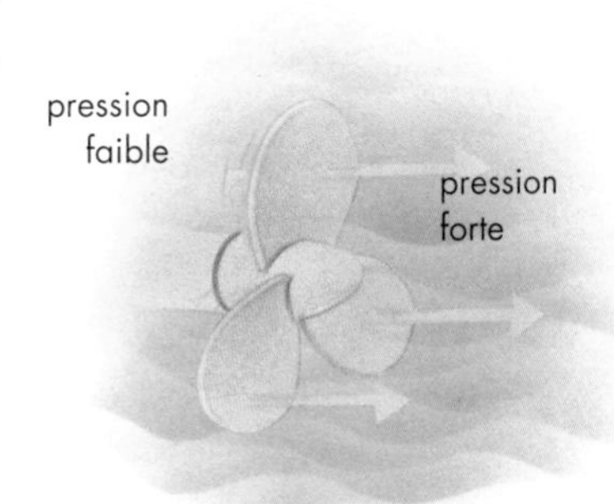

Quand les pales aspirent l'eau, le bateau avance.

TRIPALE ET BOOMERANG

Le tripale, sorte de rotor d'hélicoptère, et le boomerang sont simples à construire. La forme et la disposition particulières de leurs pales produisent des effets complexes de portance aérodynamique qui les font revenir vers le lanceur.

Construis un tripale

★★

Il te faut :
- des planchettes de bois de 2 à 5 mm d'épaisseur (tu peux en récupérer sur des cageots à fruits au marché ; choisis les plus lourdes) ; ou du carton gris épais,
- une petite scie (ou une lame de scie à métaux),
- une équerre,
- du papier de verre, gros et fin,
- de la colle à bois,
- des pinces à linge.

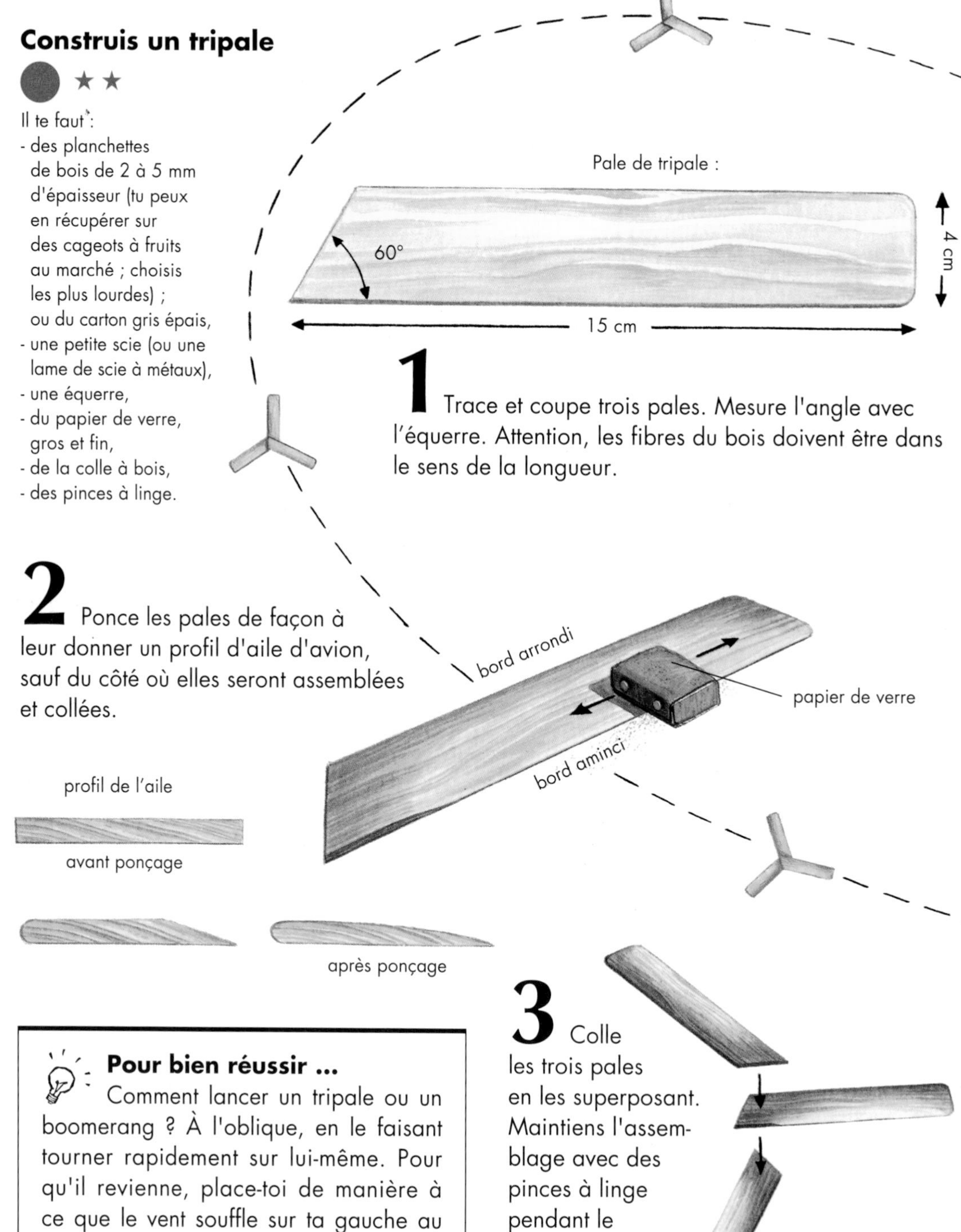

1 Trace et coupe trois pales. Mesure l'angle avec l'équerre. Attention, les fibres du bois doivent être dans le sens de la longueur.

2 Ponce les pales de façon à leur donner un profil d'aile d'avion, sauf du côté où elles seront assemblées et collées.

3 Colle les trois pales en les superposant. Maintiens l'assemblage avec des pinces à linge pendant le séchage.

> **Pour bien réussir ...**
> Comment lancer un tripale ou un boomerang ? À l'oblique, en le faisant tourner rapidement sur lui-même. Pour qu'il revienne, place-toi de manière à ce que le vent souffle sur ta gauche au moment où tu le lances.

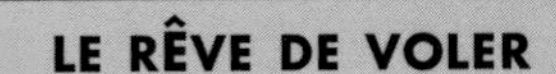

Le boomerang se construit sur le même principe, avec deux pales collées à angle droit.

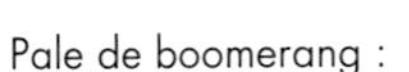

Pale de boomerang :

côté collé pour un boomerang de droitier.

Attention, si tu es gaucher, permute les deux extrémités.

LE « BÂTON QUI VOLE »

Inventé par les aborigènes australiens, le boomerang était utilisé pour la chasse. Par sa trajectoire bizarre et son léger bruit en vol, il servait à effrayer les oiseaux. Le chasseur dirigeait ainsi ses proies vers des pièges (filets, lianes...). De nos jours, le lancer de boomerang est devenu un jeu d'adresse et un sport de compétition.

COMMENT SE DÉPLACENT LES TRIPALES ET LES BOOMERANG ?

Tout comme une aile d'avion, plus une pale va vite, plus elle porte. Le tripale tournant sur lui-même, les pales avancent plus vite dans l'air et se soulèvent avec plus de force lorsqu'elles sont dans le demi-tour aller. C'est pourquoi le tripale vire à gauche en s'inclinant comme un avion et revient.

N'essaye pas de rattraper le tripale au vol, tu risques de te faire mal.

DES AILES QUI TOURNENT

Spécialiste des vols stationnaires, des décollages et des atterrissages à la verticale, les hélicoptères sont indispensables pour déplacer des charges et pour porter secours dans les endroits les plus inaccessibles.

Une aile spirale

Il te faut :
- une feuille de bristol quadrillé,
- 2 trombones,
- une bobine de fil vide,
- de la colle forte,
- des ciseaux.

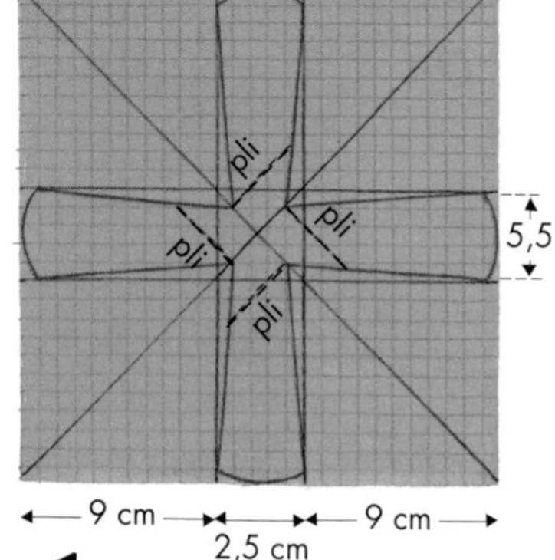

1 Trace les quatre ailes comme sur le dessin, puis découpe-les.

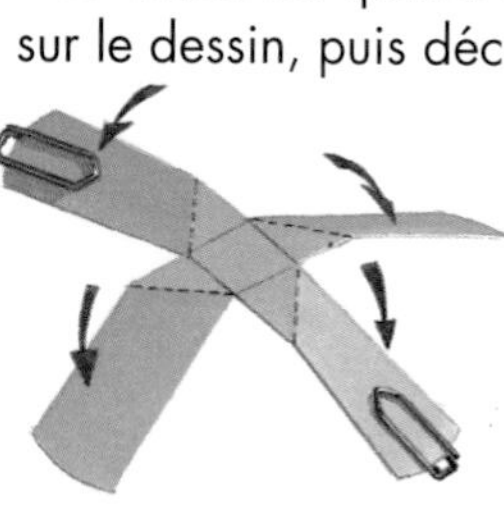

2 Plie-les légèrement et fixe les deux trombones.

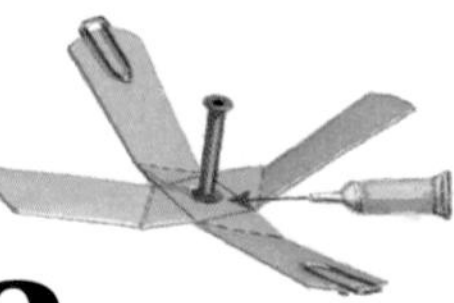

3 Colle la bobine au centre.

4 D'un mouvement de doigt rapide, lance l'aile spirale.

Des hélices naturelles

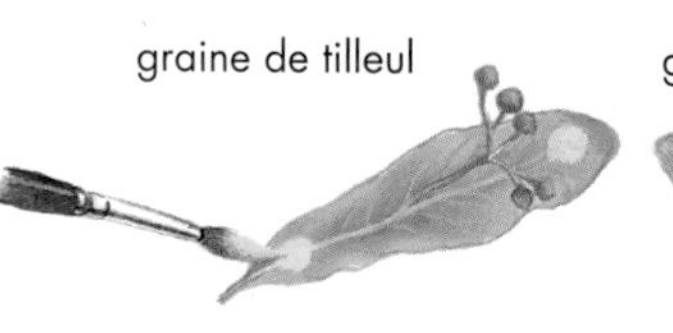

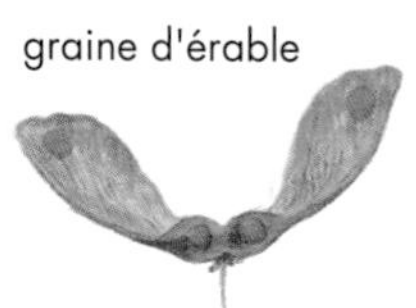

Fais deux taches de peinture sur des graines d'érable ou de tilleul...

... et découvre de superbes spirales.

SUSPENDU PAR SES PALES TOURNANTES

Les longues et fines pales de l'hélicoptère ont un profil d'aile d'avion. Mises en mouvement par un puissant moteur, elles se vissent et aspirent l'hélicoptère vers le haut. Il leur doit son nom qui signifie « aile spirale ».

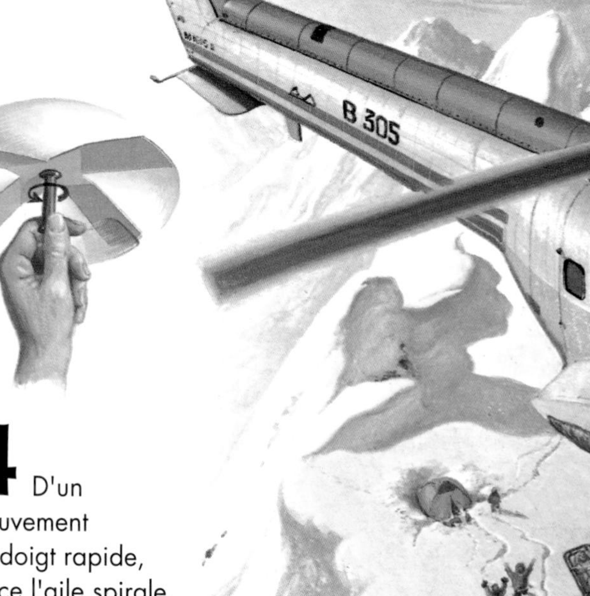

DES PALES TRÈS MANIABLES

pales inclinées pour que l'hélicoptère se déplace

pales horizontales pour un vol stationnaire

pales basculées vers l'avant pour avancer

pales basculées vers l'arrière pour reculer

POUR NE PAS TOURNER !

Sans une hélice de queue verticale, l'hélicoptère tournerait sur lui-même, dans le sens contraire des pales. Sur certains appareils, cet effet est rendu impossible grâce à deux hélices horizontales qui tournent en sens contraire.

Un hélicoptère en papier

Il te faut :
- une feuille de papier machine,
- un trombone,
- des ciseaux.

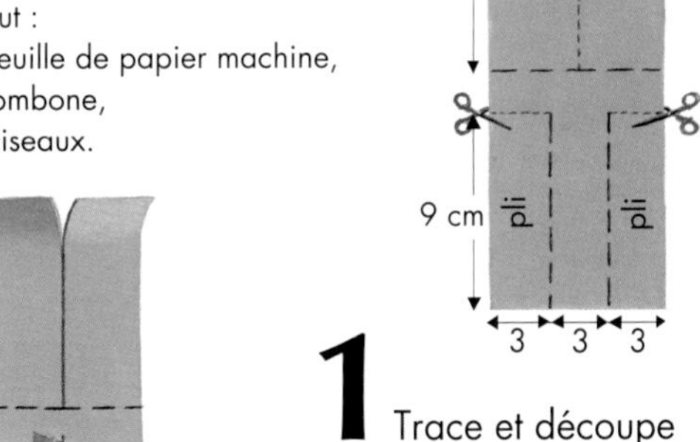

1 Trace et découpe la figure ci-dessus.

2 Plie la feuille.

3 Fixe un trombone, puis plie les bandes pour former les pales. Lancé en l'air, ton hélicoptère descend en tournant.

DE L'AUTOGIRE À L'HÉLICOPTÈRE

L'idée d'aile tournoyante a inspiré beaucoup d'inventions. Vers 1920, Juan de la Cierva offrit tous les espoirs avec son autogire, un avion sans aile muni de pales tournantes. En 1930, on pensait même réaliser ainsi la voiture volante de tout le monde ! Et c'est en 1937 que les hélicoptères stables et dirigeables de Heinrich Focke et de Anton Flettner détrônèrent l'autogire.

LE TEMPS S'ÉCOULE

Comment mesurait-on le temps la nuit, avant l'invention des horloges ? L'écoulement du sable ou de l'eau offre une solution : à partir de ce principe furent réalisés clepsydres et sabliers.

LES HORLOGES À HUILE ET À CHANDELLE

Au fil du temps, le réservoir d'huile se vide : ses graduations permettent de lire l'heure. De même, la bougie de cire s'amenuise en brûlant. Régulièrement, les perles tombent et sonnent le temps. Mais attention aux courants d'air !

HORLOGE À EAU, PUIS À SABLE

Le niveau d'eau d'un grand vase percé permettait aux pharaons égyptiens de savoir l'heure la nuit. Ces clepsydres, ou horloges à eau, ont été utilisées jusqu'à la fin du Moyen Âge. Le sable a ensuite remplacé l'eau, avant que les vases ne soient remplacés par des sabliers.

Une clepsydre à cadran

Il te faut :
- 3 bouteilles d'eau,
- 2 planchettes (5 x 45 cm),
- du ruban adhésif résistant,
- une aiguille à tricoter (n° 4),
- un bouchon en liège,
- un couvercle de boîte à fromage pour le cadran,
- 3 punaises,
- 2 forets (Ø 5 et 3 mm),
- de la ficelle de cuisine,
- un morceau de polystyrène expansé,
- un crochet à vis,
- 2 gros écrous,
- un petit écrou,
- un trombone.

1 Coupe le goulot de deux bouteilles. Réalise une entaille sur le goulot de la troisième.

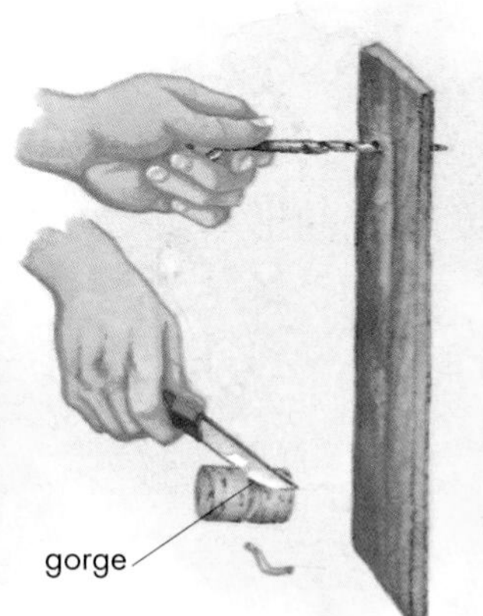

2 Perce les planchettes, le couvercle et le bouchon. Creuse une petite gorge dans le bouchon.

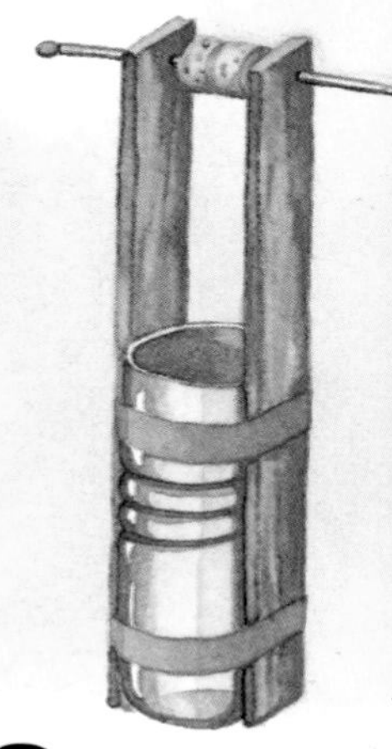

3 Fixe, à l'aide du ruban adhésif, les deux planchettes sur la bouteille. Enfile l'aiguille à tricoter dans le bouchon.

Un chronomètre

Il te faut :
- 2 petits pots avec couvercle à vis,
- de la colle néoprène,
- une paille,
- un foret (Ø 3 mm).

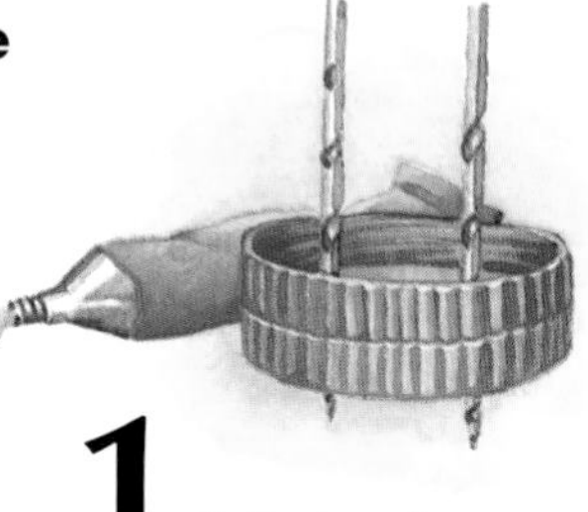

1 Colle les deux couvercles et perce deux petits trous.

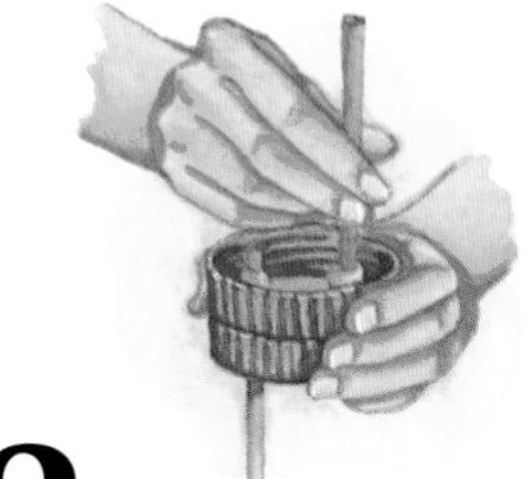

2 Introduis et fixe deux morceaux de paille.

3 Remplis d'eau. Visse les pots. Top chrono !

Un sablier

Il te faut :
- 2 petites bouteilles avec bouchon à vis,
- du ruban adhésif,
- un foret (Ø 3 mm),
- du sable fin (ou du sel fin).

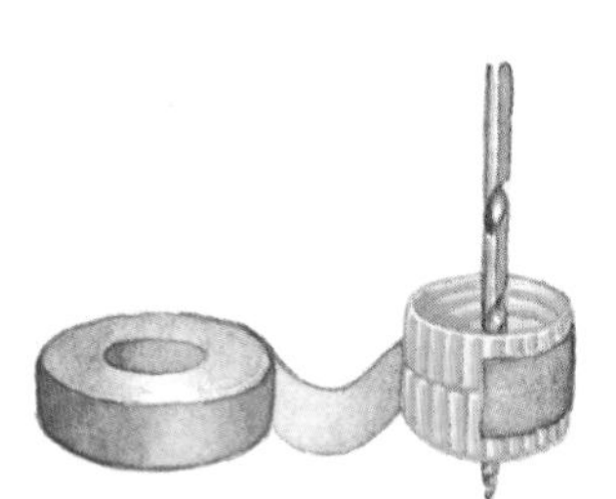

1 Assemble les bouchons avec du ruban adhésif et perce un trou.

2 Verse du sable fin dans l'une des bouteilles.

3 Visse les bouteilles sur les bouchons. Selon la quantité de sable, tu mesureras 1, 2 ou 3 minutes.

4 Fixe le cadran avec deux punaises. Déplie le trombone et fixe-le à l'aide du ruban adhésif.

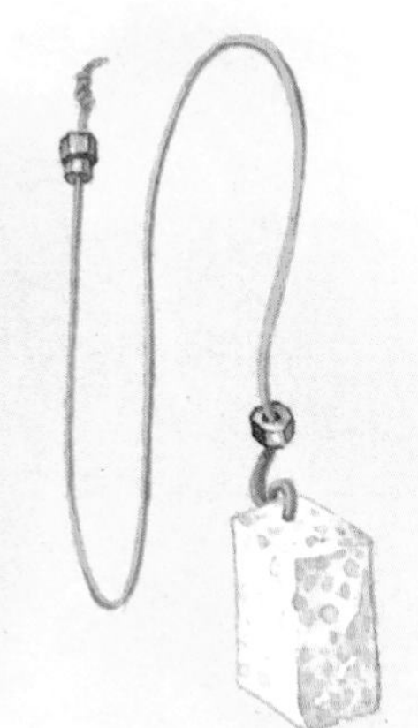

5 À un bout de la ficelle, fixe le morceau de polystyrène et un écrou. À l'autre, enfile les écrous.

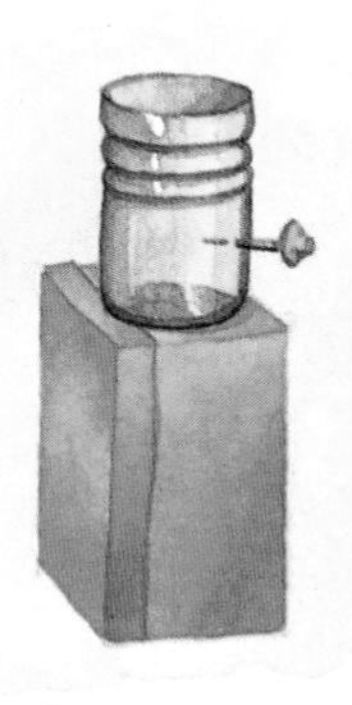

6 Avec une punaise, perce la bouteille. Puis place le fil dans la gorge du bouchon.

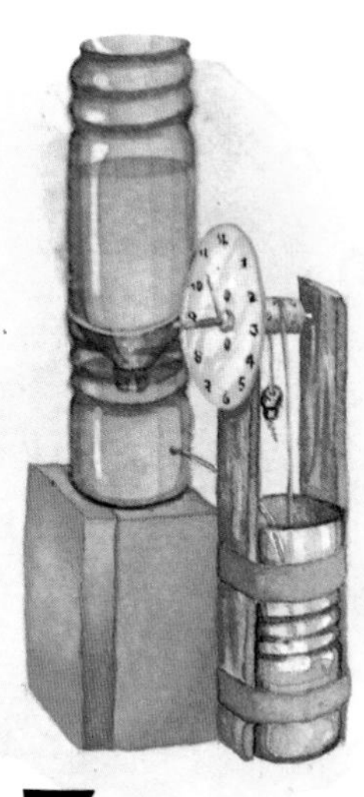

7 Remplis la bouteille et retourne-la. En s'écoulant, l'eau fait monter le flotteur, l'aiguille tourne et indique le temps.

TIC TAC, TIC TAC...

Au Moyen Âge, le clocher donnait l'heure et ponctuait la journée. Au siècle dernier, le train a fait adopter la minute par tout le monde. Aujourd'hui, l'exactitude des instruments de mesure permet d'enregistrer les records au centième de seconde.

L'heure en cadeau !

Il te faut :
- des mécanismes récupérés sur des pendules,
- du papier cadeau, du ruban, du bristol,
- de la colle,
- une boîte à fromage.

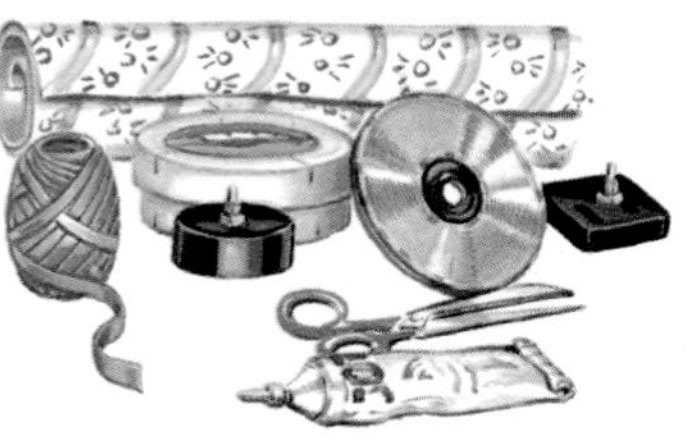

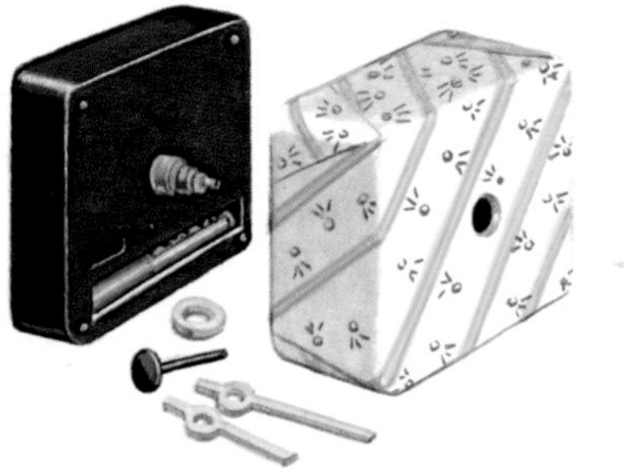

1 Perce un trou dans la boîte à fromage, puis visse le mécanisme sur ce support.

2 Décore les aiguilles en collant des rubans ou des dessins découpés dans du bristol.

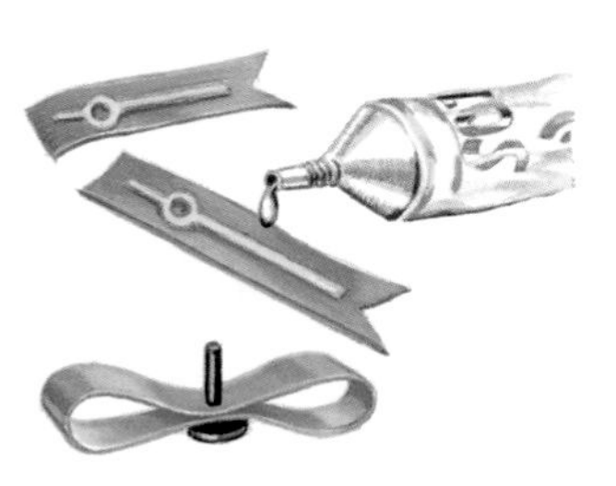

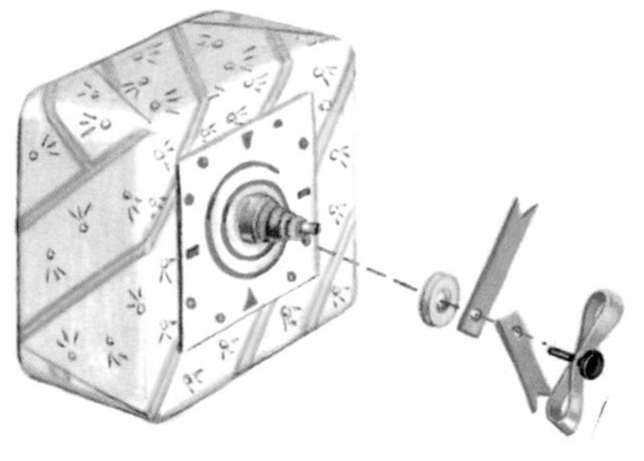

3 Monte les aiguilles sur le mécanisme.

L'HEURE EN COULEURS

En 1980, deux ingénieurs suisses, Elmar Mock et Jacques Muller, mettent au point la première montre en matière plastique. Pour diminuer les coûts de production, elle est fabriquée par des robots et le nombre de pièces est réduit.

Décore à ton idée

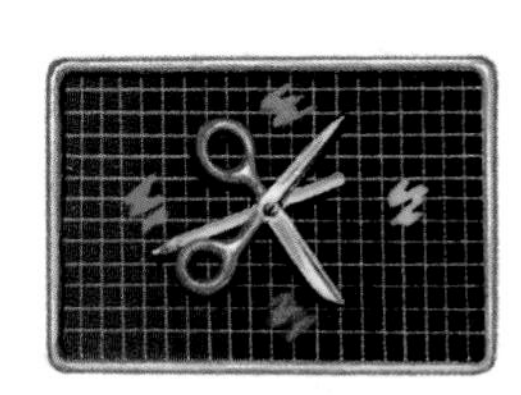

En utilisant une boîte à fromage, une ardoise, un disque laser, tu obtiendras l'heure tennis, l'heure école ou l'heure laser.

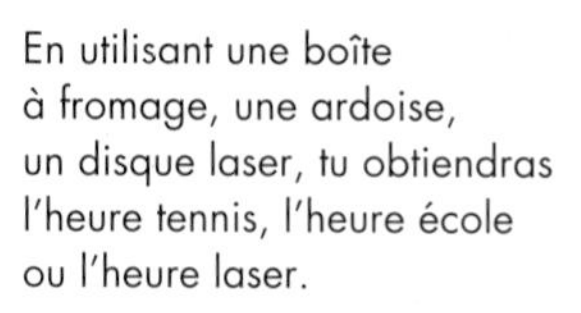

Pour bien réussir...
L'aiguille des heures est plus petite que celle des minutes.

Découvre les secrets du pendule

Réalise un pendule en fixant un poids (un taille-crayon par exemple) à l'extrémité d'un fil.

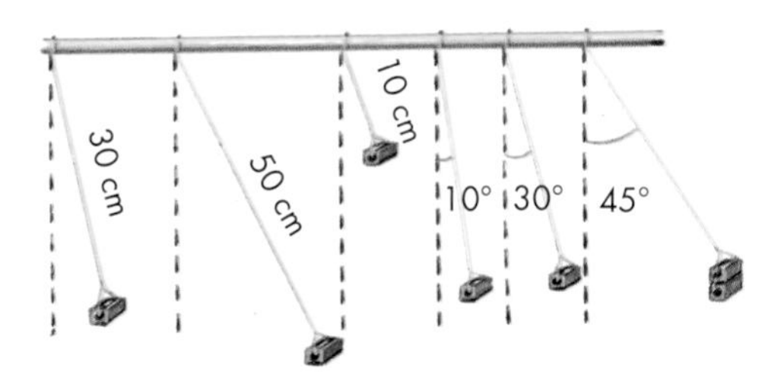

Fais des essais : écarte plus ou moins le pendule, modifie la longueur du fil et fais varier le poids. Pour chacun, chronomètre 10 allers-retours et compare. Tu découvriras que la durée des battements ne dépend que de la longueur du fil.

MONTRES MÉCANIQUES OU ÉLECTRONIQUES

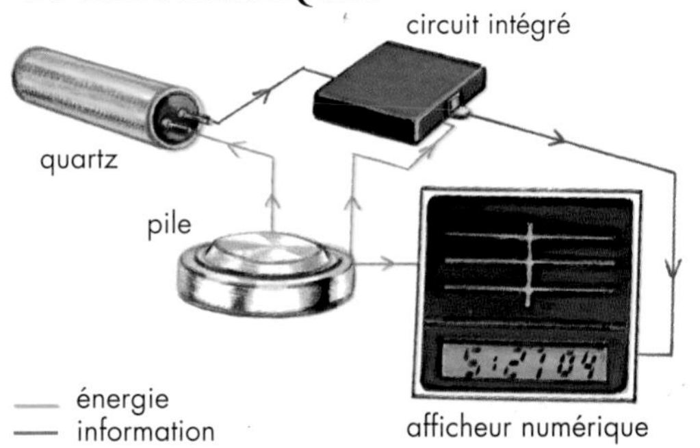

Horloges, montres, pendules… fonctionnent toutes sur le même principe. Elles ont besoin d'énergie (poids, ressort ou pile), sont réglées sur une unité de temps (balancier ou quartz), comptent les battements (roues dentées ou circuit intégré) et indiquent l'heure (aiguilles ou afficheur numérique).

AU CŒUR DES HORLOGES D'ANTAN

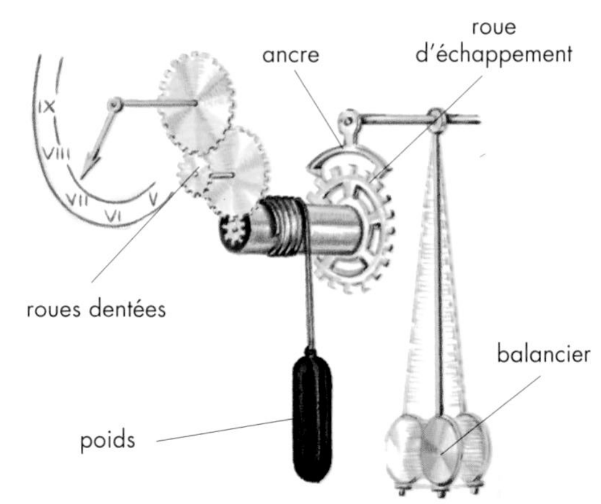

Le poids fait tourner la roue d'échappement et, à sa suite, les engrenages et les aiguilles. Grâce au balancier, l'ancre bascule, libère régulièrement une dent et règle ainsi le mouvement de l'horloge. En 1675, Christiaan, Huygens (1629-1695), physicien hollandais, inventa un balancier plat qui permit la réalisation des premières montres.

DES MILLIONS DE VIBRATIONS

Le quartz est un cristal qui vibre lorsqu'il est placé dans un circuit électrique. Ses 4 millions de vibrations par seconde sont comptées par le circuit électronique qui, chaque seconde, envoie un signal au moteur des aiguilles ou à l'afficheur numérique.

quartz
afficheur numérique
circuit intégré
pile

UN CADRAN À L'HEURE SOLAIRE

L'ombre d'un objet change de place quand la source lumineuse qui l'éclaire se déplace. À partir de cette observation, les hommes ont appris à mesurer le temps. Ils ont construit les premiers cadrans solaires. Veux-tu les imiter ?

Le plus simple

Plante un piquet dans le sol. Toutes les heures, place un caillou à l'extrémité de son ombre. Truc pour bien réussir : choisis un endroit ensoleillé toute la journée !

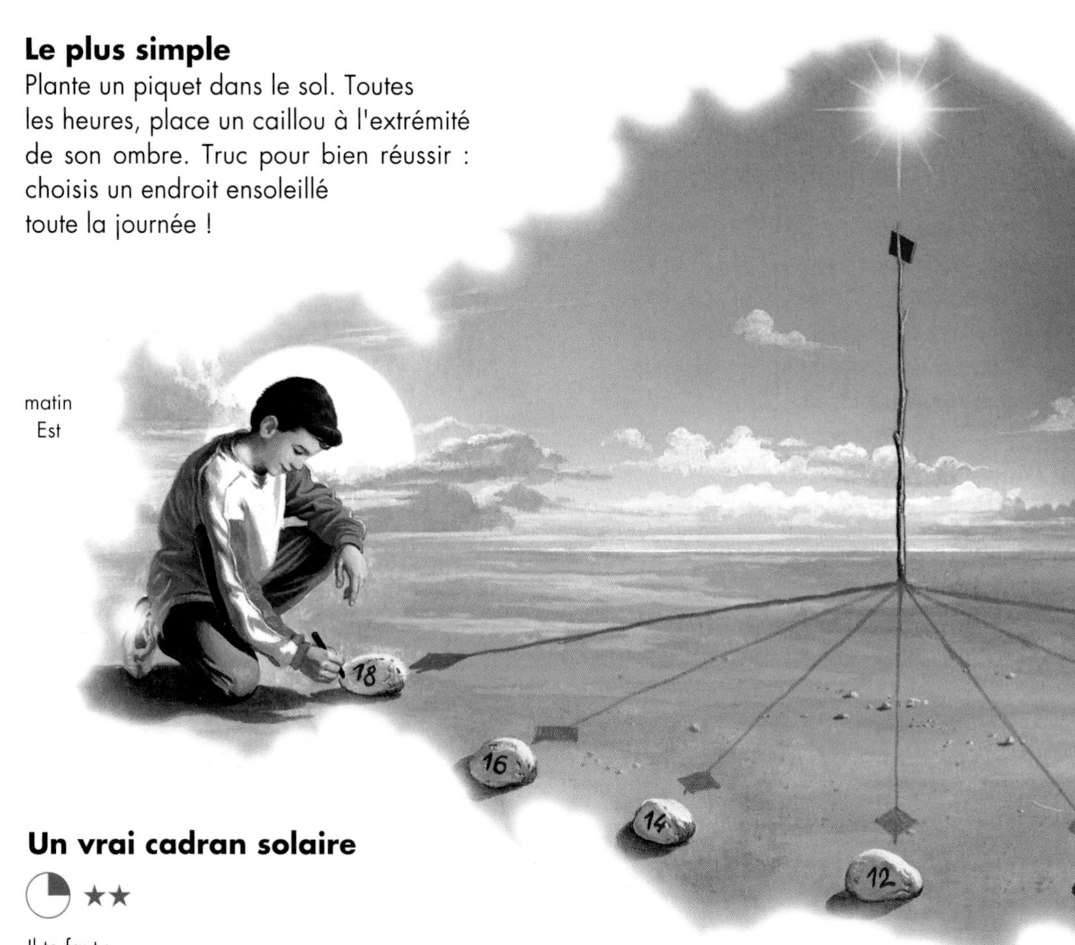

Un vrai cadran solaire

★★

Il te faut :
- une feuille de carton rigide (25 x 25 cm),
- une feuille de papier blanc (25 x 25 cm),
- de la colle forte, une paire de ciseaux,
- du ruban adhésif, un compas, un rapporteur,
- un crayon, une paille articulée,
- 2 attaches plates.

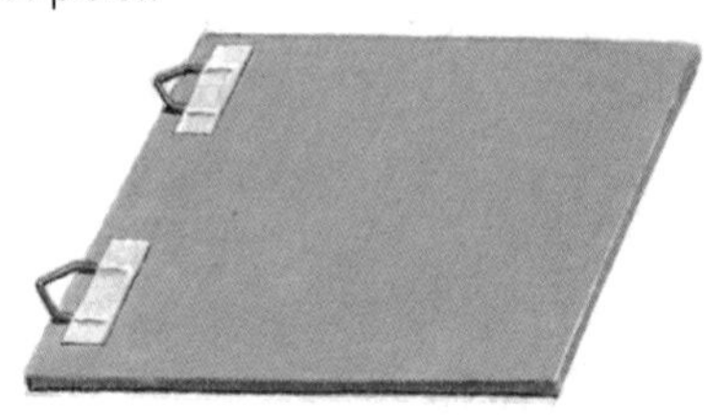

1 Sur l'envers du carton, fixe les deux attaches plates avec du ruban adhésif.

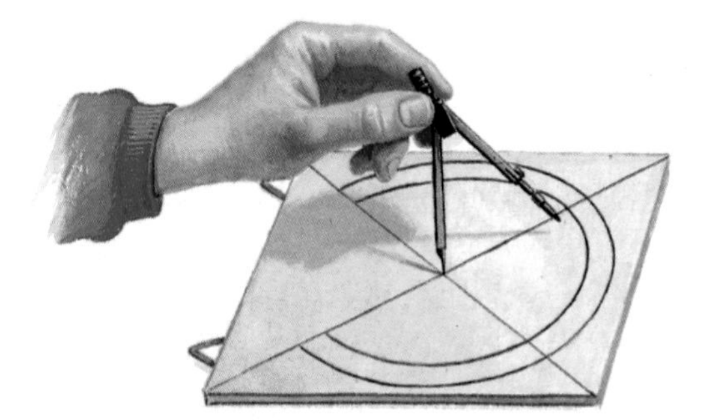

2 Sur l'endroit, colle la feuille blanche. Puis trace deux arcs de cercle de 10,5 cm et 12 cm de rayon, comme sur le dessin.

MESURER LA HAUTEUR D'UN ARBRE

Un bâton de 1 mètre planté verticalement projette une ombre de 2 mètres. Si l'ombre d'un arbre mesure 12 mètres, la hauteur de cet arbre est donc de 6 mètres. Prenons un autre arbre qui aurait la même ombre alors que celle du bâton serait de 1,5 mètre. Quelle serait la hauteur de l'arbre ?

Réponse p. 186

LE CADRAN SOLAIRE

L'ombre du style (c'est-à-dire de la paille de ton cadran solaire) se déplace et indique ainsi l'heure solaire ou heure vraie. En France, l'heure légale est différente de l'heure solaire : pour l'obtenir, ajoute une heure en hiver, et deux heures en été, à celle indiquée par ton cadran. Il y a 4 000 ans, les Babyloniens utilisaient déjà des cadrans solaires.

3 Raccourcis la paille, puis ouvre-la comme ci-dessus.

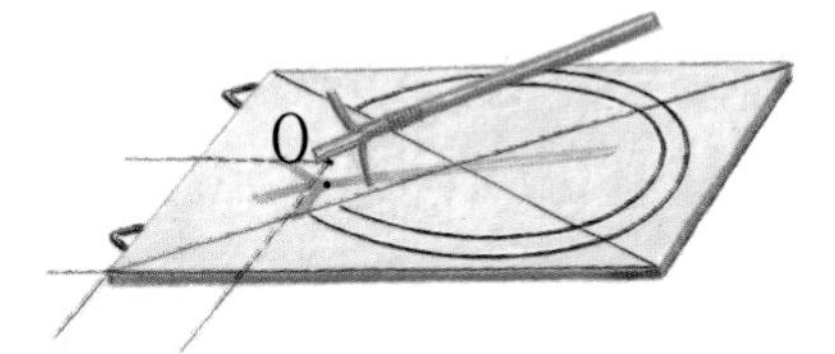

4 Colle la base de la paille au point O, comme indiqué sur le dessin.

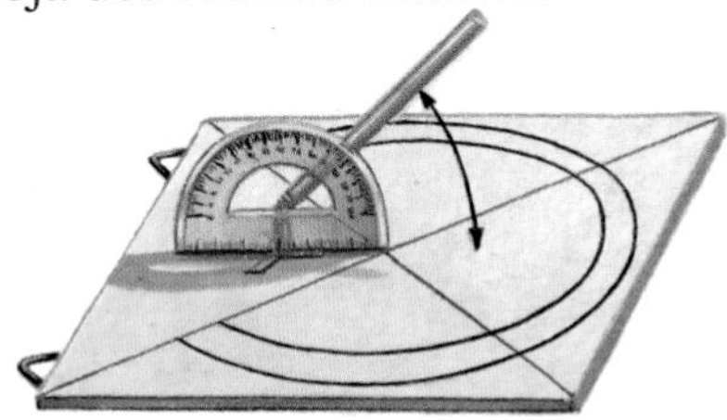

5 À l'aide de ton rapporteur, incline la paille à 45° environ.

6 Suspends ton cadran face au Sud et, toutes les heures, note la position de l'ombre. Décroche ton cadran et décore-le à ton goût. À chaque fois qu'il y aura du soleil, tu pourras lire l'heure sur ton cadran solaire.

Relever la température dehors à l'ombre, c'est un bon début pour jouer les apprentis météorologues. La fabrication de ces instruments te permettra de compléter ta station météo.

Le baromètre

Il te faut :
- un rectangle de carton épais,
- un verre,
- un ballon de baudruche,
- un élastique,
- une paille,
- une aiguille à tricoter,
- un bouchon de liège,
- du bristol,
- de la colle,
- du fil.

1 Sur le verre, tends le ballon et maintiens-le avec l'élastique.

2 Attache un morceau de bouchon passé dans l'extrémité de la paille avec un fil. Puis colle-le au milieu du ballon.

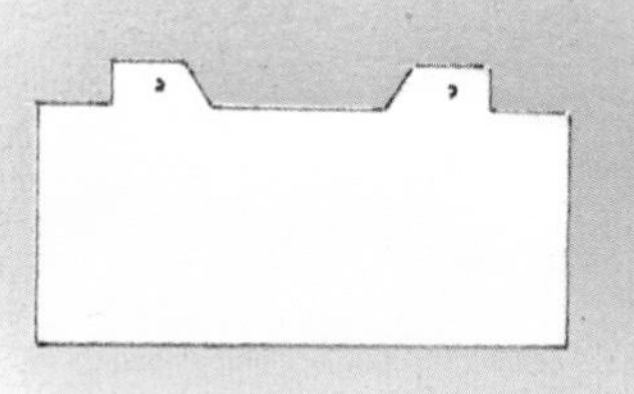

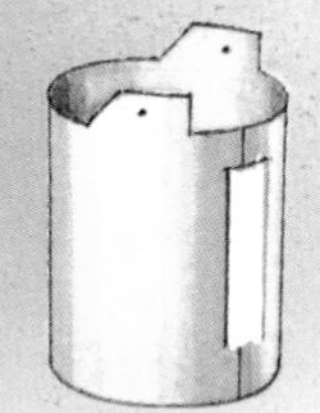

3 Découpe le bristol, puis avec du ruban adhésif, fixe-le autour du verre.

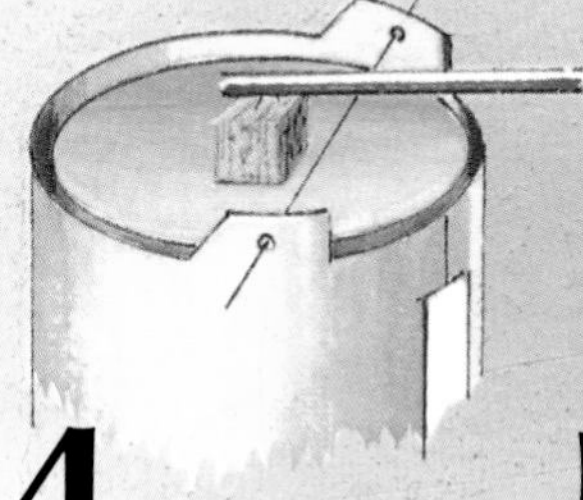

4 Enfile l'aiguille : elle sert d'appui à la paille.

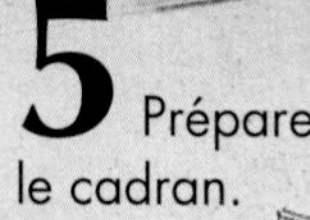

5 Prépare le cadran.

Pour bien réussir...
Place le baromètre dans un endroit où la température est constante.

6 Monte ton baromètre. Quand la pression atmosphérique augmente, elle appuie sur la membrane, la paille monte. Quand la pression diminue, l'air contenu dans le pot pousse le caoutchouc vers le haut et la paille descend.

UN BAROMÈTRE NATUREL : LA POMME DE PIN

Ses écailles s'ouvrent : l'air est sec. Il va faire beau ! Elles se resserrent, il fait humide. Voilà la pluie !

Un hygromètre à cheveux

Il te faut :
- une planchette de bois,
- 2 clous et un marteau,
- une attache murale,
- un bouton et 2 perles,
- un long cheveu,
- une bobine évidée (ou une poulie),
- du carton.

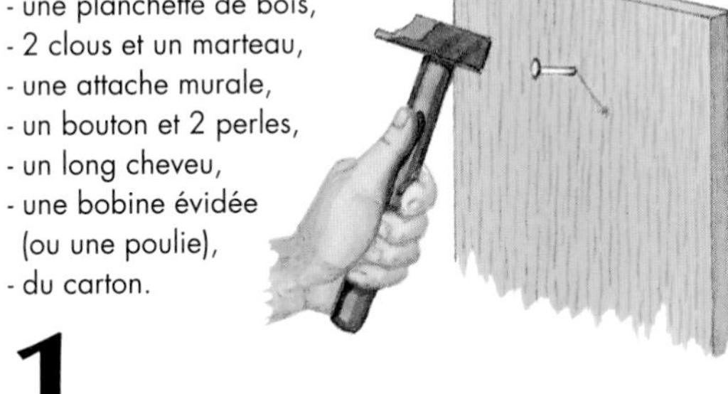

1 Fixe un clou en haut, au milieu de la planchette. Sur l'envers, place l'attache.

L'HYGROMÈTRE

Pour savoir s'il va pleuvoir, il faut détecter la quantité d'humidité contenue dans l'air. Or, les cheveux ont la propriété de s'allonger quand l'air est humide et de se rétracter quand il s'assèche.

LE PLUVIOMÈTRE

Placé dehors, il sert à mesurer la quantité de pluie tombée en une journée.

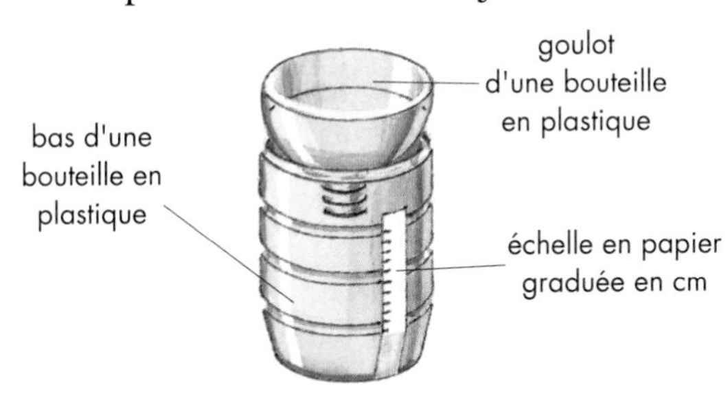

LA GIROUETTE

Au sommet d'une tour ou d'un clocher, elle indique la direction du vent.

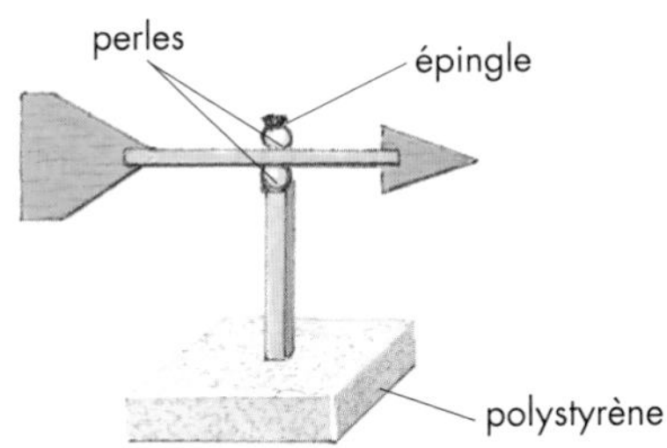

2 Noue le cheveu au clou et leste-le avec le bouton.

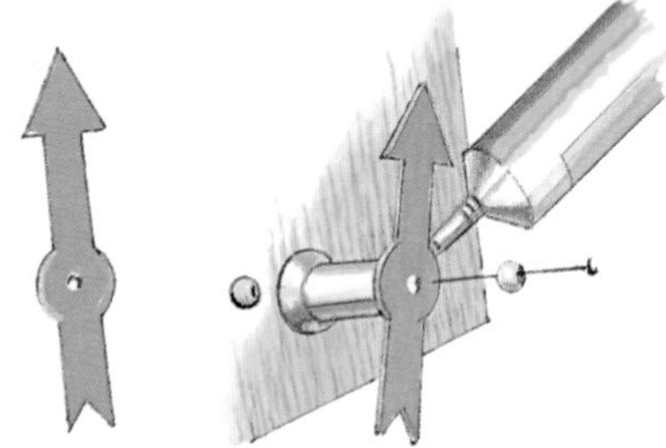

3 Coupe une flèche en carton. Fixe le second clou en bas, après avoir enfilé une perle, la bobine, la flèche et l'autre perle.

4 Enroule le cheveu autour de la bobine.

5 Place ton hygromètre dans un lieu humide (cuisine, salle de bains), marque la position de l'aiguille en dessinant un nuage. Place-le au-dessus d'un radiateur, l'aiguille prend une autre position : dessine un soleil.

LA FORCE DU VENT

Le vent résulte du déplacement des masses d'air dans l'atmosphère. Sa vitesse s'évalue avec un appareil nommé anémomètre.

Construis un anémomètre

★★

Il te faut :
- 2 carrés de carton de 15 cm de côté,
- une grande barquette à viande (en polystyrène),
- une aiguille à tricoter (n° 3 ou 3¹/₂),
- une pointe de 6 cm,
- un corps de stylo à bille,
- du ruban adhésif,
- de la colle en bâton,
- un compas,
- un feutre,
- 4 pinces à linge.

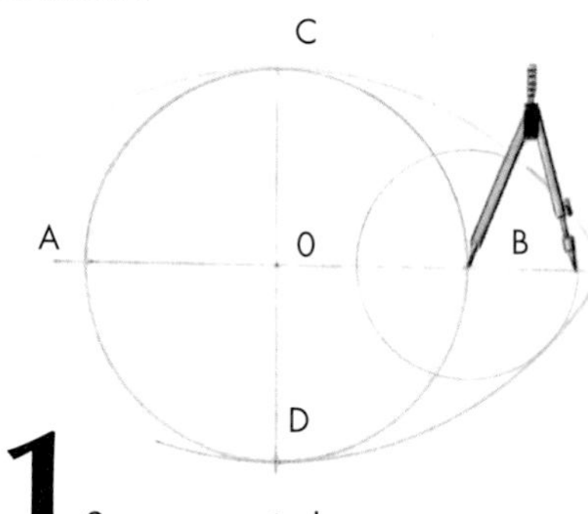

1 Sur un carré de carton, trace la figure ci-dessus : un cercle de 4,5 cm de rayon, ses diamètres AB et CD, les arcs de cercle de centre C puis D, le cercle de centre B.

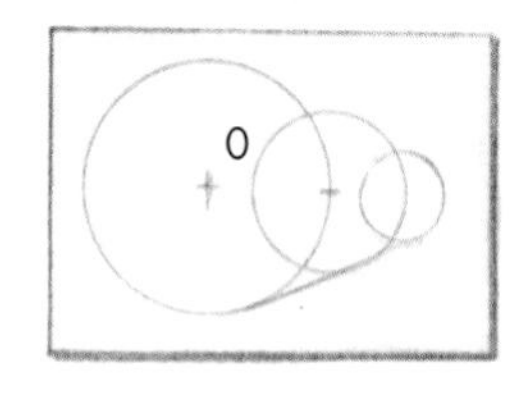

2 Trace la forme de l'avion comme sur le dessin.

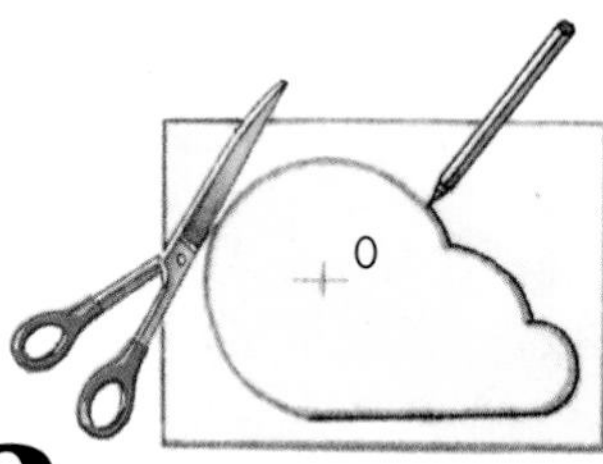

3 Découpe la forme. Avec un feutre, reporte son contour sur le second carton et la barquette. Puis découpe-les.

MESURE LA FORCE DU VENT

En 1805, Francis Beaufort, capitaine de frégate dans la marine, a conçu une échelle de mesure de la force du vent, encore utilisée aujourd'hui : c'est l'échelle de Beaufort. Il a choisi une échelle à treize divisions, graduée de 0 à 12. Cette échelle donne la force du vent pour une hauteur standard de 10 mètres au-dessus d'un terrain plat et découvert.

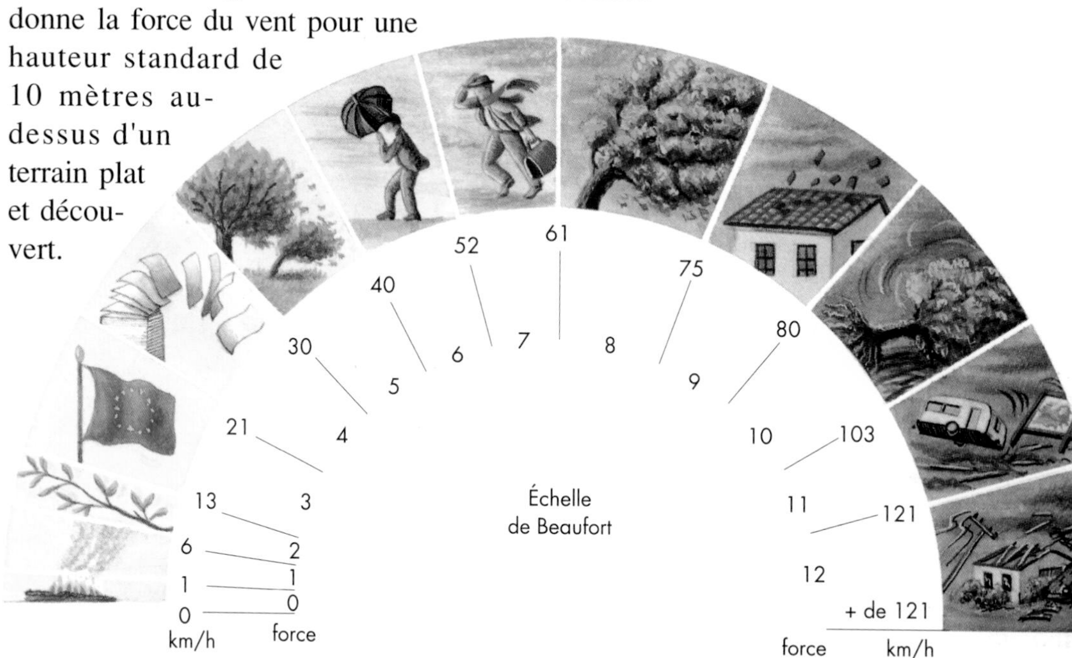

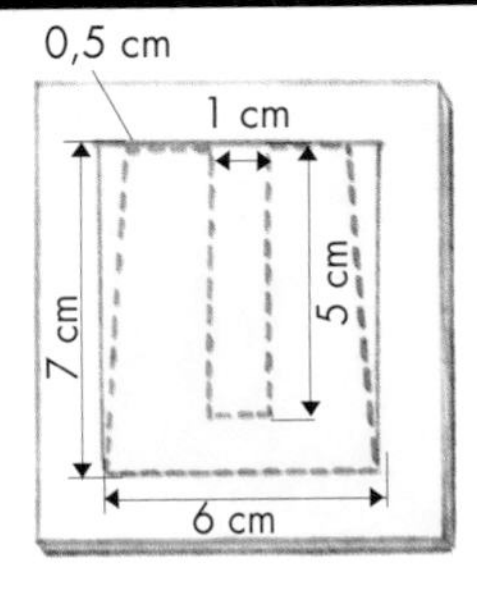

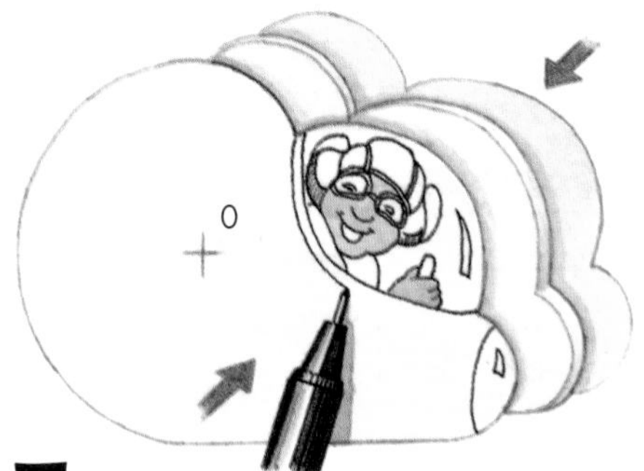

4 Trace puis découpe une palette dans le reste de la barquette.

5 Colle les deux cartons surle polystyrène. Puis décore l'avion.

6 Colle une graduation sur l'avion.

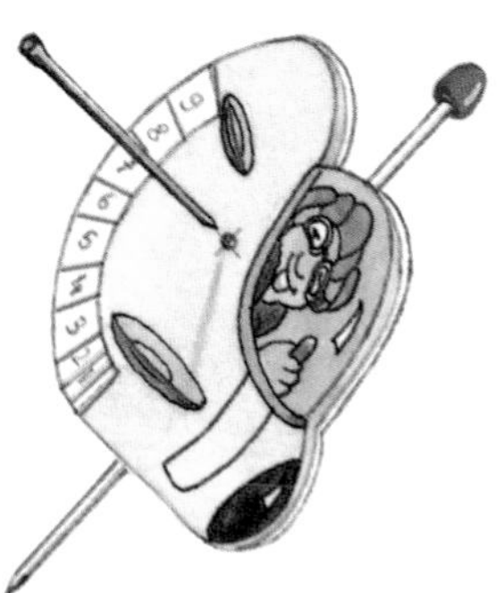

7 Enfile l'aiguille à tricoter dans le polystyrène. Traverse l'avion avec la pointe. Agrandis le trou pour que la pointe tourne librement.

8 Avec du ruban adhésif, fixe la palette sur la pointe. Place les quatre pinces à linge.

À QUOI SERT UN ANÉMOMÈTRE ?

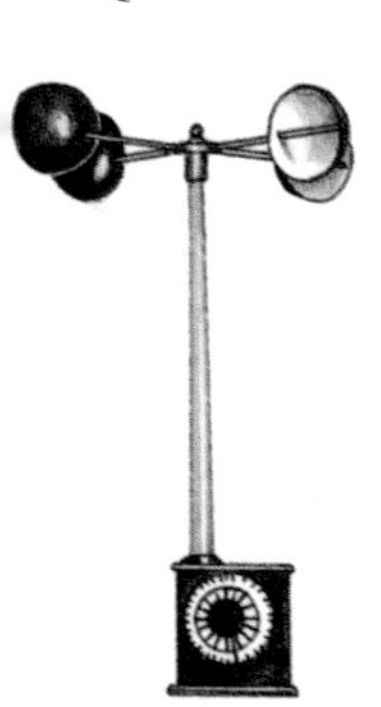

Les anémomètres sont utilisés dans tous les secteurs nécessitant une surveillance continue ou épisodique des courants aériens : aérodromes, installations portuaires, chantiers de plein air, fontaines, bateaux... et bien sûr, stations météorologiques et postes de surveillance des incendies. En général, ces anémomètres calculent la vitesse du vent à partir du nombre de tours d'un capteur à godets. Les premiers anémomètres repéraient la force du vent grâce à l'inclinaison prise par une palette mobile.

9 Glisse l'aiguille dans le corps du stylo. Ton anémomètre pourra ainsi s'orienter dans le sens du vent.

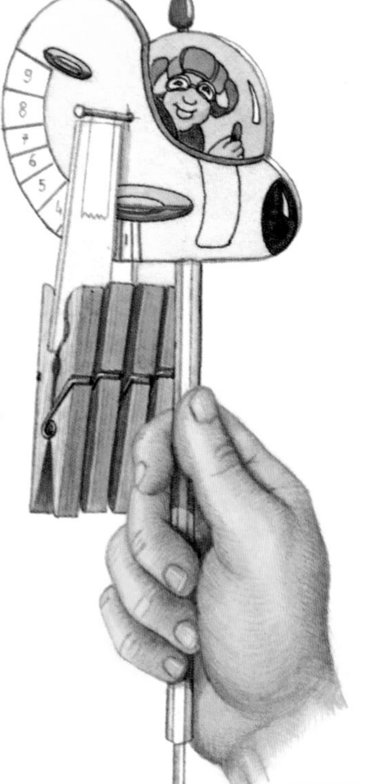

À LA SANTÉ DE LA DENSITÉ

Un litre d'alcool est plus léger qu'un litre d'eau. Pourtant, c'est toujours un litre. Mais c'est leur matière qui n'a pas la même masse. La mesure de la masse d'un corps par rapport à son volume s'appelle la densité.

Le densimètre à liquide

Il te faut :
- un petit bocal avec son couvercle en plastique,
- une paille,
- du carton et de la colle,
- un chewing-gum (mâché).

1 Au milieu du couvercle, perce un trou un peu plus gros que la paille. Fabrique et colle un petit tube en carton.

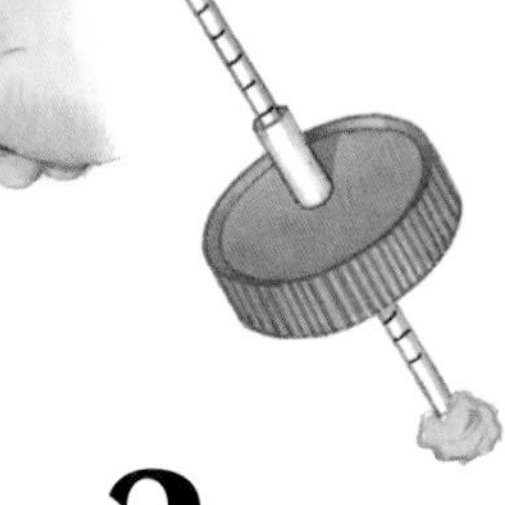

2 Gradue la paille, puis glisse-la dans le tube en carton. Fixe le chewing-gum au bas de la paille. Fais une marque sur le haut du bocal pour le remplir toujours avec la même quantité de liquide.

3 Pour mesurer la densité de différents liquides (eau, jus de fruit, lait, eau salée, thé, alcool...), remplis toujours le bocal jusqu'au trait, introduis la paille et ferme le couvercle. Sur la paille, compte le nombre de graduations qui dépassent du couvercle.

4 Dresse un tableau comparatif des densités : plus la paille dépasse, plus le liquide est dense.

Étonnant !

La glace flotte sur l'eau...

... mais coule dans l'huile !

Le plomb est très lourd...

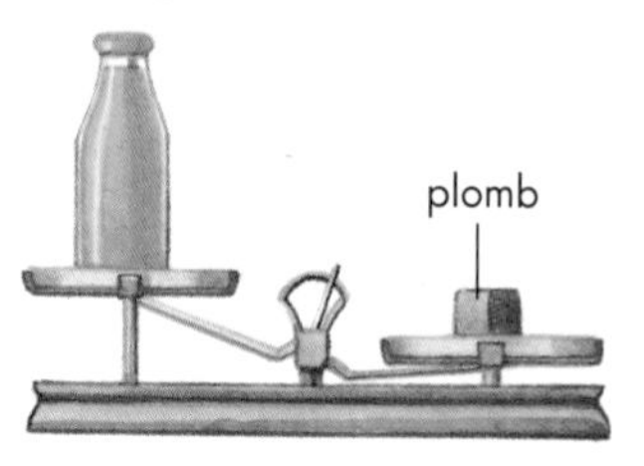

... mais il flotte sur le mercure.

FLOTTE OU COULE ?

La densité se calcule en divisant la masse d'un corps par son volume. Par définition, la densité de l'eau est 1. Si la densité d'un corps, liquide ou solide, est inférieure à 1, il flotte ; si elle est supérieure, il coule.

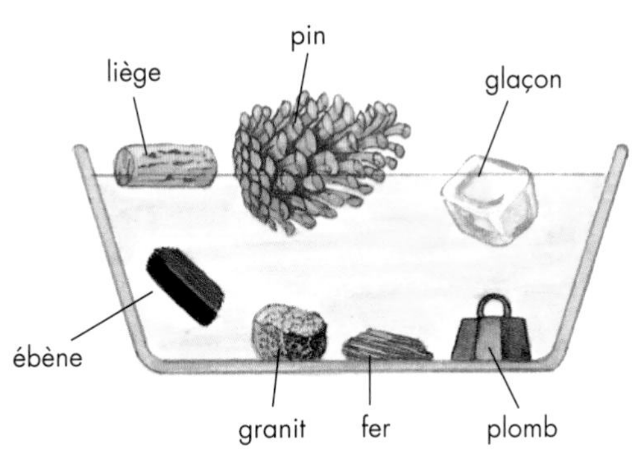

Matière	Densité	Matière	Densité
Liège	0,3	Ébène	1,2
Pin	0,5	Granit	2,6
Essence	0,7	Fer	7,5
Alcool 90°	0,8	Plomb	11,3
Glace	0,9	Mercure	13,6

Des cocktails juteux

Il te faut :
- le densimètre, un grand verre,
- des liquides potables colorés : sirop, jus et nectar de fruit.

1 Il faut d'abord évaluer la densité des liquides : c'est le rôle du densimètre. Classe les liquides rassemblés pour faire ton cocktail : du plus dense au moins dense.

2 Dans le grand verre, verse d'abord le liquide le moins dense. Verse ensuite, en faisant lentement couler le liquide sur le bord, les autres boissons par ordre croissant de densité.

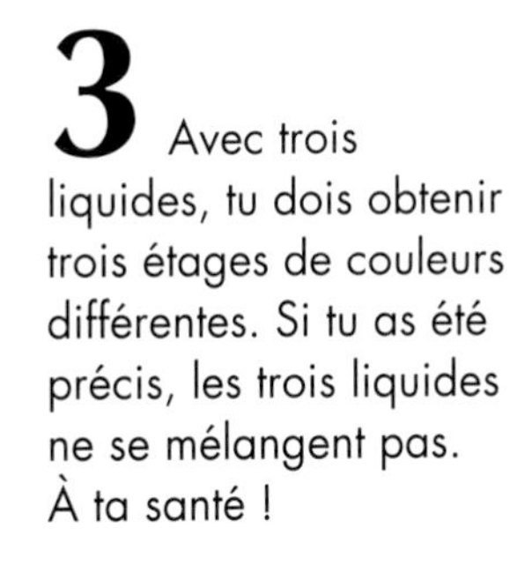

3 Avec trois liquides, tu dois obtenir trois étages de couleurs différentes. Si tu as été précis, les trois liquides ne se mélangent pas. À ta santé !

DE L'ÉLECTRICITÉ PAR FROTTEMENT

Les cheveux qui « collent » au peigne, le pull qui « claque » lorsqu'on l'enlève, l'éclair de l'orage sont autant de manifestations de l'électricité statique. Tu peux fabriquer cette électricité et voir ses effets.

La paille électrisée

Il te faut :
- une paille en plastique,
- une feuille de papier machine,
- du papier de soie,
- des crayons de couleur,
- un chiffon de laine.

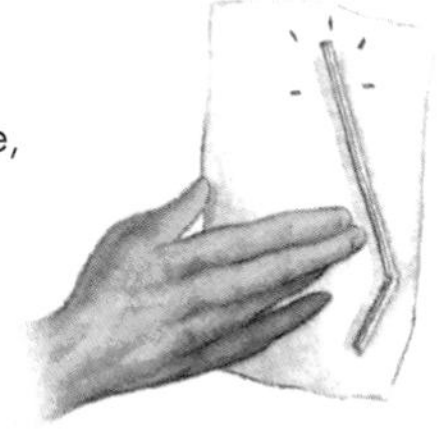

La paille collante

La paille reste collée tant qu'elle est chargée. Elle peut aussi tenir sur un mur, une porte, tes vêtements...

Les grenouilles sauteuses

Découpe quelques grenouilles dans le papier de soie et colorie-les. Charge ta paille, puis approche-la de tes grenouilles... tu les verras sauter.

Le bateau dirigeable

Le bateau en papier est attiré par la paille, tu peux le diriger sur l'eau.

L'eau obéissante

La paille chargée dévie l'eau.

QUE SE PASSE-T-IL ?

En général, un objet contient autant de charges négatives (–) que de charges positives (+) : on dit alors que l'objet est neutre. Quand on frotte certains objets l'un contre l'autre, on détruit cet équilibre. Ainsi, la paille prend des charges négatives au chiffon de laine et se charge négativement. Elle attire ensuite les charges positives des objets neutres.

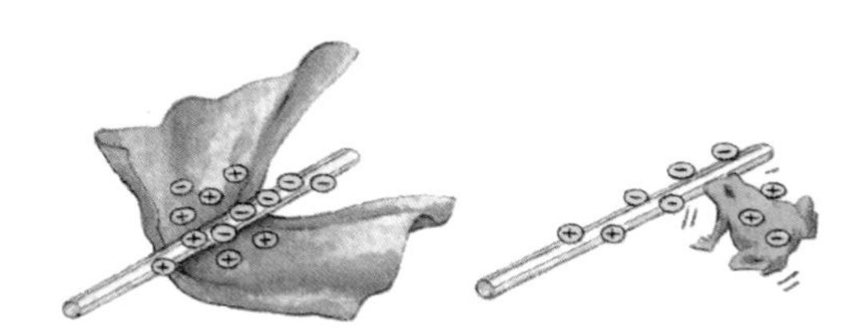

Pour bien réussir...
Charge la paille d'électricité statique en la frottant sur un chiffon de laine. Ces expériences réussissent encore mieux par temps sec.

LA DÉCOUVERTE

Le savant grec Thalès aurait constaté le premier l'existence de l'électricité statique, vers 580 avant J.-C. Un morceau d'ambre frotté sur une étoffe attirait des petits brins de paille.
C'est le médecin anglais Gilbert qui, en 1590, donna à ce phénomène le nom d'*électricité*.

Amies ou ennemies ?

Il te faut :
- 2 pailles en plastique,
- une aiguille et du fil,
- un chiffon de laine.

1 Réunis deux pailles à l'aide de l'aiguille et du fil. Les deux pailles pendent côte à côte.

2 Charge-les ensemble.

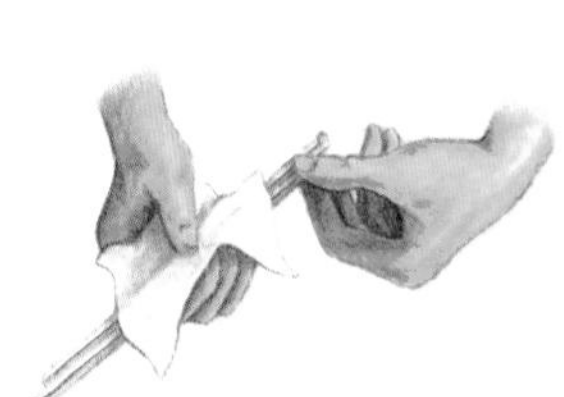

3 Tiens-les par le fil : les deux pailles se repoussent.

DES MOUVEMENTS ÉLECTRISÉS

Alors que deux charges de nature différente s'attirent, deux charges de même nature se repoussent.

La marionnette échevelée

Il te faut :
- 3 pailles en plastique,
- du papier de soie,
- un petit carton (carte de visite),
- de la pâte à modeler,
- de la colle,
- des crayons de couleur,
- un chiffon de laine.

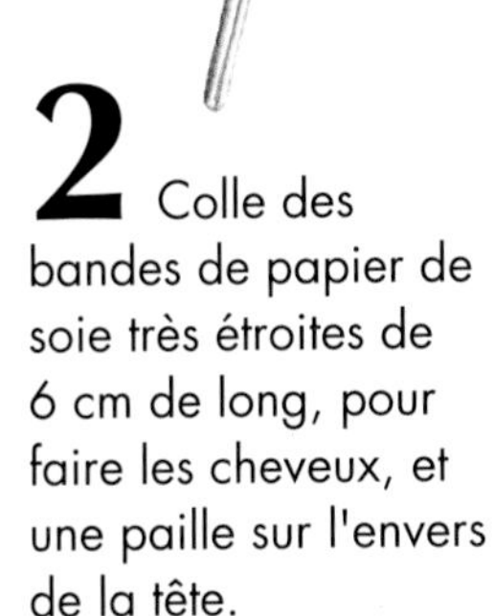

1 Découpe un disque de 2,5 cm de rayon dans le carton et dessine un visage dessus.

2 Colle des bandes de papier de soie très étroites de 6 cm de long, pour faire les cheveux, et une paille sur l'envers de la tête.

3 Plante le tout dans un socle de pâte à modeler. Charge tes pailles et pose-les sur l'envers du visage. Les cheveux se dressent !

LE COURANT PASSE

Le ventilateur, la télévision, la chaîne hi-fi, l'ordinateur sont alimentés par un courant électrique. Celui-ci circule le long de fils, généralement en cuivre, qui forment un circuit. Voici quelques montages simples à réaliser, pour mieux comprendre.

POURQUOI L'AMPOULE ÉCLAIRE-T-ELLE ?

Le passage du courant dans le filament de l'ampoule provoque un important échauffement qui produit de la lumière. Le gaz de l'ampoule empêche le filament de brûler.

filament de tungstène

gaz

QU'EST-CE QU'UN FUSIBLE ?

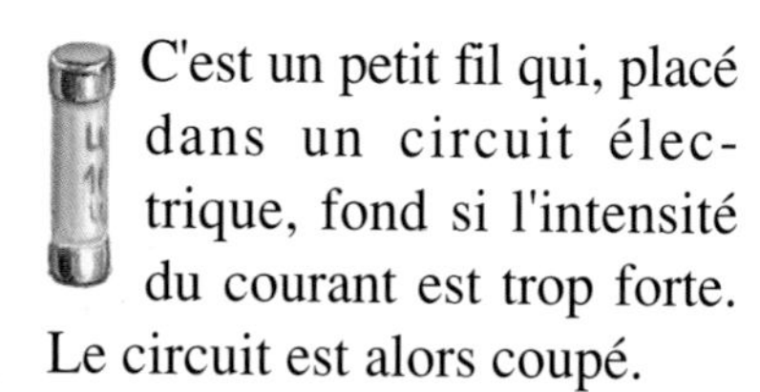

C'est un petit fil qui, placé dans un circuit électrique, fond si l'intensité du courant est trop forte. Le circuit est alors coupé.

Pour toutes ces expériences

Il te faut :

- une pile plate de 4,5 V et une pile ronde de 1,5 V,
- 3 ampoules de 3,5 V et leurs douilles,
- du fil électrique, une planchette,
- des trombones, du ruban adhésif,
- 2 punaises, un petit tournevis,
- un petit couteau.

Allume une ampoule

Coupe deux fils d'environ 20 cm, dénude les extrémités et installe l'ensemble comme sur les dessins ci-dessous. Fais tenir les fils sur les piles.

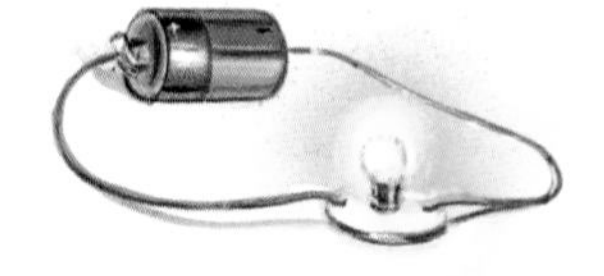

POURQUOI L'AMPOULE S'ALLUME-T-ELLE ?

L'électricité sort d'une borne par un fil, va jusqu'à l'ampoule et retourne à l'autre borne par l'autre fil. Ce trajet s'appelle un circuit. Quand le circuit est fermé, l'ampoule est allumée ; si l'on débranche un fil, le circuit est ouvert et l'ampoule s'éteint.

Des montages plus ou moins efficaces

Le courant ne circule que d'un pôle vers un pôle opposé.

Dans quel montage l'ampoule s'allume-t-elle ?
Réponse p. 186.

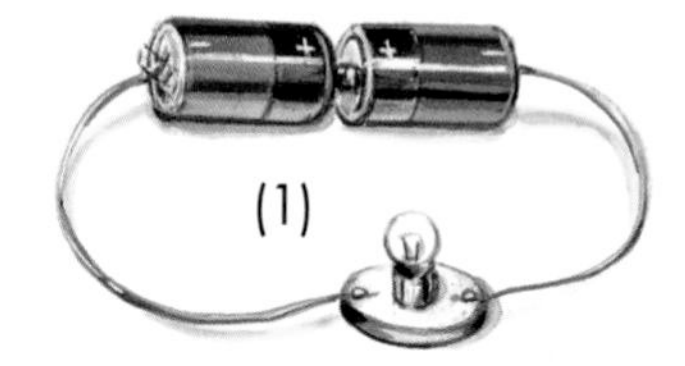

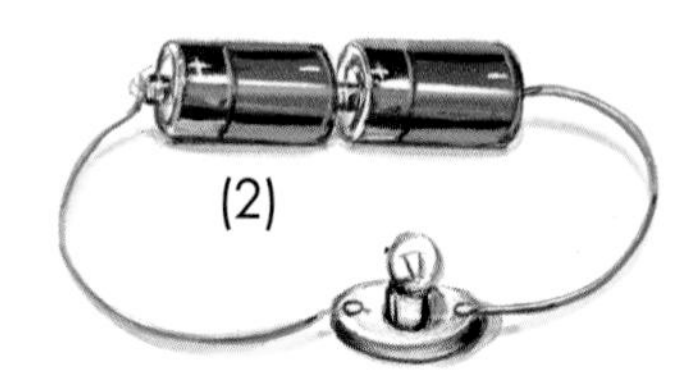

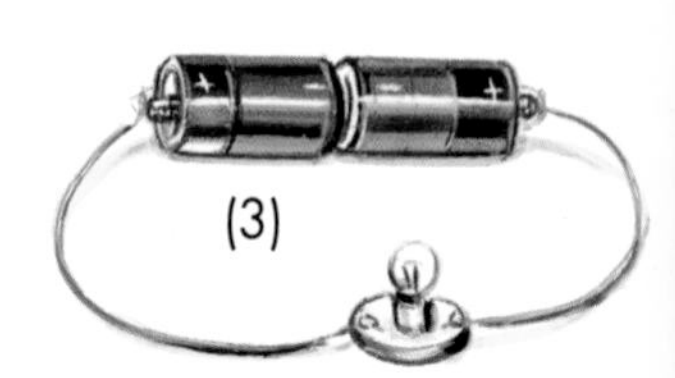

Fais briller les ampoules 

Réalise ces montages.
Que se passe-t-il si tu dévisses une ampoule ?

Les ampoules sont branchées en série : elles se partagent la puissance de la pile et éclairent peu. Si une ampoule grille, le circuit est coupé et tout s'éteint.

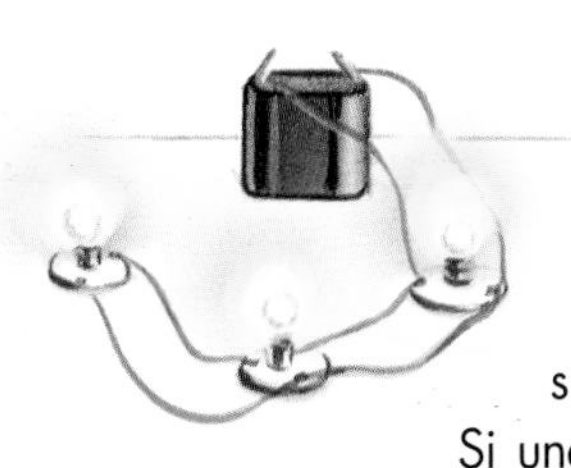

Les ampoules sont branchées en parallèle : elles éclairent mieux, car chacune reçoit son propre courant. Si une ampoule grille, les autres continuent d'éclairer.

Fabrique un interrupteur ★

1 Ouvre le trombone et tords-le.

2 Pique les punaises sur la planchette en passant un fil électrique sous chacune d'elles. Place le trombone comme sur le schéma.

3 Appuie sur l'extrémité libre du trombone, l'ampoule s'allume : le circuit est fermé. Relâche, l'ampoule s'éteint : le circuit est ouvert. Le trombone est un interrupteur.

DES COUPS DE FOUDRE

Mesurer la charge d'électricité statique d'un objet à l'aide de l'électroscope et fabriquer de petits éclairs semblables à ceux de la foudre, c'est simple... avec un peu de patience !

L'électroscope

Il te faut :
- 2 morceaux de carton (4 x 6 cm et 4 x 4 cm),
- de l'aluminium ménager,
- de la colle,
- une paille,
- de la pâte à modeler,
- une agrafeuse,
- une allumette.

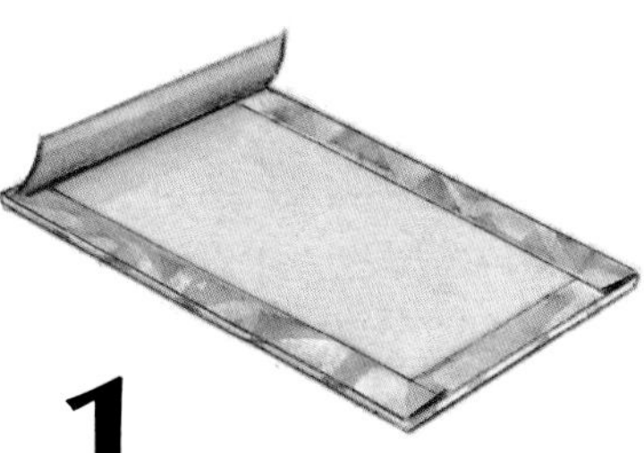

1 Recouvre d'aluminium le rectangle de carton.

2 Accroche une languette d'aluminium (1 x 4 cm) à l'aide d'une agrafe à moitié enfoncée, de façon à ce que la languette pivote librement.

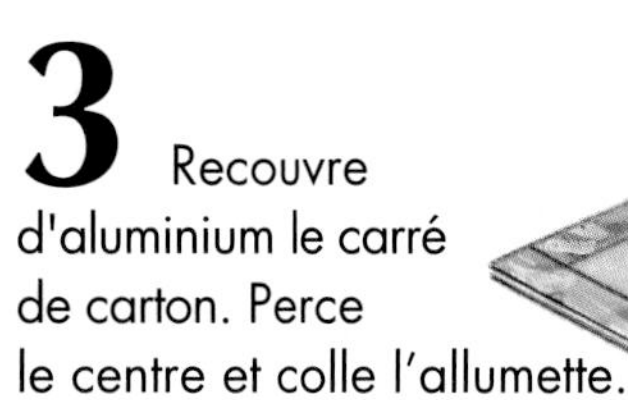

3 Recouvre d'aluminium le carré de carton. Perce le centre et colle l'allumette.

4 Fixe la paille sur un support de pâte à modeler. Colle le rectangle. Il dépasse de 3 à 4 mm du sommet de la paille.

5 Installe le carré au sommet en introduisant l'allumette dans la paille : l'électroscope est prêt.

> ⚠ **Attention !**
> Ne deviens pas un paratonnerre qui attire la foudre ! En cas d'orage, ne t'abrite jamais sous un arbre, surtout s'il est isolé. Ne dirige pas d'objets métalliques pointus vers le ciel.

COMMENT FONCTIONNE-T-IL ?

L'objet que tu approches est chargé positivement. Il attire les charges négatives de l'électroscope. Les charges positives sont repoussées vers le bas du rectangle. La languette est repoussée et se soulève. Tu peux ainsi tester la charge de plusieurs objets.

Un déclencheur de coup de foudre

 ★★

Il te faut :
- un disque en carton de 8 cm de diamètre,
- une bande de carton (4 x 15 cm),
- de la colle,
- de l'aluminium ménager,
- un sac en plastique souple,
- un sac poubelle en plastique épais,
- un chiffon de laine.

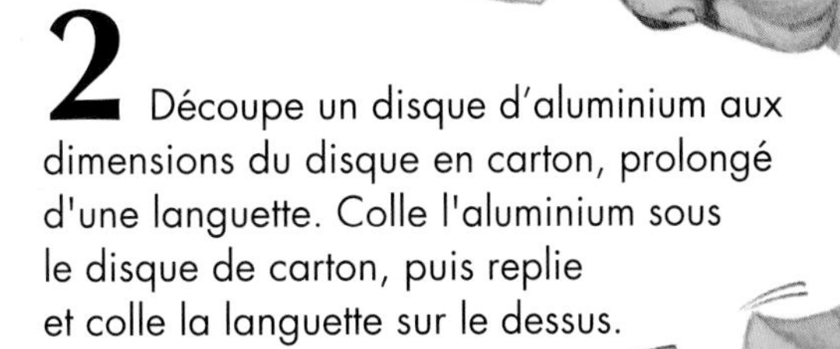

1 Plie la bande de carton en forme de poignée. Entoure-la de plastique souple et colle-la sur le disque.

2 Découpe un disque d'aluminium aux dimensions du disque en carton, prolongé d'une languette. Colle l'aluminium sous le disque de carton, puis replie et colle la languette sur le dessus.

3 Frotte énergiquement le sac poubelle avec le chiffon de laine, puis pose la plaque à poignée dessus. Elle se charge.

4 Approche un objet métallique de la languette d'aluminium, tu entends le claquement d'une étincelle. Refais l'expérience dans l'obscurité et tu verras la lumière de ces minuscules « coups de foudre » !

QUE SE PASSE-T-IL ?

« L'explosion » est provoquée par la rencontre d'un grand nombre de charges de signes contraires. À cet endroit, l'air devient lumineux et très chaud.

LE « COUP DE FOUDRE » AU COURS D'UN ORAGE

Il fonctionne selon le même principe : l'éclair est une grande étincelle. Des charges négatives s'accumulent au bas du nuage d'orage. L'accumulation est si importante, qu'à certains moments, une masse de ces charges se précipite vers le sol à la rencontre des charges positives : c'est « l'étincelle ». L'air, qui devient conducteur, est illuminé et chauffé à cet instant-là.

CONDUCTEUR OU ISOLANT ?

Passe ou ne passe pas ? Certains matériaux conducteurs se laissent traverser par le courant, d'autres lui résistent et servent à s'en protéger : les isolants. Apprends à reconnaître chacun d'eux.

Teste la conductibilité

Il te faut :
- une pile de 4,5 V,
- 2 trombones,
- 3 morceaux de fil électrique aux extrémités dénudées,
- des objets faits de matériaux différents (métal, plastique, bois, verre, caoutchouc, pierre, tissu, etc.),
- une ampoule avec sa douille.

1 Réalise le montage dessiné ci-dessus. Vérifie en mettant en contact les deux extrémités libres des fils que la lampe s'allume.

2 Teste tous les objets que tu as rassemblés en les touchant avec les deux fils. Si la lampe s'allume, l'objet est conducteur, sinon c'est un isolant.

Et l'eau conduit-elle le courant ?

Il te faut :
- une pile de 9 V,
- 3 morceaux de fil électrique aux extrémités dénudées,
- une ampoule avec sa douille,
- un verre d'eau pure,
- du sel.

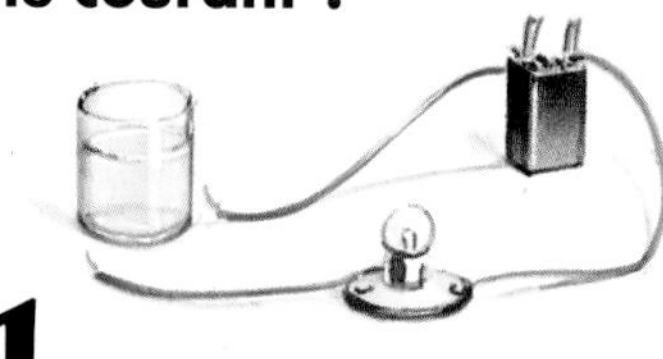

1 Réalise le montage (tu peux fixer les fils sur les bornes de la pile en les calant avec deux morceaux d'allumette).

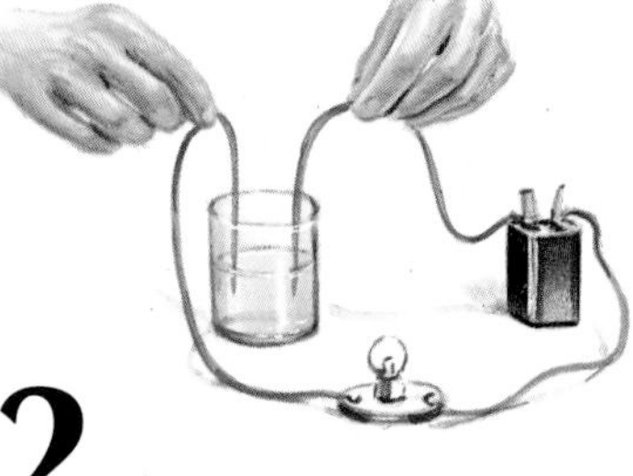

2 Plonge, sans qu'ils se touchent, les fils dénudés dans le verre d'eau pure. L'ampoule ne s'allume pas : l'eau pure n'est pas un conducteur.

3 Ajoute du sel dans l'eau et remue. Cette fois, l'ampoule s'allume : l'eau salée est un bon conducteur. Les bulles que tu observes indiquent le passage de l'électricité de l'eau salée dans le métal.

LE CUIVRE : UN BON CONDUCTEUR

Très utilisé pour la fabrication du matériel électrique, le cuivre offre en effet peu de résistance au passage du courant. Aujourd'hui toutefois, les meilleurs conducteurs sont des matériaux synthétiques fabriqués à partir d'hydrocarbones. Les câbles sont adaptés au courant qui les parcourt.

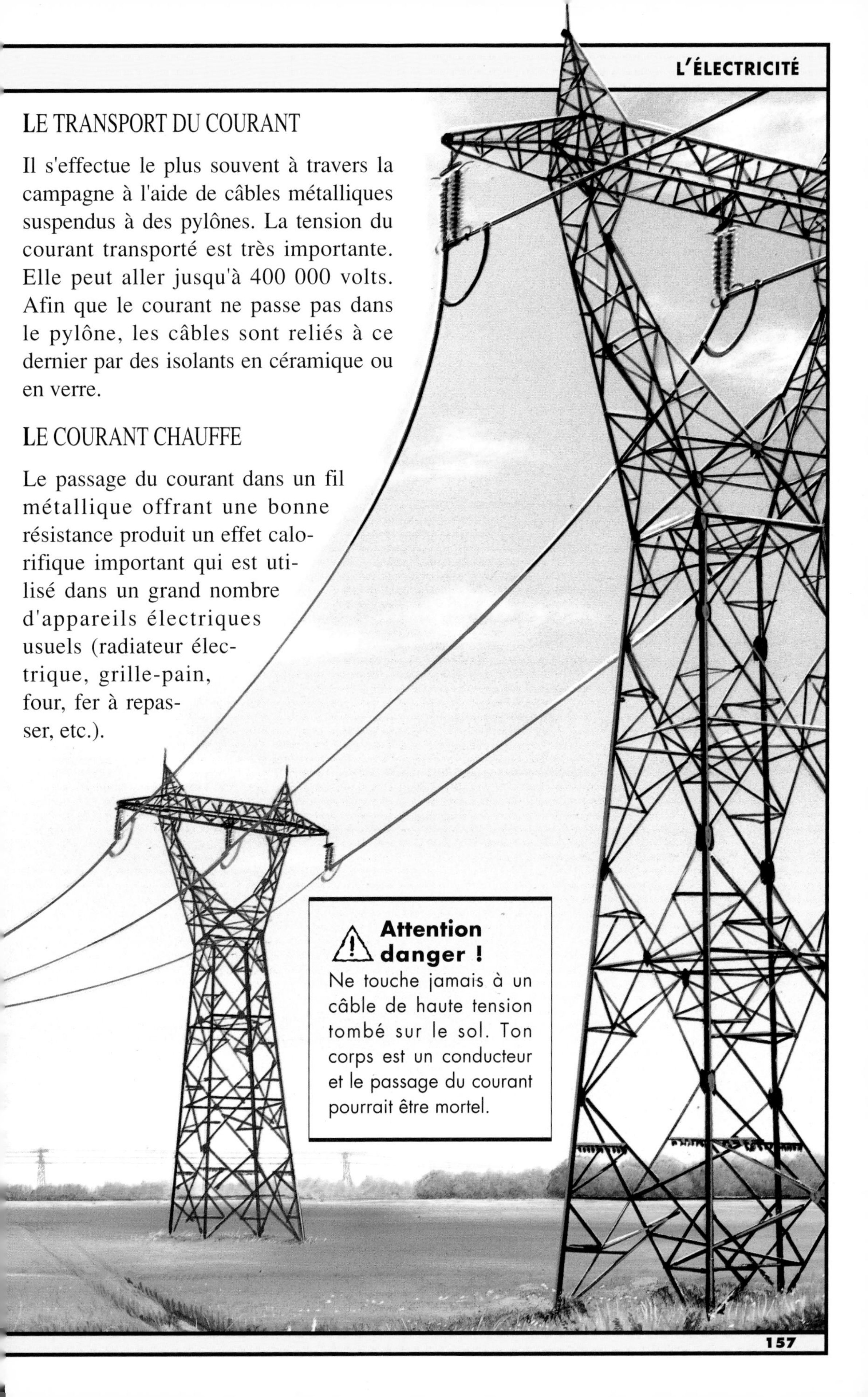

LE TRANSPORT DU COURANT

Il s'effectue le plus souvent à travers la campagne à l'aide de câbles métalliques suspendus à des pylônes. La tension du courant transporté est très importante. Elle peut aller jusqu'à 400 000 volts. Afin que le courant ne passe pas dans le pylône, les câbles sont reliés à ce dernier par des isolants en céramique ou en verre.

LE COURANT CHAUFFE

Le passage du courant dans un fil métallique offrant une bonne résistance produit un effet calorifique important qui est utilisé dans un grand nombre d'appareils électriques usuels (radiateur électrique, grille-pain, four, fer à repasser, etc.).

Attention danger !

Ne touche jamais à un câble de haute tension tombé sur le sol. Ton corps est un conducteur et le passage du courant pourrait être mortel.

L'ÉLECTRICITÉ PORTABLE

La lampe de poche, l'appareil photo, la radio, le moteur du jouet, le baladeur, la montre fonctionnent grâce au courant électrique fourni par la pile. Voyons de plus prêt ce petit réservoir d'énergie.

Fabrique une pile voltaïque

Il te faut :
- 5 rondelles de cuivre,
- 5 rondelles de zinc,
- du buvard imbibé d'eau salée,
- 2 fils électriques de 20 cm aux extrémités dénudées,
- du ruban adhésif.

1 À l'aide du ruban adhésif, fixe un fil sur une rondelle de cuivre, l'autre sur une rondelle de zinc. Empile les rondelles et place du buvard entre chacune.

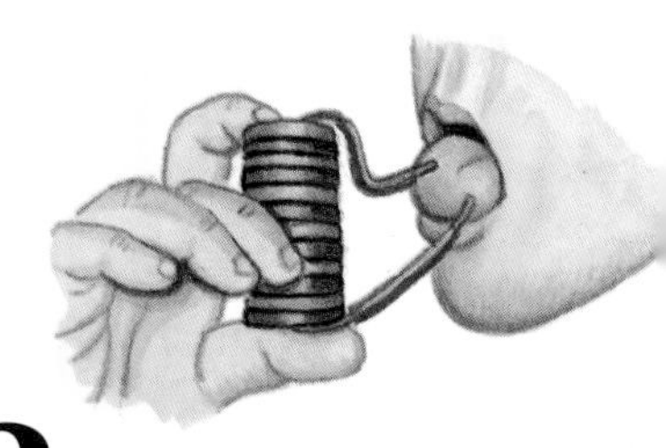

2 Pose ta langue sur les extrémités des fils. Le léger picotement est dû à la décharge électrique produite par le courant qui passe. Fais le même test avec une pile de 4,5 volts.

POURQUOI LE NOM « PILE » ?

Ce nom remonte à l'année 1800, date à laquelle le physicien Alessandro Volta découvre le moyen de produire de l'électricité. Il empile des rondelles de cuivre et de zinc séparées par des rondelles de drap imbibées d'eau salée. Il reçoit une secousse quand il touche en même temps la première et la dernière rondelle. Cette pile de rondelles produit en effet une réaction chimique qui crée un courant électrique. La pile est née.

La pile au citron

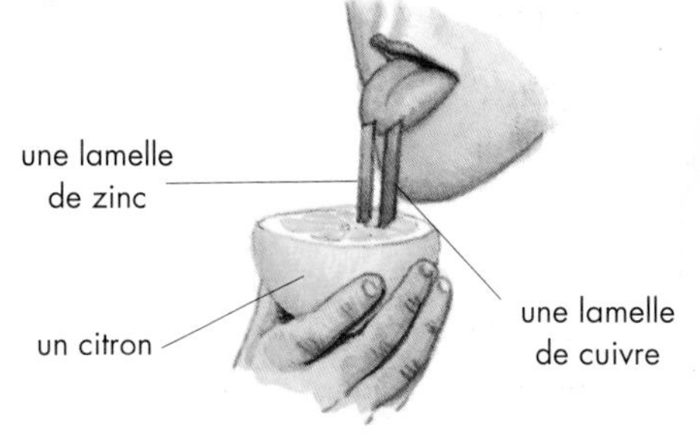

Place les deux morceaux de métal dans un même quartier sans qu'ils se touchent. Pose ta langue dessus, tu sens un léger picotement : du courant passe.

LA PILE SÈCHE

Elle fonctionne selon le même principe. Une enveloppe de zinc renferme un mélange chimique, l'électrolyte, et une tige en charbon microporeux. La réaction chimique produit de l'électricité. Lorsque le mélange perd ses propriétés, la pile est usée.

La pile au vinaigre

★★

Il te faut :
- un récipient en verre,
- une lamelle de cuivre,
- une lamelle de zinc,
- 2 trombones,
- 2 fils électriques aux extrémités dénudées,
- une ampoule avec sa douille,
- du vinaigre.

1 Remplis le récipient avec du vinaigre : c'est l'électrolyte de la pile.

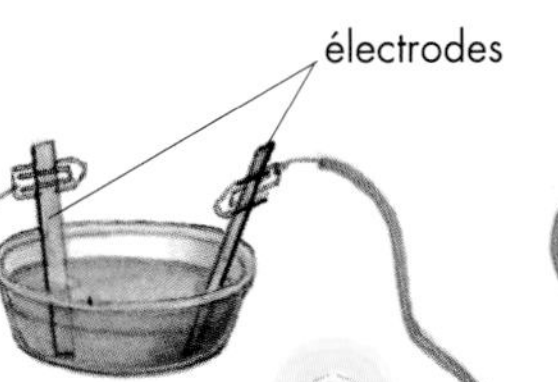

2 Réalise le circuit et plonge les deux lamelles (les électrodes) dans le liquide : l'ampoule brille.

3 L'ampoule brille dès que la réaction commence, elle s'éteint si l'on retire les électrodes.

DES PILES RECHARGEABLES

Certaines piles peuvent être rechargées : on les appelle alors des accumulateurs. Les accumulateurs d'une automobile sont groupés en batterie.

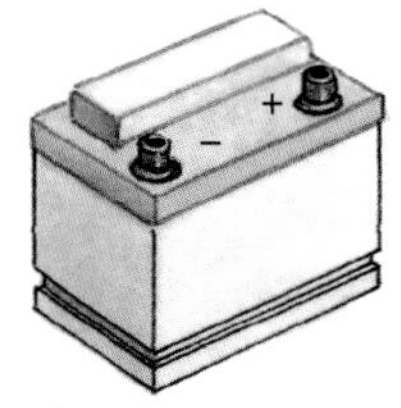

UNE PILE EST UN GÉNÉRATEUR

Elle produit un courant continu qui pousse tous les électrons dans le même sens, du pôle négatif vers le pôle positif.

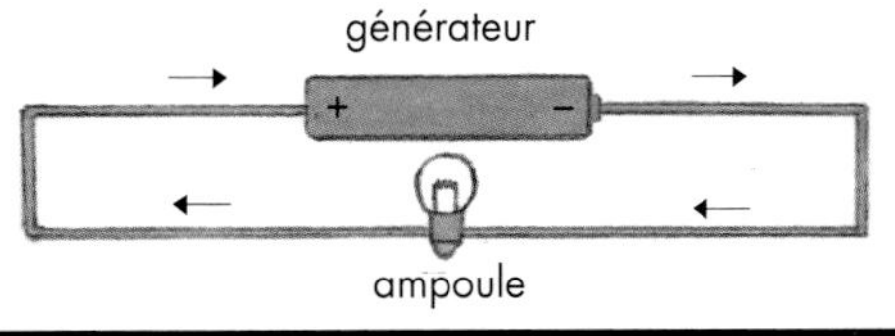

DES JEUX ÉLECTRIQUES

Pour tester les connaissances de tes amis, mais aussi leur adresse, leur calme et leur patience, tu peux fabriquer toi-même des jeux électriques, faciles à réaliser.

Le nervosimètre

Il te faut :
- une planchette (40 x 20 cm),
- une pile de 4,5 V,
- une ampoule et sa douille,
- du fil de métal rigide (un cintre par exemple),
- du ruban adhésif,
- un marteau,
- une pince,
- 2 agrafes en **∩** ,
- 3 morceaux de fil électrique aux extrémités dénudées, dont un de 50 cm de long.

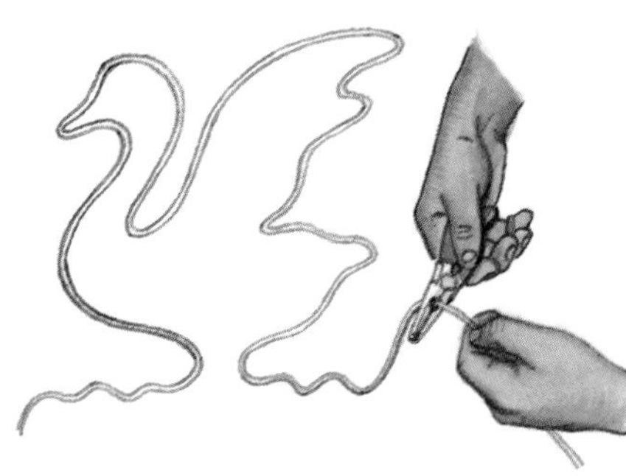

1 Avec la pince, donne une forme au fil rigide (animal, monument...), en prévoyant plusieurs courbes.
Fais un crochet aux extrémités.

2 Fixe cette forme sur la planchette avec les agrafes. De chaque côté, isole le fil électrique avec du ruban adhésif.

3 Fais une boucle (d'environ 1 cm de diamètre) à l'extrémité du fil électrique le plus long. Puis réalise les branchements comme indiqué sur le dessin.

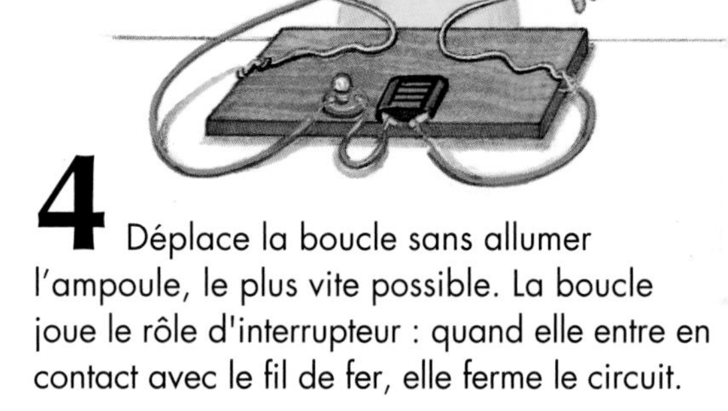

4 Déplace la boucle sans allumer l'ampoule, le plus vite possible. La boucle joue le rôle d'interrupteur : quand elle entre en contact avec le fil de fer, elle ferme le circuit.

LES AUTOS-TAMPONNEUSES

La perche conduit le courant du plafond grillagé au moteur électrique qui actionne les roues. De la même façon, les trains électriques sont alimentés en courant par le câble suspendu au-dessus des rails.

Le quizz

Il te faut :
- du carton rigide (21 x 16 cm),
- 10 attaches parisiennes en laiton,
- une pile de 4,5 V,
- une ampoule et sa douille,
- du fil électrique,
- un crayon.

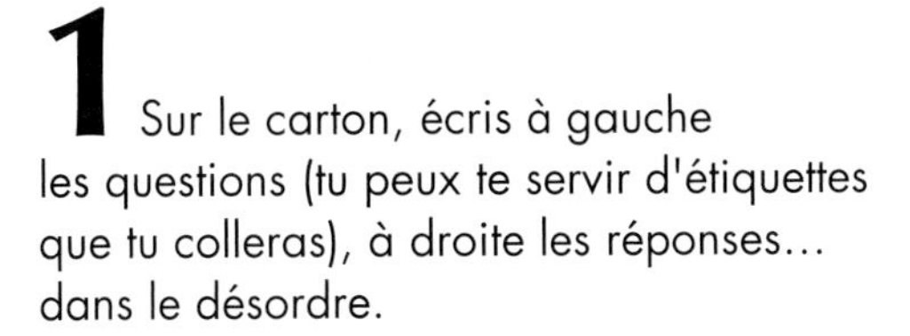

1 Sur le carton, écris à gauche les questions (tu peux te servir d'étiquettes que tu colleras), à droite les réponses... dans le désordre.

Exemple :

Pays	Capitales
Italie	Athènes
Espagne	Rome
Allemagne	Bruxelles
Grèce	Madrid
Belgique	Berlin
États-Unis	New Delhi
Chine	Washington
Inde	Tokyo
Japon	Pékin

2 Place les attaches comme sur le dessin. Sur la face cachée du carton, relie l'attache d'une question à sa réponse, à l'aide de fils électriques. Branche la pile et l'ampoule.

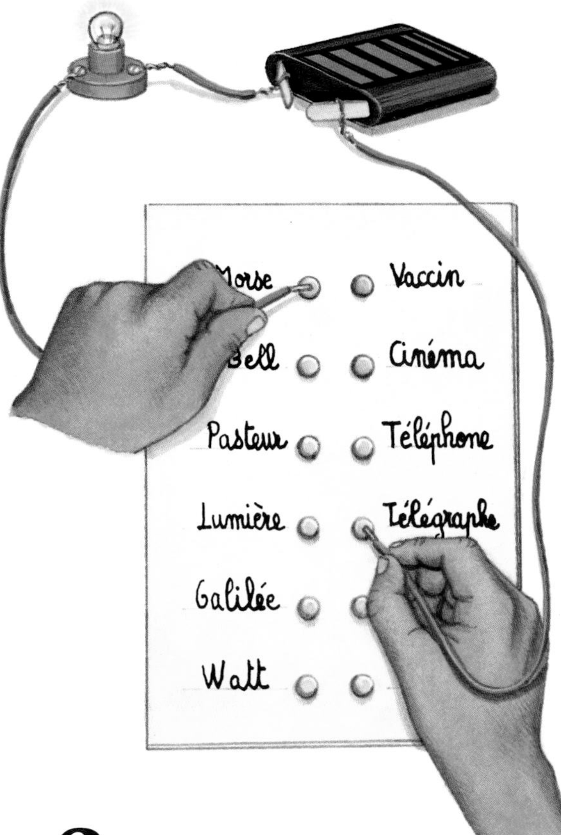

Pour bien réussir...
Enroule le fil électrique sous l'attache parisienne avant de rabattre les lamelles.

3 Pour jouer, place l'extrémité du fil sur une question et l'autre extrémité sur la réponse. Si ta réponse est juste, l'ampoule s'allume.

SOUS HAUTE SURVEILLANCE

Les alarmes signalent une effraction ou préviennent d'un danger. Le franchissement d'un faisceau lumineux, la variation de la température, le contact sur une surface, la présence de fumée... déclenchent une sirène, un appel téléphonique, une fermeture de porte...

Un pas... et la sirène retentit !

Il te faut :
- une pile de 4,5 V,
- un vibreur (ou buzzer),
- 20 trombones,
- 30 cm d'aluminium ménager,
- 2 pailles,
- du ruban adhésif,
- du fil électrique.

1 Dénude les extrémités du fil électrique et des fils du vibreur. Puis fixe trois trombones aux extrémités.

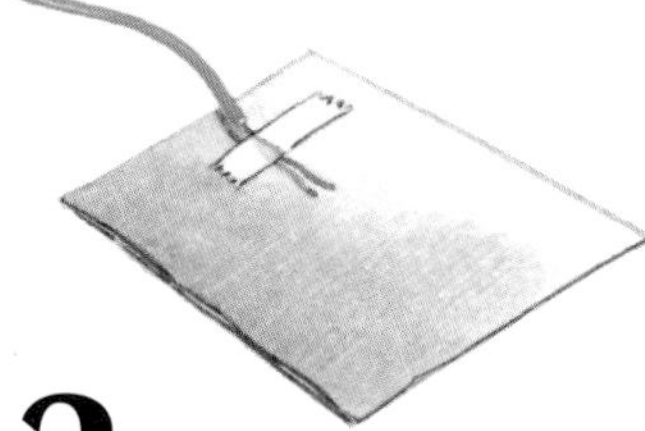

2 Avec du ruban adhésif, fixe le fil électrique sur l'aluminium ménager plié en un rectangle de 15 x 20 cm.

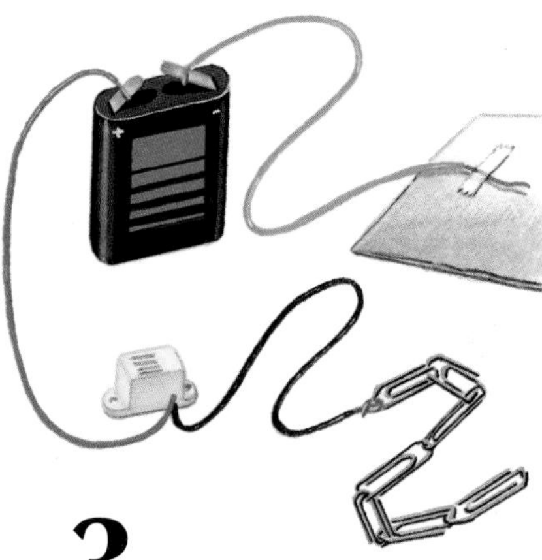

3 Réalise une chaînette avec les trombones.

4 Sous un tapis, fixe au sol la chaînette entre deux pailles.

5 Installe l'aluminium puis rabats le tapis. Toute personne qui tentera d'entrer, écrasera les pailles et déclenchera l'alarme.

> **Attention !** Le vibreur est un composant polarisé, c'est-à-dire qu'il doit être connecté en respectant le branchement du fil rouge à la borne + de la pile.

Un tiroir secret

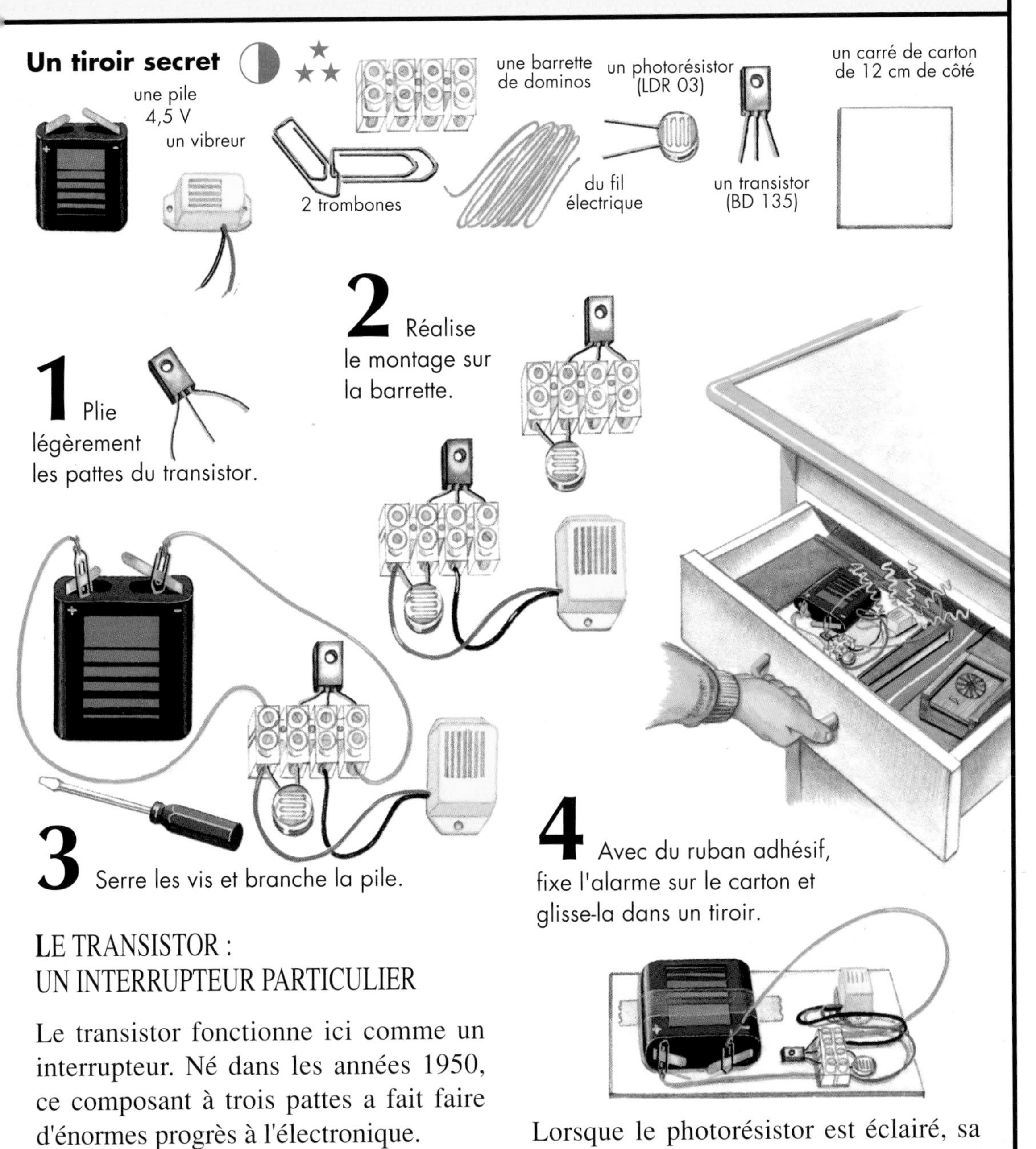

LE TRANSISTOR : UN INTERRUPTEUR PARTICULIER

Le transistor fonctionne ici comme un interrupteur. Né dans les années 1950, ce composant à trois pattes a fait faire d'énormes progrès à l'électronique.
Lorsque le tiroir est fermé, le photo-résistor ne reçoit pas de lumière. Sa résistance est alors tellement forte qu'aucun courant ne parvient à la base du transistor.

Lorsque le photorésistor est éclairé, sa résistance diminue. Le faible courant qui parvient à la base du transistor permet alors le passage du courant entre ses deux autres pattes, et le vibreur sonne.

UN MOTEUR ÉLECTRIQUE

En combinant astucieusement le magnétisme des aimants et l'électricité des piles, on fabrique un moteur électrique qui tourne très vite. En route...

1 Entaille le bouchon et enroule le fil électrique (environ vingt tours). D'un même côté, dénude les deux extrémités du fil.

2 Tords les extrémités des fils de cuivre en arc de cercle et pique-les dans le bouchon. Plante deux épingles aux extrémités pour faire axe.

LES MOTEURS ÉLECTRIQUES

Tous les moteurs électriques fonctionnent suivant le même principe, qu'ils actionnent une locomotive, un mixeur ou une voiture. Le seul problème est la source d'énergie : en effet, le train, grâce à ses caténaires, est toujours alimenté en courant électrique, comme le mixeur qui est branché sur secteur ; mais la voiture électrique, elle, doit emporter son électricité dans des batteries qu'il faut périodiquement recharger.

Pour bien réussir ...
Le bouchon équipé doit être bien équilibré et tourner librement sur l'axe. Pour avoir des aimants puissants, on peut en accoler plusieurs. Les fils reliés à la pile peuvent être des fils électriques classiques : les extrémités doivent être dénudées en forme de pinceau.

Silencieux, robuste, propre et compact, le moteur électrique offre des qualités bien adaptées à la voiture de ville de demain.

Il te faut :

10 x 10 cm
de carton fort

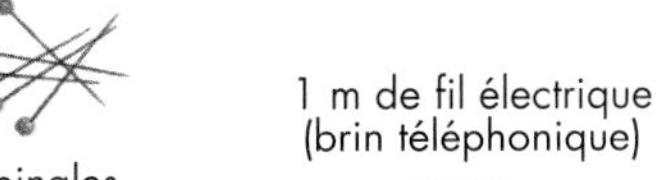

6 épingles

un bouchon

1 m de fil électrique
(brin téléphonique)

une pile
de 4,5 V

un couteau

un ou plusieurs
aimants

des pinces
d'électricien

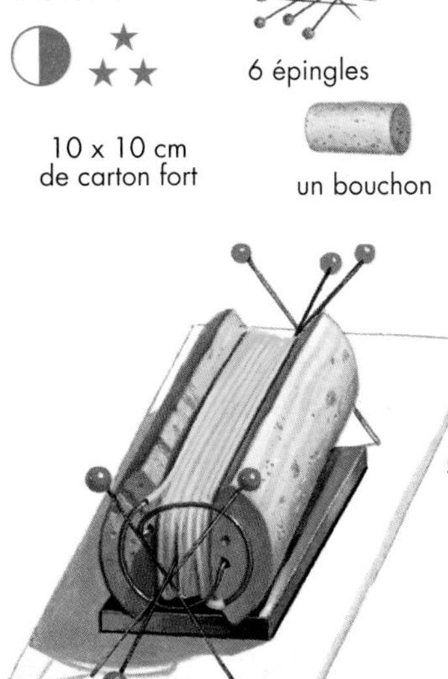

3 Place le bouchon sur des épingles plantées en croix dans le carton. Glisse l'aimant sous le bobinage.

LES FORCES ÉLECTROMAGNÉTIQUES

L'aimant crée autour de lui un champ magnétique. Celui-ci donne naissance à une force électromagnétique capable de faire tourner la bobine dès qu'un courant y circule.

On peut remplacer l'aimant par un électro-aimant formé d'un bobinage traversé par un courant (voir page 108). Le moteur électrique comporte alors deux bobines. L'une est fixe : elle crée le champ magnétique. L'autre, mobile, crée le mouvement.

4 Branche deux morceaux de fil électrique sur la pile. Touche délicatement chaque extrémité dénudée du bobinage avec les fils.

Moteur électrique universel

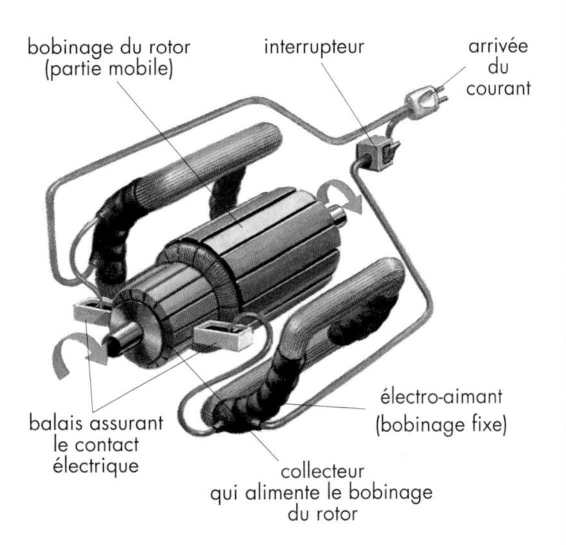

Quand tout est mélangé, objets gros et petits, lourds et légers, comment faire pour les séparer ? Il faut trier, c'est-à-dire classer les éléments qui se ressemblent ou qui se comportent de la même façon.

Trier par la taille

★★

Il te faut :
- 3 grosse boîtes d'allumettes
- une feuille de papier,
- un compas,
- de la colle.

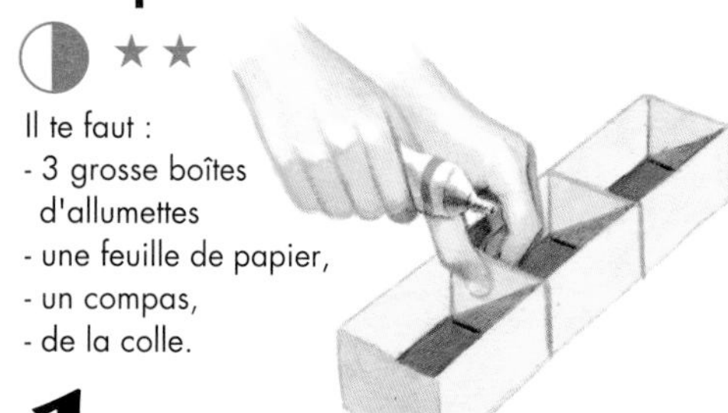

1 Assemble les trois boîtes d'allumettes côte à côte.

4 cm 4 cm

2 Plie la feuille en deux, trace trois points, puis trois cercles de 26 mm, 18 mm et 13 mm de diamètre.

3 Découpe les cercles. Plie le papier de façon à couvrir les trois boîtes d'allumettes. Chaque trou correspond à une boîte: c'est un calibre.

4 En faisant glisser des billes sur le papier, tu pourras les trier suivant leur taille.

POMME, POIRE, PÊCHE...

Certains fruits, comme les pommes ou les poires, sont triés par des calibreuses avant d'arriver sur les étalages. Selon leur taille, ils seront vendus plus ou moins chers.

CHERCHEUR D'OR

Avec sa batée, le chercheur d'or prend un peu de boue et d'eau. D'un mouvement du poignet, il fait tourner le tout. Quand il vide la batée, les pépites d'or, plus lourdes, restent au fond.

COMMENT SONT TRIÉS LES CHÈQUES ?

6045088 000008206

Si les éléments à trier ne comportent pas de différences de forme ou de matière, le tri s'opère grâce à un codage particulier. Ainsi, les codes barres imprimés sur les chèques permettent un tri par banque. Les codes sont déchiffrés par des lecteurs optiques.

COMMENT CLASSER DES PIÈCES DE MONNAIE ?

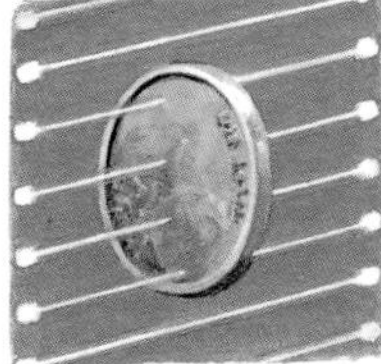

Les distributeurs automatiques sont capables de reconnaître et de compter les pièces introduites. Comment ? Selon leur poids et le métal qui les compose. Leur taille est également prise en compte grâce à des faisceaux lumineux déterminant leur diamètre. Les pièces sont triées en fonction du nombre de faisceaux lumineux qu'elles coupent.

Trier par comportement magnétique

Mets plusieurs objets (petits clous, morceaux d'aluminium, agrafes, trombones, attaches parisiennes...) dans une boîte. Approche un aimant de la boîte. Seuls les objets en fer (ou en nickel) seront attirés par l'aimant. Les autres resteront dans la boîte.

À la cueillette des météorites...

Dans le fond d'un jardin, laisse une bassine pleine d'eau. Après plusieurs jours, filtre sur un linge fin (par exemple un mouchoir) tout le contenu de la bassine. Sur le tissu vont se déposer des particules noires. Laisse-les sécher, puis approche un aimant. Certaines de ces particules vont être attirées par l'aimant : ce sont des petites météorites qui contiennent beaucoup de fer.

RECYCLER DU PAPIER

Nous jetons trop souvent des matériaux qui peuvent avoir une deuxième vie, comme le papier ou le carton que l'on peut recycler. La preuve.

Il te faut :
- des papiers usagés,
- une cuvette,
- de vieux journaux,
- un mixeur (ou un fouet à pâtisserie),
- un moule (tulle de nylon fixé sur un cadre 18 x 25 cm),
- un seau,
- un cadre vide (de mêmes dimensions que le moule),
- 2 planches,
- des torchons,
- un rouleau à pâtisserie.

1 Déchire de vieux papiers et laisse-les tremper une demi-heure dans un seau d'eau chaude.

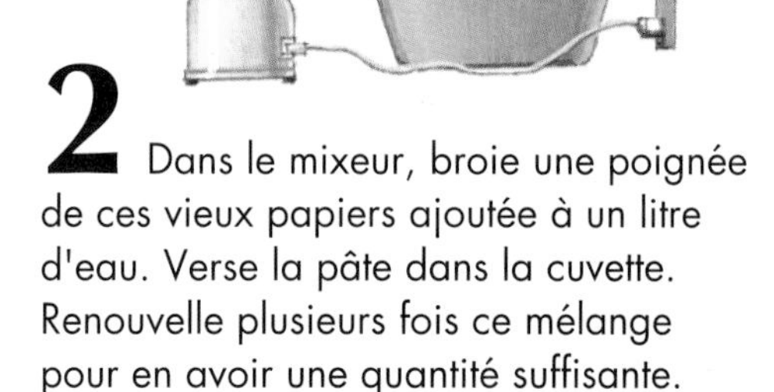

2 Dans le mixeur, broie une poignée de ces vieux papiers ajoutée à un litre d'eau. Verse la pâte dans la cuvette. Renouvelle plusieurs fois ce mélange pour en avoir une quantité suffisante.

3 Pose le cadre sur le moule.

4 Plonge l'ensemble dans la cuvette en passant bien au fond. Soulève doucement le moule hors de l'eau. Laisse égoutter ta feuille de pâte.

PAPIER BLANC, PAPIER GRIS

Aujourd'hui, pour fabriquer du papier, l'industrie papetière utilise surtout du bois et de la paille, mais aussi des produits fabriqués comme les chiffons et les vieux papiers.

Le papier journal est fabriqué à partir d'une pâte mécanique, faite de bois broyé puis ramollie dans l'eau. La pâte qui a permis de fabriquer tes cahiers a été traitée chimiquement afin que les feuilles soient blanches et lisses.

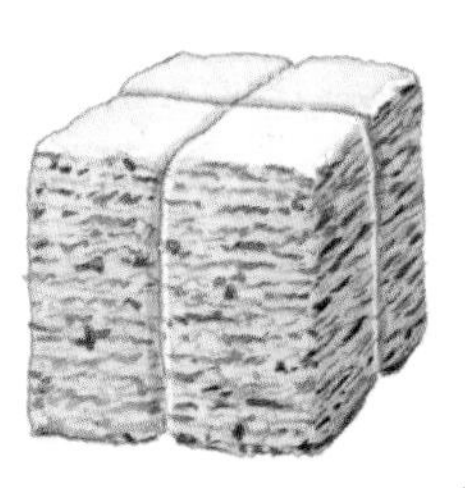

CHIFFRES

Une tonne de papier recyclé, c'est 17 arbres et 1 000 litres de pétrole économisés !

Papiers divers

5 Enlève le cadre. Pose un torchon humide sur une planche. Retourne doucement le moule et presse légèrement sur le tamis pour décoller la feuille.

6 Recouvre cette première feuille d'un torchon. Tu peux faire une pile alternée de feuilles et de torchons.

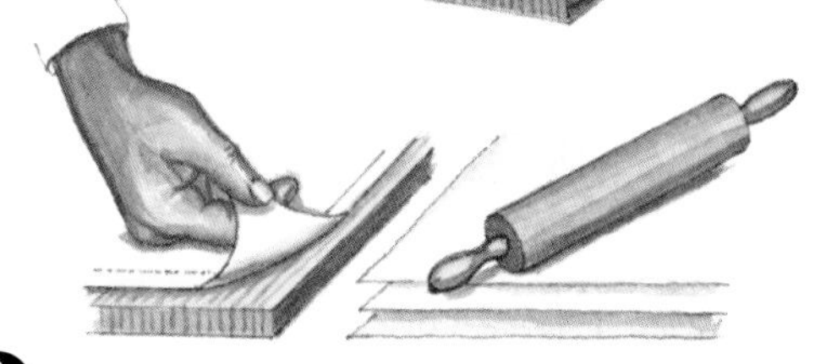

7 Pose la seconde planche sur le dernier torchon. Essore bien en appuyant avec tes deux mains. Presse avec un objet lourd pendant 12 heures.

8 Retire la planche supérieure, détache délicatement les feuilles une par une. Retourne-les sur un journal, pose un torchon sec dessus et aplatis-les avec le rouleau à pâtisserie.

9 Retire ensuite le torchon et laisse sécher pendant 2 heures. Tu peux ensuite écrire sur le papier que tu viens de fabriquer.

LA NAISSANCE DU PAPIER

Un Chinois aurait inventé le papier au IIe siècle avant Jésus-Christ. C'était alors un mélange de fibres de bambous, d'étoffes, de lin. Les Arabes introduisirent le papier en Europe au XIe siècle.

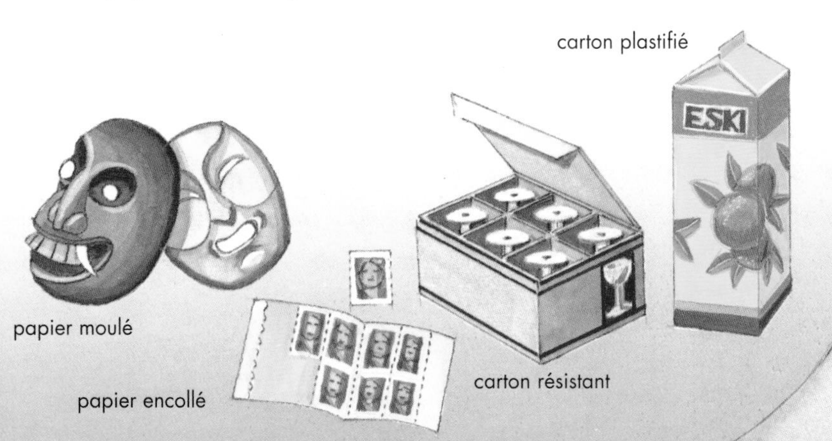

DES SECRETS DE PAPIER

Avec quelques bandes de papier, de curieux secrets mathématiques se laissent approcher. C'est ce que l'on appelle la topologie, ou l'étude des formes.

L'anneau de Möbius

★

Il te faut :
- une bande de papier de 40 x 4 cm,
- une paire de ciseaux,
- de la colle à papier,
- un crayon de couleur.

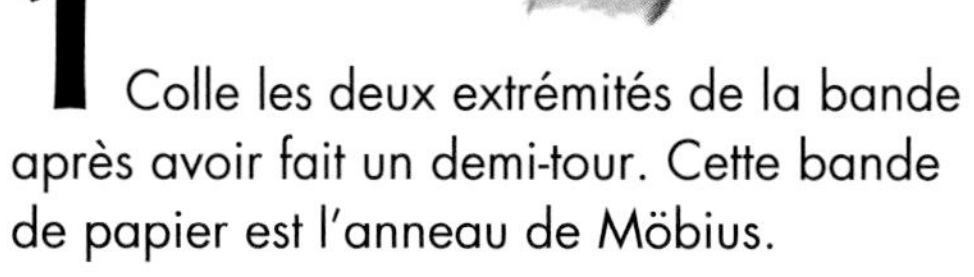

1 Colle les deux extrémités de la bande après avoir fait un demi-tour. Cette bande de papier est l'anneau de Möbius.

2 Colorie l'un des côtés de la bande. Que se passe-t-il ? Cette forme n'a qu'une seule face !

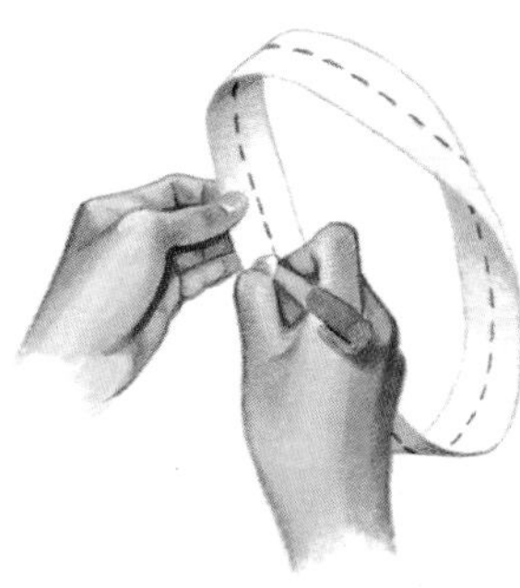

3 Trace un trait au milieu de la bande. Tu reviens au point de départ !

4 Découpe cette bande en suivant le trait que tu viens de tracer. Qu'obtiens-tu ?

Passer tout entier au travers d'une feuille de papier ? Facile !

Pour réellement passer au travers de la feuille de papier (21 x 29,7 cm), il faut transformer la surface habituelle de la feuille, trop petite, en un anneau très long. Le secret est dans le dessin ci-dessous.

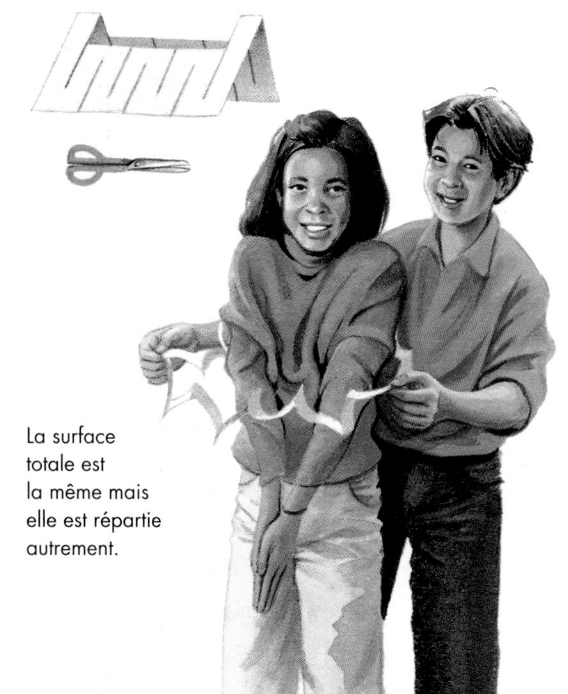

La surface totale est la même mais elle est répartie autrement.

5 Fais une nouvelle bande de Möbius, puis découpe-la en suivant une ligne située à un tiers du bord. Que se passe-t-il ?

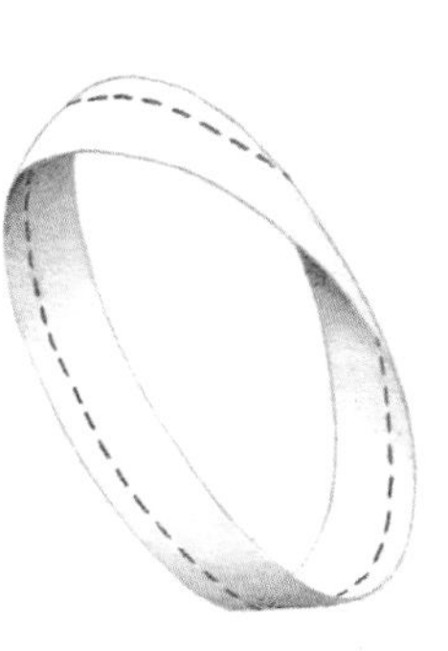

Trois images en une

 ★★

Il te faut :
- 3 images (21 x 29,7 cm),
- une feuille de papier blanc (21 x 90 cm),
- un carton, des ciseaux,
- de la colle.

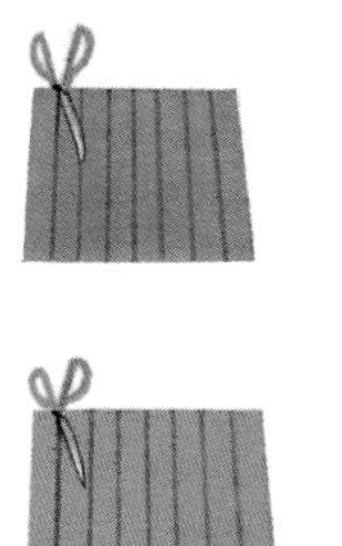

1 Découpe chacune des trois images en bandes de 2 cm de large.

2 En suivant toujours le même ordre, colle les bandes obtenues côte à côte sur la feuille blanche.

3 Plie et colle les bandes comme sur le dessin.

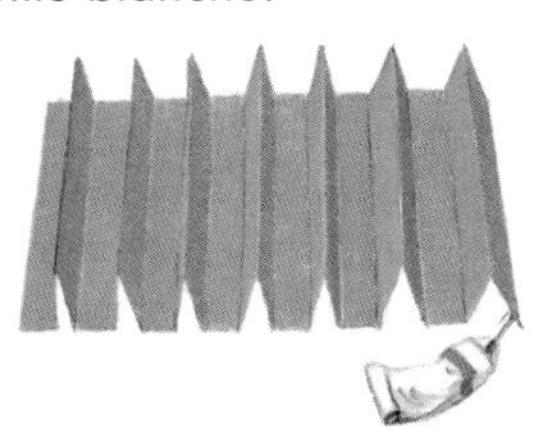

4 Colle ton montage sur un support de carton (21 x 29,7 cm). Regarde de face, puis de droite et de gauche : tu verras successivement les trois images.

Le message secret

Comment le lire ? En tenant le livre incliné devant tes yeux : les lettres, qui sont très allongées, ne peuvent être facilement lues que sous un certain angle.
À toi de le trouver !

Un bracelet surprenant

 ★

Il te faut :
- de la colle,
- une paire de ciseaux,
- une bande de papier.

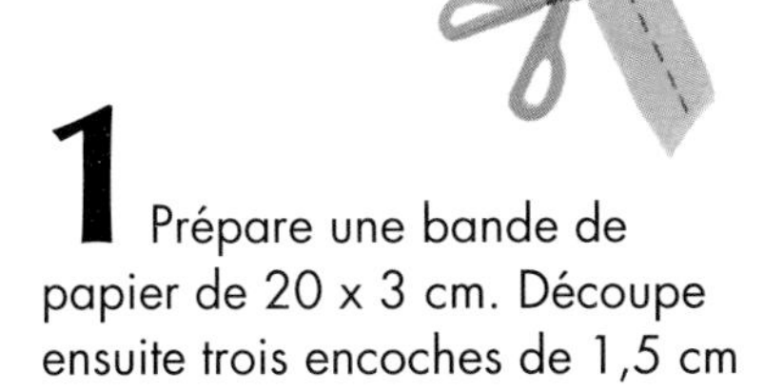

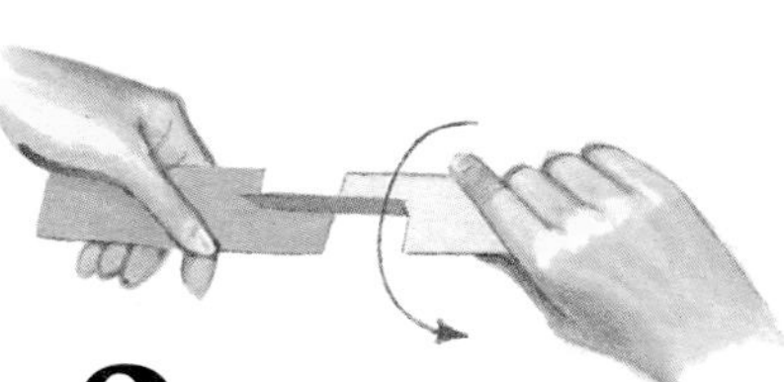

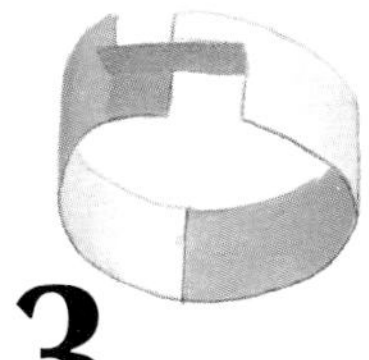

1 Prépare une bande de papier de 20 x 3 cm. Découpe ensuite trois encoches de 1,5 cm de long, espacées de 1,5 cm.

2 Fais faire un demi-tour à une extrémité de la bande, puis relève et plie la languette. Ferme ton bracelet.

3 L'effet est plus surprenant encore avec un papier de même couleur des deux côtés !

DU SOLIDE EN PAPIER

En feuille ou en tube, le papier offre une résistance incroyable. Facile à découper, il peut être très solide et donner des idées aux plus grands constructeurs.

Le tabouret en profilés

◐ ★

Il te faut :
- 12 feuilles de papier,
- de la colle,
- un grand livre.

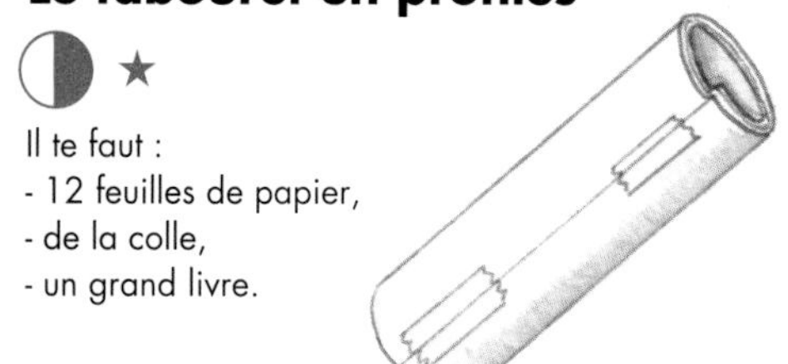

1 Réalise six tubes de 3 cm de diamètre avec des feuilles de papier : ce seront les pieds du tabouret.

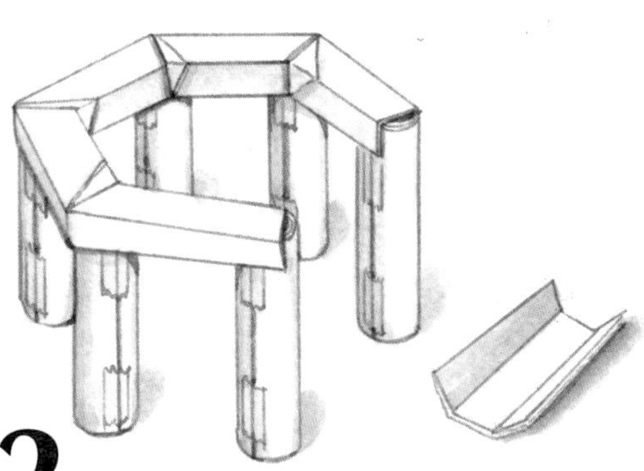

2 Relie les tubes entre eux au moyen de six feuilles pliées en forme de U et collées.

3 Pose le livre sur ce piétement de papier. Si tu t'assois délicatement, le tabouret pourra supporter ton poids grâce à ses profilés de papier !

DES PROFILÉS DE TOUTES FORMES

Pour construire, on utilise beaucoup les profilés. Ils ont une forme de T, de U, de L, de I et sont faits en béton, en acier ou en aluminium…

cornière en L

rail en I

poutre en U

poutre en T

LE CARTON ONDULÉ, UN MATÉRIAU RÉSISTANT

Pour renforcer les emballages en papier, on fabrique une multitude de petites canelures collées entre des feuilles de carton : c'est le carton ondulé. Sa résistance mécanique s'en trouve grandement améliorée. Sais-tu qu'il est possible de parachuter des voitures ou des tanks protégés par du carton ondulé et qu'ils arrivent intacts au sol ?

Des poutres de papier

Il te faut :
- quelques allumettes,
- des feuilles de papier journal,
- du ruban adhésif.

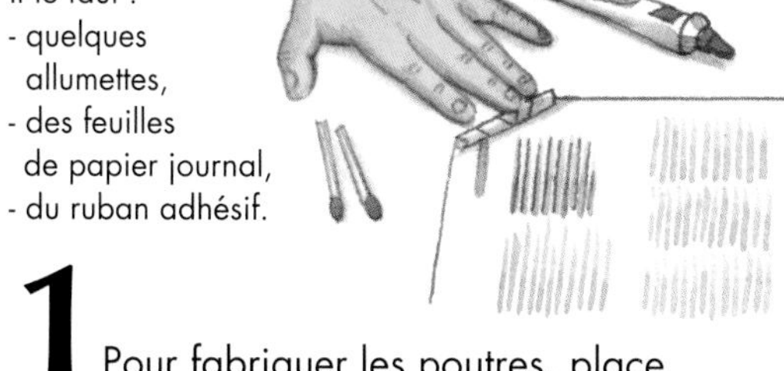

1 Pour fabriquer les poutres, place une allumette dans l'angle d'une feuille de papier, puis roule la feuille bien serrée autour. Colle l'extrémité de la feuille.

2 Pour réaliser des poutres plus longues, attache ensemble les rouleaux de papier avec du ruban adhésif.

3 Avec ces poutres, construis le squelette d'une cabane. Pour les murs, colle des feuilles de papier journal entre les poutres.

Feuilleté, c'est solide

Quelle épaisseur de papier peut-on déchirer à la main ? Très peu ! Pour t'en convaincre, prends une feuille de papier (une feuille de cahier, par exemple). Déchire-la en deux, puis recommence. Teste ta force : au bout de quelle épaisseur de papier est-il impossible de continuer à déchirer ?

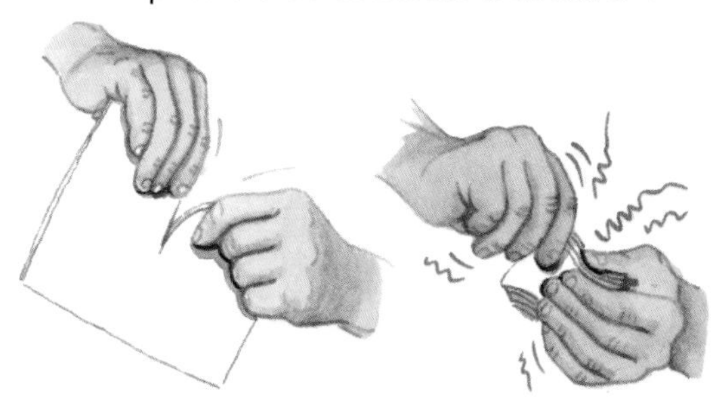

Des ponts de papier

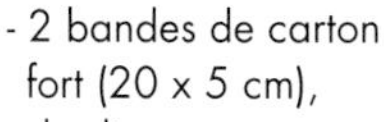

Il te faut :
- 2 bandes de carton fort (20 x 5 cm),
- des livres,
- des objets de poids variable.

1 Construis un pont en posant une bande de carton entre deux piles de livres. Quelle charge peut-il supporter ?

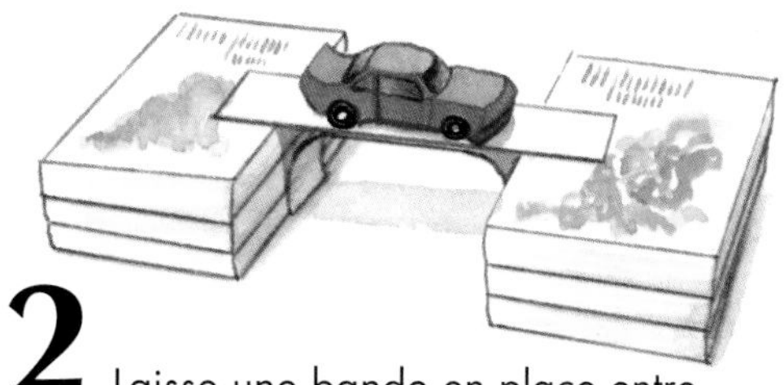

2 Laisse une bande en place entre les livres et plie l'autre en dessous, en forme d'arche. Le pont est-il plus solide ?

UN VRAI CASSE-TÊTE : LE TANGRAM

Originaire de Chine où il est connu sous le nom de « planche des sept astuces » ou « planche de la sagesse », ce jeu va te permettre de reproduire toutes sortes de figures ou d'en créer de nouvelles au gré de ta fantaisie.

Pour fabriquer ton Tangram

Il te faut :
- un carré de papier, ou de contre-plaqué (12 cm x 12 cm x 3 mm),
- des ciseaux ou une scie à lame fine,
- une boîte à tiroir (grande boîte d'allumettes plate), ou de cigarettes, rigide.

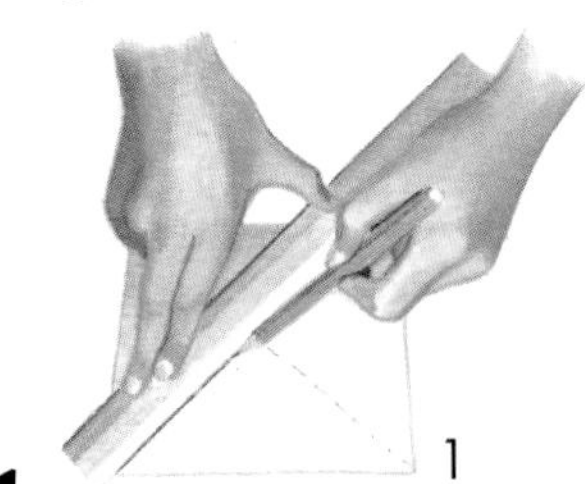

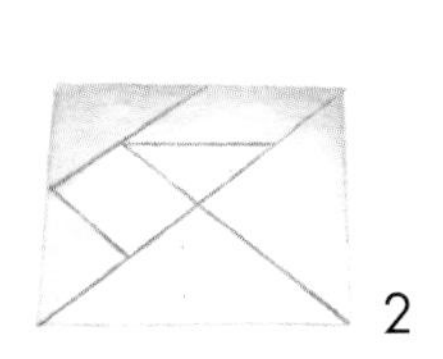

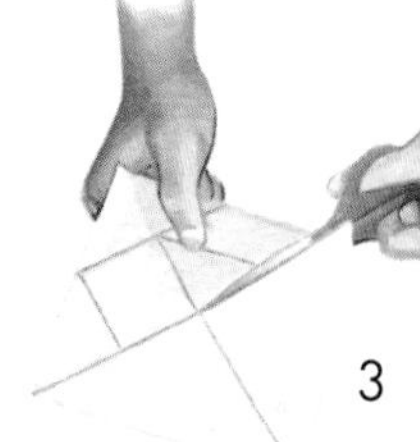

1 En suivant les étapes 1, 2 et 3, trace les pièces puis découpe-les.

2 Sur des bristols (cartes de visite), reproduis les figures de la page 175. Adapte la dimension des cartes à la boîte de rangement que tu as choisie. Numérote chaque carte au dos.

3 Sur d'autres cartes portant le même numéro, dessine les solutions (voir p. 175).

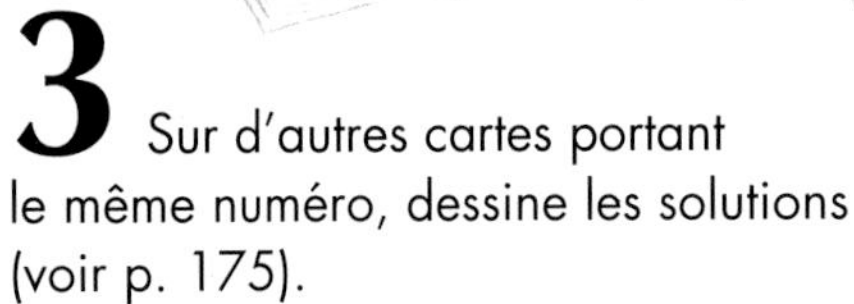

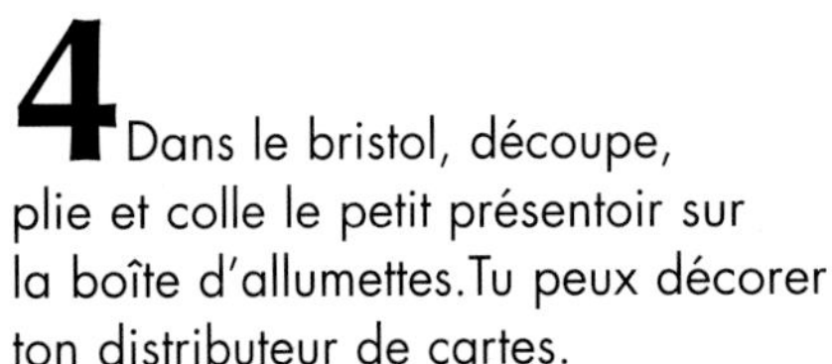

4 Dans le bristol, découpe, plie et colle le petit présentoir sur la boîte d'allumettes. Tu peux décorer ton distributeur de cartes.

Pour s'entraîner

Avant de jouer, tu vas manipuler ces pièces et faire quelques observations qui te serviront ensuite à bien réussir tes figures.

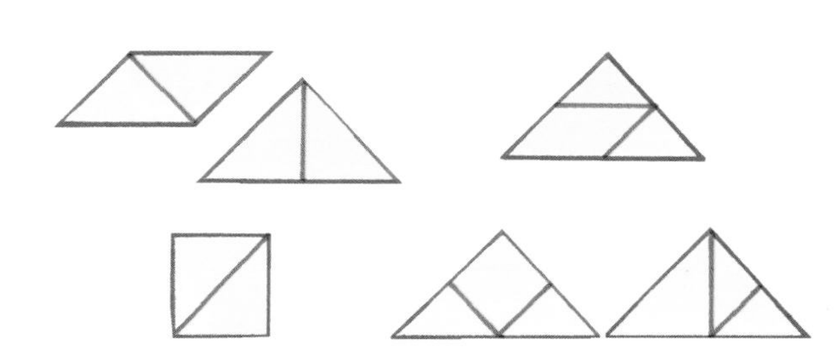

Avec les deux petits triangles, tu peux réaliser ces trois figures.

Un même triangle peut être constitué à partir de pièces différentes.

Pour jouer

Place les « figures » dans ton distributeur (les cartes « solutions » sont à part).

Si tu joues seul(e) : tire une carte et reproduis la figure le plus rapidement possible avec les sept pièces du Tangram. Note les scores...

À plusieurs : chaque joueur possède un Tangram. Le vainqueur est celui qui réalise le premier la figure tirée. Vérifie sur les cartes « solutions » que chaque pièce est bien à sa place.

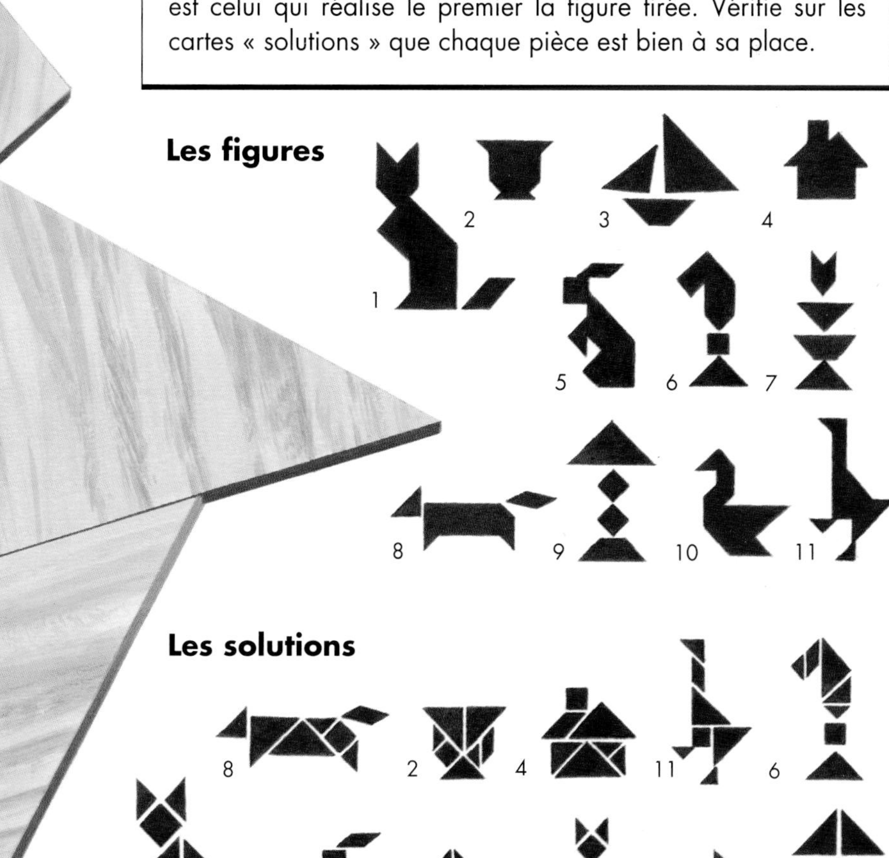

TISSER ET TEINDRE

Coton et laine, Lycra et nylon, les fibres se tissent et ne se ressemblent pas. Naturel ou synthétique, le tissu nous pare et nous habille.

Bracelet ou ceinture tissés

Il te faut :
- une boîte (en carton ou en bois),
- du fil (fin et solide),
- du fil de coton de couleur,
- un peigne.

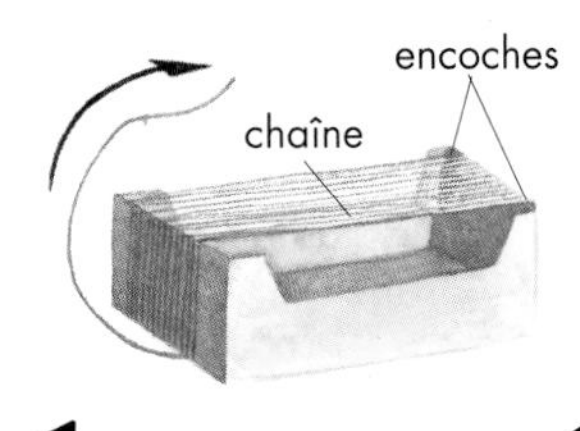

navette

trame

1 Échancre la boîte et enroule le fil autour dans les encoches : c'est la chaîne. Pour une ceinture, compte environ 50 tours ; pour un bracelet environ 20 tours.

2 Enroule le fil de coton sur un morceau de bois : c'est la navette. Tu peux prévoir plusieurs navettes de couleurs différentes.

3 Passe la navette alternativement dessus et dessous les fils tendus, en inversant lors du retour : c'est la trame.

Teintures végétales

Il te faut :
- de vieux chiffons blancs, (mouchoirs, morceaux de drap…),
- une vieille casserole,
- un porte-filtre à café avec un filtre,
- pour le rouge : du chou rouge ou de la betterave,
- pour le jaune : des pelures d'oignons,
- pour le vert : des épinards.

1 Pour faire la couleur de ton choix, coupe les légumes en petits morceaux. Demande à un adulte de les faire bouillir pendant 15 minutes dans la casserole à moitié remplie d'eau.

2 Une fois le mélange refroidi, filtre-le. Trempe les étoffes dans la solution, puis laisse-les sécher.

3 Il est aussi possible de faire des mélanges de couleurs…

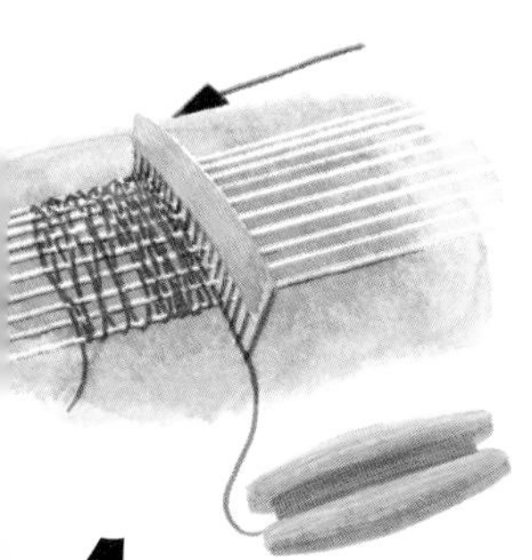

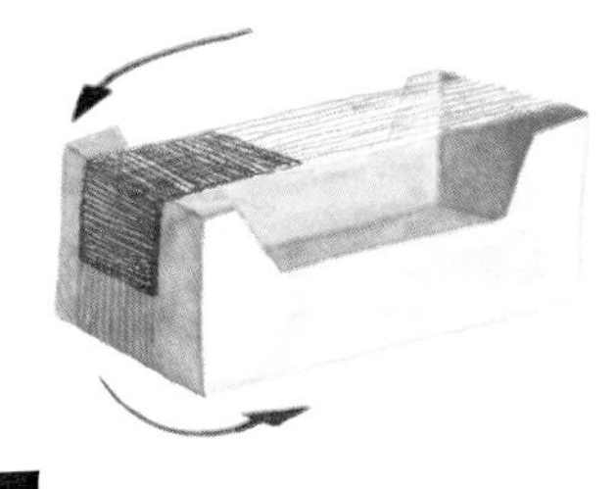

4 Après deux ou trois passages de navette, serre le tissage avec le peigne. Tu peux changer de couleur de navette et même faire des motifs.

5 Pour avancer, fais tourner la chaîne de façon à avoir toujours la possibilité de passer la navette dans le creux de la boîte.

LES NON-TISSÉS...

Certains textiles ne sont pas tissés. Les fibres sont simplement pressées les unes contre les autres. C'est le cas du feutre ou du molleton.

QUELQUES FIBRES MODERNES

Les textiles actuels sont souvent fabriqués avec des mélanges de fibres suivant les qualités recherchées pour le vêtement : imperméabilité, confort, légèreté, solidité...

La laine polaire est une fibre polyester grattée, rasée qui gonfle et moutonne comme de la laine.

Le Lycra est une fibre extrêmement fine, solide, brillante et élastique, utilisée notamment pour les collants.

Le polyamide, nom chimique du nylon, est très résistant, léger et imperméable.

MATIÈRES PLASTIQUES

Les matières plastiques ont envahi notre quotidien. La plupart du temps, elles sont fabriquées à partir du pétrole. Mais pas seulement : en voici la preuve !

Du plastique sans pétrole

Il te faut :
- 1/2 litre de lait entier,
- une casserole,
- 2 cuillères à café de vinaigre (ou de jus de citron),
- un mouchoir en coton,
- un verre.

1 Avec l'aide d'un adulte, fais chauffer le lait, puis verse le vinaigre.

2 Laisse refroidir, puis verse sur le mouchoir placé dans le filtre.

Fabrication de matières plastiques

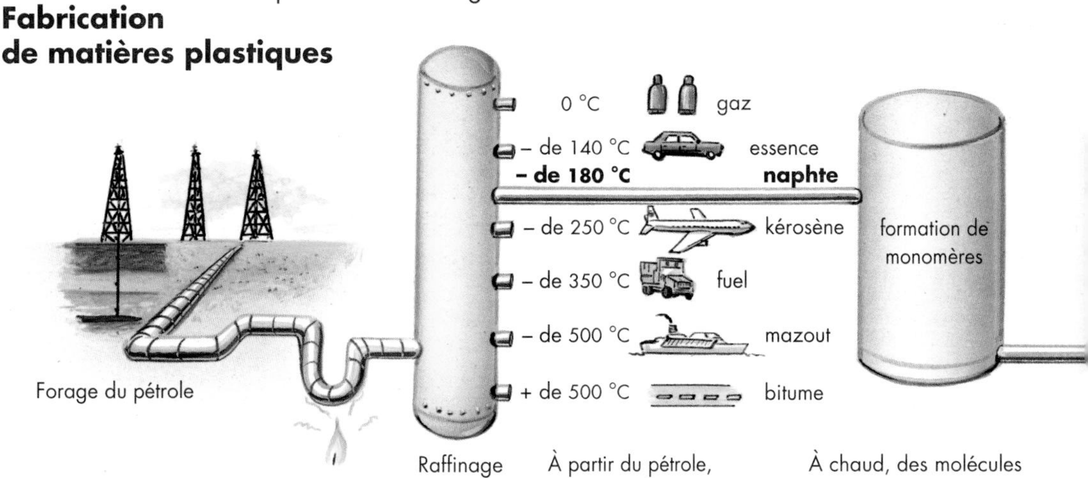

Forage du pétrole

Raffinage

À partir du pétrole, le naphte est séparé par raffinage.

À chaud, des molécules simples se forment : les monomères.

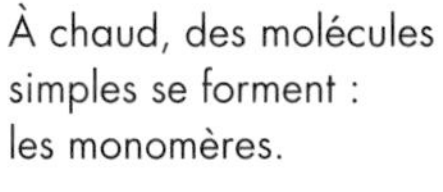

Le crayon tordu

Prends un crayon à papier en plastique et, avec l'aide d'un adulte, chauffe-le doucement. Quelques secondes après, tords lentement le crayon. Il est thermoplastique.

> ⚠ **Attention !** Il faut chauffer très légèrement et rapidement le crayon, sinon il fond et peut te brûler.

THERMODURCISSABLE OU THERMOPLASTIQUE ?

Les matières plastiques réagissent différemment aux fortes températures. Les thermodurcissables, notamment, durcissent à la chaleur après avoir subi une réaction chimique, la vulcanisation. Les thermoplastiques, eux, ramollissent quand ils sont chauffés et durcissent au froid.

3 Récupère le dépôt blanc (la galalithe) puis lave-le avec beaucoup d'eau.

4 Presse bien pour essorer. Sculpte de petits objets de ton choix puis laisse-les sécher.

5 Cette matière plastique est thermodurcissable. Place tes sculptures dans un four à peine chaud pendant un quart d'heure environ, elles durcissent à la chaleur.

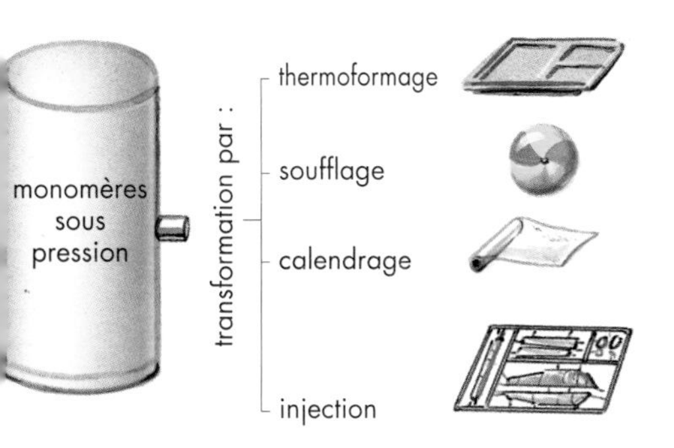

Les monomères s'accrochent les uns aux autres pour former de longues chaînes.

La matière plastique est transformée en objets selon différents procédés.

QUEL CHOIX !

Il existe aujourd'hui plus de deux millions de sortes de plastiques différents qui permettent de tout fabriquer : emballages, carrosseries de voiture, prothèses, vêtements et même composants d'ordinateur.

UN RECYCLAGE COMPLIQUÉ

Le plastique n'est pas biodégradable, c'est-à-dire qu'il ne peut pas se décomposer dans la nature. Pour ne pas être submergé par des montagnes de vieux plastiques, il faut les détruire en les brûlant dans des incinérateurs, ou les recycler pour les réutiliser. Il est alors nécessaire de séparer les matières plastiques en grandes familles, ce qui est très difficile ; c'est pourquoi on les recycle encore très peu.

NOUER DES LIENS

Amarrer solidement un bateau à un anneau du port, fixer au piton la corde de rappel de l'alpiniste, tirer ou lever une charge, allonger un cordage, une ligne de pêche, le fil d'un cerf-volant, nouer sa cravate : c'est une affaire de nœuds et de technique !

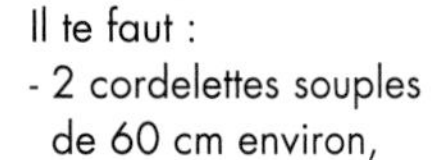

Il te faut :
- 2 cordelettes souples de 60 cm environ,
- un bâton,
- un gros anneau de rideau.

■ Des nœuds coulants

Le nœud du lasso

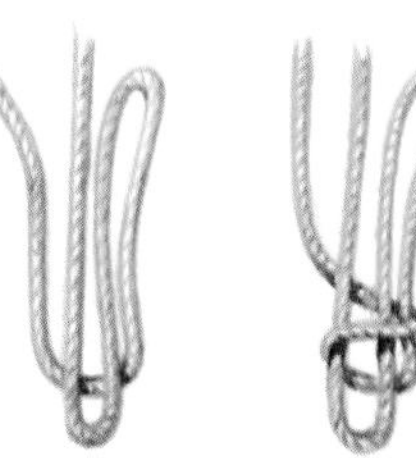

Les cow-boys l'utilisent pour capturer le bétail.

Le nœud de laguir

Ce nœud coulant glisse aisément. Il était souvent utilisé par les poseurs de collets.

■ Le nœud de cravate

■ La chaînette anglaise

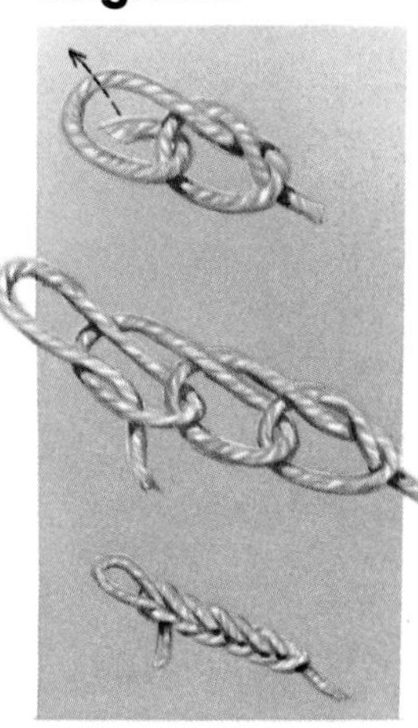

Elle permet de réduire d'environ un tiers la longueur d'un cordage. Pour la défaire, il suffit de tirer sur le bout qui dépasse.

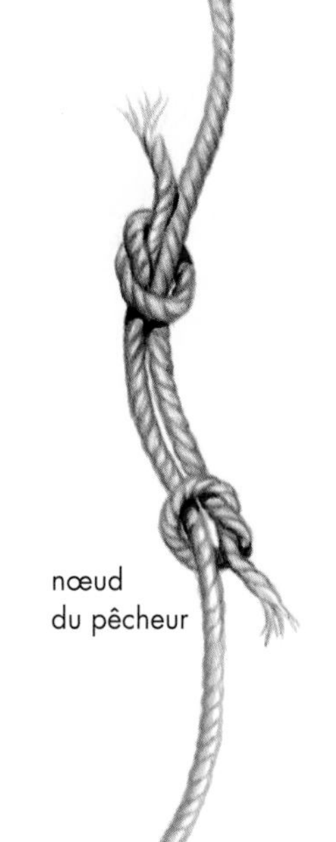

nœud du pêcheur

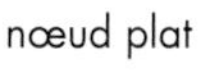

nœud plat

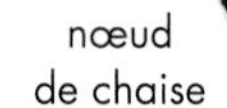

nœud de chaise

■ Des nœuds pour unir

Ils servent à assembler deux cordes.

Le nœud plat

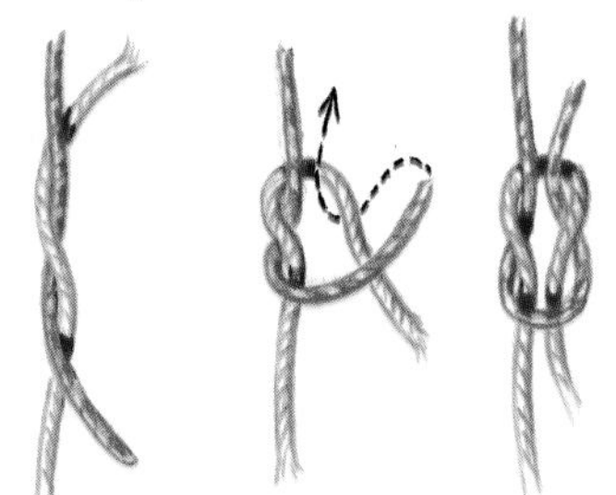

Le plus pratique et le plus facile à défaire.

Le nœud du pêcheur

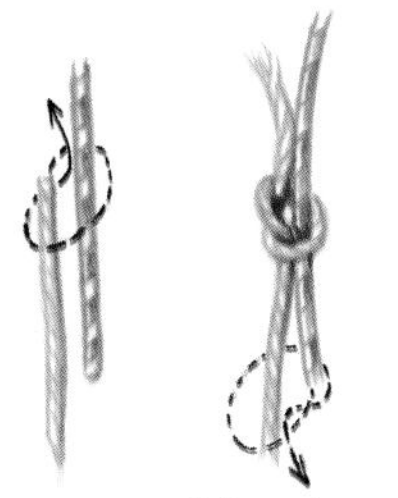

Pour assembler des cordes de diamètres différents. Également facile à défaire, il est très sûr. Il est utilisé par les pêcheurs pour relier des lignes entre elles, mais aussi par les marins pour maintenir des voiles.

■ Le nœud en huit

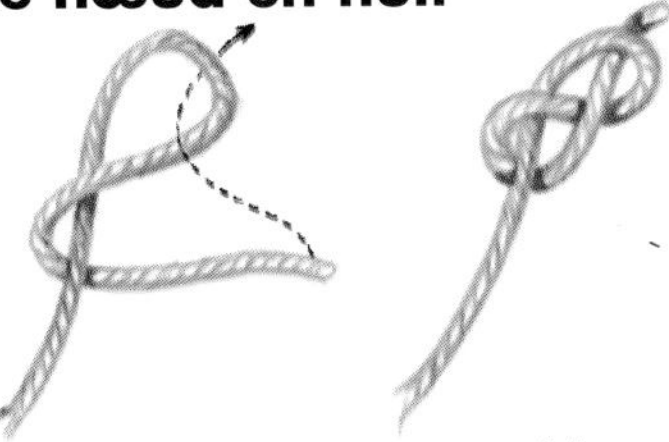

Le nœud en huit permet un blocage temporaire. Il crée une surépaisseur qui facilite la prise en main.

■ Nœuds pour fixer

Ils permettent d'amarrer solidement une corde à un piquet, un anneau, un piton. Ils sont utilisés par les marins, les alpinistes, les campeurs...

Le plus simple : **un trou mort et deux demi-clés**.

Le nœud de chaise

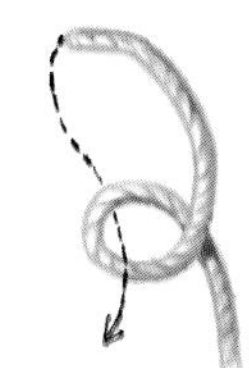

Il est le plus employé, mais il faut un peu d'entraînement pour le réaliser.

La tête d'alouette

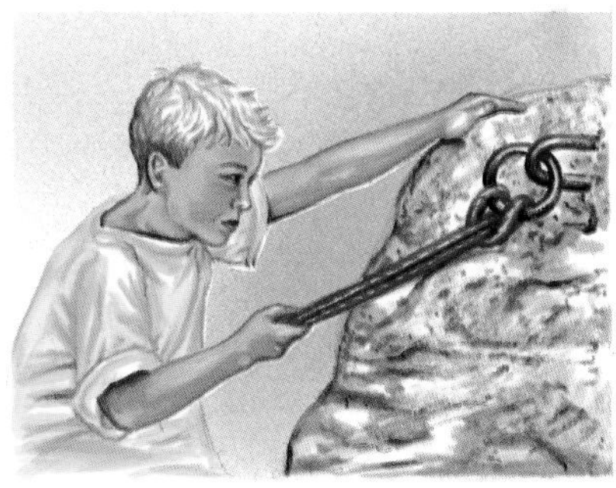

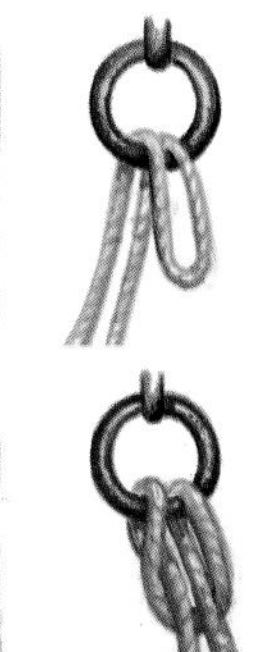

Pour un cordage de faible longueur. Ici, les deux brins du nœud sont sous tension.

LES GRANDS EXPÉRIMENTATEURS (1)

Tous les savants ne sont pas des expérimentateurs : nombreux sont les théoriciens qui réfléchissent et qui fournissent des idées, des indices, des pistes à ceux qui réalisent ensuite les expériences.

Archimède (vers 287-vers 212 avant J.-C.)
Mathématicien grec, il invente la vis sans fin, le levier, le planétarium, quelques machines de guerre... et, au sortir de sa baignoire, son fameux « principe ».

Léonard de Vinci (1452-1519)
Peintre italien, sculpteur, ingénieur et inventeur de nombreuses idées de machines (écluse, hélicoptère, canon mitrailleur). Certaines furent dessinées mais jamais réalisées, la technique de l'époque étant incapable de matérialiser ses inventions géniales.

Galilée (1564-1642)
Physicien et astronome italien, il est le premier expérimentateur, au sens moderne du terme. Il étudie la chute des corps, réalise la première lunette astronomique avec laquelle il découvre les satellites de Jupiter.

Johannes Kepler (1571-1630)
Astronome et physicien allemand, il révolutionne l'astronomie en démontrant que la Terre tourne autour du Soleil. Il énonce aussi, en optique, les lois de la réfraction.

Evangelista Torricelli (1608-1647)
Physicien italien, élève de Galilée, il étudie la pression atmosphérique et met au point le baromètre. En retournant un tube de mercure, il crée le premier « vide » absolu sur la Terre.

Christiaan Huygens (1629-1695)
Physicien et astronome hollandais, il découvre les anneaux de Saturne et imagine un mécanisme de régulation des horloges et des montres, l'échappement à ancre.

Voici quelques grands expérimentateurs qui ont marqué l'avancée des sciences et des techniques. Leurs points communs ? Ténacité, rigueur, habileté. Ces qualités mènent aux grandes découvertes !

Antonie Van Leeuwenhoek (1632-1723)

Vers 1665, ce naturaliste hollandais découvre les globules du sang, les spermatozoïdes et de nombreuses bactéries, grâce aux microscopes qu'il construit lui-même.

Isaac Newton (1642-1727)

Physicien et astronome anglais, alchimiste aussi, il découvre la composition de la lumière blanche, puis énonce la loi de la gravitation universelle qui fait tomber les pommes et tourner les astres.

James Watt (1736-1819)

Ingénieur et mécanicien écossais, Watt apporte d'utiles modifications à la machine à vapeur (condenseur, volant, régulateur à boules...). Ce nouveau type de machine peut alors devenir une source d'énergie fiable, efficace et sûre.

Les frères Montgolfier

Deux frères, Étienne (1745-1799) et Joseph (1740-1810) de Montgolfier, papetiers français, réalisent en 1783 le rêve longtemps inaccessible à l'homme : voler. Avec un ballon en papier rempli d'air chaud, la montgolfière, ils font d'abord voler un canard, un coq et un mouton, puis le premier homme : François Pilâtre de Rozier.

Joseph-Marie Jacquard (1752-1834)

Mécanicien français, il invente le métier à tisser qui porte son nom. Il imagine le premier programme pour machine automatique : un carton perforé commandant le tissage de dessins complexes.

Si, autrefois, il était facile d'attribuer une découverte ou une invention à un seul homme, aujourd'hui, des équipes nombreuses travaillent en collaboration.

Michael Faraday (1791-1867)

Physicien et chimiste anglais, il découvre l'influence des aimants sur l'électricité (électromagnétisme), parvient à liquéfier presque tous les gaz et découvre le benzène.

Samuel Morse (1791-1872)

Physicien américain, il développe le télégraphe électrique et invente un codage pour transmettre facilement des messages à distance.

William Henry Fox Talbot (1800-1877)

Physicien anglais, Talbot met au point la photographie sur papier et invente l'appareil photo moderne. Ainsi, les idées de Niepce et Daguerre se trouvent améliorées.

Louis Pasteur (1822-1895)

Chimiste et biologiste français, il découvre les micro-organismes, leur rôle dans la fermentation et les maladies infectieuses, préconise l'asepsie en chirurgie, invente les vaccins et la conservation par la chaleur (pasteurisation).

Gregori Mendel (1822-1884)

En 1865, ce moine botaniste autrichien expérimente sur les petits pois et le maïs et découvre les lois de la génétique.

Alexander Graham Bell (1847-1922)

Savant américain, il enseigne le langage des signes aux sourds-muets. En 1876, il invente le téléphone, un peu par hasard, en transformant les vibrations sonores en courant électrique.

Thomas Alva Edison (1847-1931)

Il est l'inventeur aux 2 000 brevets (le phonographe, la lampe à incandescence, le ruban adhésif…). L'Américain Edison est le prototype même de l'autodidacte expérimentateur acharné et doué.

Les frères Lumière

Auguste (1862-1954) et Louis Lumière (1864-1948) déposent le brevet du premier « cinématographe » en 1895. Lors de la première séance de cinéma, ils projettent des images de la sortie de leur usine.

Les frères Wright

C'est avec son frère Orville (1871-1948) que Wilbur Wright (1867-1912) fait décoller un aéroplane plus lourd que l'air, le 17 décembre 1903. Ce premier vol dure 12 secondes et permet de parcourir 36,6 mètres.

Alexander Fleming (1881-1955)

Ce médecin anglais découvre par hasard, en 1928, que des moisissures sécrètent un produit mortel pour d'autres bactéries : la pénicilline. Les antibiotiques sont nés.

Robert H. Goddard (1882-1945)

Avant le Professeur Tournesol, il est le premier à avoir fait voler une fusée (le 16 mars 1926), grâce à la maîtrise d'un nouveau carburant, le propergol liquide.

Christian Barnard (né en 1922)

Chirurgien sud-africain, il réussit, en 1967, la première greffe du cœur. L'opération dura 5 heures et nécessita 18 chirurgiens.

LES SOLUTIONS

p. 32

1. Comme l'alcool bout à 78 °C, le thermomètre à alcool ne peut mesurer la température de l'eau bouillante (100 °C). On utilise donc le **thermomètre à mercure**.

2. Comme le mercure gèle à 39 °C en dessous de zéro, seul le **thermomètre à alcool** permet de mesurer la température la plus basse sur la Terre.

p. 59

Le son se déplace à 330 mètres par seconde. S'il s'est écoulé 15 secondes entre l'éclair et le coup de tonnerre, l'éclair s'est produit à **4 950 mètres**.
15 x 330 = 4 950

p. 74

Le rayon laser se déplace à la vitesse de 300 000 kilomètres par seconde. Il lui faut 2,56 secondes pour faire l'aller-retour Terre-Lune, soit 1,28 seconde pour l'aller simple.
300 000 x 1,28 = 384 000

La Terre est à **384 000 kilomètres** de la Lune.

p. 92

Le lanceur doit se mettre en position **B**.
Lorsque le lanceur lâche la ficelle, dans la position A, c'est l'observateur qui reçoit la comète. Dans la position B, la comète atteint la cible.

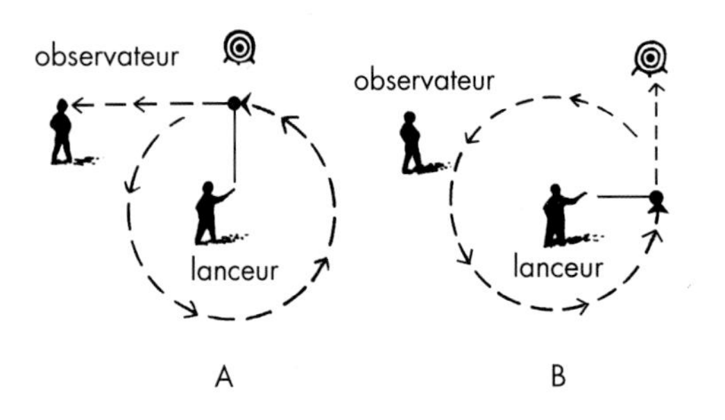

p. 98

Le moulinet **a** tourne dans le sens des aiguilles d'une montre.

p. 111

Le bras élévateur correspond au levier de type **3**.
Le bras porte-godet correspond au levier de type **1**.
Le godet correspond au levier de type **3**.

p. 114

Ordre des quatre étapes du mouvement de l'aile : **a**, **d**, **b**, **c**.

Le point mort haut désigne la plus haute position de l'aile. Le point mort bas, la plus basse position de l'aile.

p. 113

Le tabouret **a** descend plus rapidement, car son pas de vis est plus grand.

p. 117

La dernière roue tourne dans le **sens des aiguilles d'une montre**.

p. 118

Pour obtenir la vitesse la plus faible, il faut placer la courroie entre les poulies **1** et **4**.

p. 143

La hauteur de l'arbre est de 8 mètres.

p. 152

Le courant ne circule que d'un pôle vers un pôle opposé.

En **2**, le courant passe et **l'ampoule s'allume**.

En **1** et **3**, le courant ne passe pas, car le sens du courant n'est pas respecté : **l'ampoule ne s'allume pas**.

INDEX

B

I

L

M

Quelques indications avant de commencer...

• **Les abréviations utilisées dans le livre :**

ø :	diamètre	km/s :	kilomètre par seconde	c. :	cuillerée
l. :	litre	cm :	centimètre	min :	minute

• Pour réaliser certaines expériences, tu as besoin d'utiliser la flamme d'une bougie, d'un briquet. Sois très prudent. Installe-toi dans la cuisine ou la salle de bains, près d'un lavabo, et éloigne les objets inflammables.
Lorsque tu as besoin de faire bouillir de l'eau, demande l'aide d'un adulte.

Dans la même collection

Méga Poussin
pour les 3-6 ans

Méga Benjamin
pour les 6-9 ans

Méga Junior
à partir de 9 ans

Méga Senior
à partir de 13 ans

À partir de 9 ans

Méga Nature

Méga Histoire

Méga Sport

Méga Monde

Méga Expériences

Crédits photographiques

p. 55 : bg, *En haut et en bas*, lithographie, 1947, © 1995 M. C. Escher/Cordon Art - Baarn - Holland.
 bd, dessins originaux de M. Penrose, DR.
p. 57 : Pinsharp 3D graphics.
p. 63 : © RMN.

N° de Projet : 10068933 - (II) - (45,5) - CSB-TS-135
Dépôt légal : Juillet 1998 (n° 99062099)
Conforme à la loi n° 49.956 du 16 juillet 1949 sur les publications destinées à la jeunesse
Mame Imprimeurs, à Tours
ISBN 2.09 277121-3